MOEWIG
SCIENCE FICTION

Katherine MacLean

DER ESPER UND DIE STADT

Herausgegeben und mit einem Nachwort
von Hans Joachim Alpers

MOEWIG
Deutsche Erstausgabe

Titel der Originalausgabe: MISSING MAN
Aus dem Amerikanischen von Ronald M. Hahn
Copyright © 1975 by Katherine MacLean
Copyright © der deutschen Übersetzung 1982
by Arthur Moewig Verlag Taschenbuch GmbH, Rastatt
Umschlagillustration: Schlück/Rowena Morrill
Umschlagentwurf und -gestaltung: Franz Wöllzenmüller, München
Redaktion: Hans Joachim Alpers
Verkaufspreis inkl. gesetzl. Mehrwertsteuer
Auslieferung in Österreich:
Pressegroßvertrieb Salzburg, Niederalm 300, A-5081 Anif
Printed in Germany 1982
Druck und Bindung: Mohndruck Graphische Betriebe GmbH, Gütersloh
ISBN 3-8118-3586-6

1

Ich war unterwegs zum Arbeitsamt in der Oberstadt. Der Bürgersteig war weich und grün, die Bäume warfen Schatten. Es wehte ein warmer Wind.

Ich blieb an einem Snack-Automaten stehen, sah mir die Frühstücksbilder an und beobachtete einen Mann, der seine Kreditkarte in den Schlitz steckte und sich eine Tasse Kaffee zog. Es war ein junger Bursche, kaum älter als ich. Ich konnte den Kaffee riechen. Den Tag davor hatte ich mittags und abends nur heißes Wasser gehabt, und auch zum Frühstück. Obwohl ich ein gutes Gefühl im Magen hatte, war ich schwach auf den Beinen.

Die morgendlichen Vibrationen sind stets in Ordnung. Die Leute gehen an einem vorbei und strahlen gute Laune aus. Ich machte mir dieses Gefühl zu eigen, bis ich plötzlich zu der Ansicht kam, der Snack-Automat müsse mir etwas gratis geben – aus reiner Freundlichkeit.

Ich schob meine Kreditkarte in den Schlitz und drückte die Knöpfe, um mir eine Tasse Kaffee mit zwei Spritzern Milch, zwei Stückchen Zucker und eine Portion Rührei zu ziehen. Meine Hände fingen an zu zittern. Das Wasser lief mir im Mund zusammen. Aus den Fenstern der umliegenden Häuser nahm ich den Duft von Speck, geröstetem Plankton und Butter auf heißem Toast wahr.

Der Automat ließ ein rotes Licht aufleuchten: „Konto nicht gedeckt". Dann spuckte der Schlitz meine Kreditkarte wieder aus. Ich nahm sie und ließ sie fallen.

Der Mann, der seinen Kaffee trank, sah auf meine zitternden Hände und musterte mein Gesicht. Aber Hunger sieht man nicht von außen. Ich hatte schon hundert Pfund verloren und war immer noch nicht mager. Und er konnte auch meine Vibrationen nicht ertasten. Mein Gesicht ist rund und strahlt gute Laune aus. Wie das eines Kindes, aber ich bin erwachsen.

Ich hob die Karte wieder auf und grinste ihn an. Er grinste zurück.

„Wohl 'ne heiße Nacht gehabt?" fragte er freundlich. Ob er damit meinte, ich sei mit einem Mädchen zusammen gewesen?

Ich hob zustimmend zwei Finger, und er ging grinsend weiter. Seine Vibrationen sagten mir, daß er sich an ein paar tolle Nächte erinnerte, nach denen auch ihm des Morgens die Knie gezittert hatten.

Bei den nächsten drei Blocks versuchte ich mein Glück an zwei weiteren Snack-Automaten, aber es gab nichts zu essen.

Die besten Nahrungsautomaten von New York sind in der Künstler- und Bildhauer-Kommune. Künstler haben nämlich keine Lust zum Kochen, wenn sie gerade an etwas arbeiten. Als ich zum Arbeitsamt ging, kam ich daran vorbei. Ich ging durch eine große, säulenbewehrte Arkade und einen Park, der den unteren Teil des halbkreisförmigen Gebäudes einnahm. Überall waren kleine Vorgärten auf den Terrassen, die wie Balkons oder Vorsprünge aussahen. Ich hörte das Schnurren eines Steinmessers und irgendwo ein Hämmern. Wenn sie sich unter den Bäumen aufhielten, konnte man die Künstler selten sehen.

Ich fand diese Maschine, die auf chinesisches Essen spezialisiert ist, und probierte meine Kreditkarte an ihr aus. Ich drückte ein Ei „Foo Yong" und sah mir die hübschen Essensbilder an. Der Automat hielt meine Karte eine Weile fest, dann stieß er sie wieder durch einen anderen Schlitz aus. Das rote Lämpchen leuchtete nur einmal auf. Der Automat war zwar freundlicher als die anderen, aber so freundlich, daß er mir ein Essen spendierte, war er nun auch wieder nicht.

„Hallo, George", rief einer der Bildhauer und hielt mit seiner Tätigkeit inne. Er hielt Hammer und Meißel in der Hand und hatte gerade eine Statue bearbeitet. Der Bildhauer lachte jedesmal über einen Witz, den es zwischen uns gab; meist bevor er ihn überhaupt ausgesprochen hatte.

„Wie findest du mich, George?" fragte er.

Sein Gesicht war von der Arbeit gerötet, denn es machte ihm Spaß, Skulpturen in der klassischen griechischen Tradition herzustellen – wie Praxiteles. Er hatte einen Auftrag von einer klassischen Kommune, der Gesellschaft für kreativen Anachronismus. Sein kahler Schädel war von rosafarbener Gesundheit; krauses, schwarzes Haar umspielte seine Ohren. Er hatte beeindruckende Armmuskeln. Die Klopferei hatte dazu geführt, daß es in seinen Ohren summte. Er hörte immer noch die Echos seiner Schläge. Und ich fühlte sie natürlich auch.

„Sie sind gut, Mr. Xerxes", sagte ich. „Und was halten Sie von mir?"

„Du siehst sehr gut aus, George. Daß du abgenommen hast, steht dir gut." Er lächelte. „Du wirst den Jungen und Mädchen noch so gut gefallen, daß sie dir den Hof machen und sich um dich streiten werden."

Mr. Xerxes wußte nicht, daß meine Kreditkarte zu nichts mehr nütze war. Er verehrte meine Willenskraft. Zwei Monate lang hatte er zugesehen, wie ich hundert Pfund Fett verloren hatte. Ich hatte einfach nichts mehr gegessen. Er hatte mir ein Fläschchen mit Appetithemmern gegeben, die er von seiner eigenen Abmagerungskur übrigbehalten hatte. Mir hatten sie geholfen, aus dem Fett Energie zu machen. Ich hatte mich nie schwach gefühlt, nur hungrig, und mir täglich zwei Teller Planktonsuppe gekauft, um die letzten Dollars ein wenig zu strecken.

„Haben Sie einen Job für mich, Mr. Xerxes? Kann ich Ihnen irgendwie aushelfen?" Ich vergrub die Hände in den Taschen, damit sie nicht so zitterten. Als ich von der Schülerbeihilfe lebte, hatte die Künstlerkommune immer was für mich zu tun.

„Heute nicht, George." Mr. Xerxes hielt sorgfältig einen Steinblock hinter das Ohr der Statue, setzte seinen Meißel an und schlug ein Stückchen Marmor ab. Seine Vibrationen waren ein bißchen abweisend. Er dachte, ich sei nun zu groß für einen Laufburschenjob. Er wußte natürlich nicht, daß mir niemand einen Erwachsenenjob geben würde.

Ich versuchte es noch an fünf anderen Maschinen, aber sie waren alle in Ordnung und wußten, daß ich keinen Kredit mehr hatte, deswegen rückten sie nichts heraus.

Ich ging die Straße hinunter, hinter Leuten her, die auf dem Weg zur Arbeit waren. Ich stellte mir vor, zu ihnen zu gehören und nicht ich zu sein, das verschaffte mir ein gutes Gefühl. Ich tat so, als hätte ich ein Ziel und nahm ihre Vibrationen auf. Schließlich ging ich zur Kommune 1949, wo die alten Leute leben.

Ich stellte mich auf die Rolltreppe und ließ mich (statt sie hochzulaufen) von ihr tragen, kam an zwei Rasenplätzen und Veranden vorbei und sprang in Mrs. Johnsons Stockwerk ab. Sie hatte ein kleines Haus, das ganz von einem Rasen umgeben war und nur deswegen nicht wie ein Landhaus aussah, weil an den Ecken diese Säulen waren, die das gesamte Gebäude festhielten. Sie hatte die Säulen allerdings mit Schlingpflanzen verziert. Ich ging über den hellen Rasen mit dem gelben Löwenzahn und dem rosafarbenen Klee und klingelte bei ihr.

„Komm rein", rief sie durch das Interkom. „Ich bin in der Küche."

Die Tür öffnete sich. Ich atmete den süßen Duft von Kuchen und Orangenglasur ein, der die ganze Atmosphäre auszumachen schien. Das Wohnzimmer sah aus wie in einem Film aus den vierziger Jahren.

Es gab aber keinen Fernseher, weil das '49 noch nicht weit verbreitet war. Die Kommune der alten Leute lebte ziemlich strikt in ihrem Versuch, fünfzig Jahre hinter der Zeit zu bleiben. Das ganze Haus roch nach Pfannkuchen und Orangenkuchen. Orangenkuchen liebe ich am meisten, und was die Pfannkuchen angeht, so ist ihr Duft besser als alles andere.

Mrs. Johnson war in der Küche damit beschäftigt, sorgsam Orangenglasur auf einen großen Kuchen zu streichen. Der süße Duft war überwältigend. Ein rosafarbener Kuchen stand auf dem Tisch. Erdbeeren oder Kirschen?

Ich ging nur ein Stückchen hinein. Es war nur eine kleine Küche, und sie war nicht groß genug für uns beide. Mrs. Johnson ist eine große Frau.

„Kann ich irgendwie helfen?" fragte ich. Als ich noch klein war, habe ich ihr immer gern geholfen.

„Ja." Sie lächelte. „Du kannst mir dabei helfen, diese Kuchen zum Stand hinunterzubringen. Du kommst gerade rechtzeitig für den Witz, George. Wir machen diese Woche eine Inflation, und dies sind Hundert-Dollar-Kuchen. Mr. Duggan mag Kuchen gern."

„Kann ich die Glasurpfanne saubermachen?" Da lag eine Pfanne, an der noch etwas von dem rosafarbenen Zuckerguß klebte. Ich berührte sie mit einem Finger. Rosafarbenes Pfefferminz.

Sie sah mich streng an. „George, ich bin sehr stolz auf dich, weil du jetzt diät lebst. Ich würde nicht im Traum daran denken, dich in Versuchung zu führen. Süßigkeiten haben keinen Nährwert. Sie haben nicht den geringsten Nährwert. Bleib besser bei deinen Salaten."

Hätte ich mir gleich denken können, daß sie so was sagt. Als ich noch dick war, hat sie mir immer Plätzchen gegeben.

Ich nahm den Orangenkuchen, sie nahm den anderen, und zusammen gingen wir dann in den Park hinunter, der die Bodenebene einnahm.

Die alten Leute in der Kommune arbeiten alle füreinander und verkaufen sich gegenseitig Dinge. Das Geld der Sozialversicherung bewegt sich immer im Kreis, wie eine Million Dollar. Während wir mit der Rolltreppe runterfuhren, erzählte sie mir, daß sie jetzt alle Preise um das Zehnfache angehoben hätten, um mit Mr. Duggan, dem Zahnarzt, gleichzuziehen, der auch seine Preise erhöht hatte. Geleitet wurde das Spiel von Mr. Kracken, einem Volkswirtschaftler, der früher dem Präsidenten als Berater gedient hatte.

„Mr. Kracken ist ein Haifisch", sagte Mrs. Johnson. „Und beim Poker kann ihm niemand das Wasser reichen. Er ist unser Geschäftsführer. Dieser Zahnarzt wird heute sein blaues Wunder erleben! Er wird eine Mahlzeit von Muttern bekommen, die ihn tausend Dollar kostet!"

Ich nickte nur, denn sprechen konnte ich nicht. Die Orangenglasur war kaum fünfzehn Zentimeter von meinem Mund entfernt, als ich den Kuchen trug, und ich mußte den Mund geschlossen halten, um dem Verlangen zu widerstehen, einfach hineinzubeißen. Meine Knie waren weich; ich stellte den Kuchen auf die Theke des Gebäckstandes. „Muß gehen." Schnell haute ich ab und lehnte mich draußen gegen die Wand. Ich zitterte und hatte schwarze Flecke vor den Augen.

Über dem grünen Mittelstreifen fuhr auf einem Luftteppich langsam ein Touristenbus vorbei und schreckte einen Schwarm kleiner gelber Schmetterlinge auf.

Ich machte mich schnell auf den Weg zur Oberstadt und probierte dabei alle Snack-Automaten aus. Keiner rückte jedoch etwas heraus. Ich spielte mit dem Gedanken, den Leuten zu sagen, daß ich hungrig sei. Ich sah mir die Gebäude und den dunklen Himmel an, um mich vom Essen abzulenken. Alles wurde dunkler und nebelhafter. Das Sonnenlicht war weg. Die Leute, die vorübergingen, sahen miserabel aus. Die guten Vibrationen des Morgens waren verschwunden.

Ich blieb am Arbeitsamt stehen und steckte meine Karte in den Informationsschlitz. Nichts kam heraus. Keine Arbeitsbenachrichtigung. Keine Arbeit.

Freunde, die sich mit Zen und Yoga auskannten, hatten mir erzählt, daß ein Mensch dreißig Tage lang ohne Nahrung auskommen kann. Sie hatten mir gezeigt, wie das geht. Das Dumme ist nur, daß man dann ständig zittert. Wenn ich eine Hauswand anfaßte, hatte ich das Gefühl, die ganze Welt würde zittern. Um Hilfe konnte ich nicht bitten. Ich fühlte mich wie jemand, der in einer Falle sitzt und den niemand hören kann. Man bettelt nicht.

Wenn ich den Leuten vom Arbeitsamt erzählte, daß meine Schülerbeihilfe nicht mehr kam, wenn ich ihnen sagte, daß ich Geld brauchte, würden sie mir eine Erwachsenenunterstützung und eine Fahrkarte geben, damit ich New York verließ und nie wieder zurückkam.

Ahmed der Araber kam die Straße hinunter. Er ging sehr schnell, mit wippenden Schritten. Als wir klein waren, war er der König unseres Blocks, und manchmal hat er mich gefragt, ob ich ihm nicht helfen könne. In diesem Jahr hatte Ahmed einen Job bei der Rettungsbrigade. Vielleicht würde er mich ihm helfen lassen. Vielleicht konnte er mir einen Job verschaffen. Ich hatte ihn immer gut leiden können.

Als er näher kam, winkte ich ihm zu. „Ahmed."

Er ging weiter, war in Eile. „Na schön, George, komm weiter."

Ich nahm seinen Schritt auf. „Was bist du so eilig?"

„Schau dir die Wolken an, Mensch. Irgendwas wird passieren. Das müssen wir verhindern."

Ich sah mir die Wolken an und hatte das Gefühl, daß sie den ganzen Himmel bedeckten. Gefährlich aussehende, dunkle Schmutzwolken hatten sich über die Stadt gelegt. Sie sahen aus, als würden sie jeden Moment auseinanderplatzen und Feuer und Dreck versprühen. Im Psychologieunterricht auf der High School hatten sie gesagt, daß Menschen die Dinge immer so sehen, wie sie ihrer Stimmung entsprechen. Daß meine Stimmung nicht die beste war, wußte ich, aber ich wußte immer noch nicht, wie der Himmel wirklich aussah. Dunkel war er ja, aber vielleicht trotzdem harmlos.

„Was ist das?" fragte ich. „Ist es Smog?"

Ahmed blieb stehen und sah mir ins Gesicht. „Nein. Es ist Angst."

Er hatte recht. Die Angst lag wie ein Nebel in der Luft. Es war Angst in den bedrohlichen Wolken und in der Finsternis auf den Gesichtern der Leute. Die Menschen eilten gebückt unter dem schweren Himmel dahin, als würde ein kalter Regen fallen. Die Gebäude über uns schienen sich auszudehnen.

Ich schloß die Augen, aber das änderte nichts.

Im vergangenen Jahr, als Ahmed und ich für die Rettungsbrigade gelernt hatten, hatte er ein Schulungsbuch geöffnet und mir etwas über den Unterschied zwischen der inneren und äußeren Realität begreiflich zu machen versucht – und wie Menschen in Panik geraten, wenn sie allesamt den gleichen Eindruck haben. Ich öffnete die Augen und studierte die Menschen, die auf mich zukamen, an mir vorbeigingen und von mir weg eilten. Ich sah sie als sich bewegende Menschenmassen. Die Leute in New York haben es immer eilig. Sahen sie alle die sich neigenden Gebäude, die den Anschein erweckten, als würden sie gleich umkippen? Hatten sie alle Angst, darüber zu reden?

„Ahmed, du Rettungsbrigadenspitzel", sagte ich. „was würde passieren, wenn wir jetzt mit aller Kraft ‚Erdbeben' riefen? Käme es dann zu einer Panik?"

„Höchstwahrscheinlich." Ahmed musterte mich interessiert. Sein schlankes Gesicht und seine schwarzen Augen wirkten gespannt. „Wie fühlst du dich, George? Du siehst krank aus."

„Ich fühle mich lausig. Mit meinem Kopf stimmt was nicht. Mir ist schwindlig." Reden machte es nur noch schlimmer. Ich lehnte mich gegen eine Hauswand. Die Wand bebte, und ich hatte das Gefühl, flach auf dem Boden zu liegen, obwohl ich auf den Beinen stand.

„Was, zum Kuckuck, ist nur mit mir los?" fragte ich. „Man kann doch nicht so krank werden, wenn man ein paar Mahlzeiten ausläßt, oder?" Schon das Erwähnen von etwas Eßbarem führte dazu, daß sich mein Magen seltsam hohl und ausgetrocknet anfühlte. Plötzlich dachte ich an den Tod. „Ich habe nicht mal Hunger", sagte ich zu Ahmed. „Bin ich wirklich krank?"

Ahmed war einer von denen, die auf alles eine Antwort haben.

„Mann, du bist einfach ein guter Empfänger." Er musterte mein Gesicht. „Irgend jemand hier in der Gegend hat Schwierigkeiten, und du fängst es auf." Er sah von Osten nach Westen und studierte den Himmel. „In welcher Richtung ist es am schlimmsten? Wir müssen ihn schnellstens finden."

Ich sah die Fifth Avenue hinauf. Die gewaltigen, gläsernen Bürokästen leuchteten und glitzerten unsicher. Dunkelgrüne Wolken brachen sich auf ihrem Grau, als würden sie von dort aus zum Himmel aufsteigen. Ich warf einen Blick auf die 42. Straße und die großen Bögen des Transportzentrums. Ich sah die Fifth Avenue hinunter, an den steinernen Löwen der Bibliothek vorbei und dann nach Westen, wo die Neonlichter Amüsement versprachen. Die Dunkelheit kam wie mit Zähnen auf mich zu, wie ein riesiger Schlund. Schwer zu beschreiben.

„Mann, es ist schlimm." Ich schlotterte. „Es kommt aus allen Richtungen. Aus der ganzen Stadt!"

„Das kann nicht sein", sagte Ahmed. „Es ist laut. Wir müssen ganz in der Nähe des Opfers sein."

Er führte sein Armbandfunkgerät an den Mund und drückte den Signalknopf.

„Statistik bitte."

Eine Stimme erwiderte: „Statistik."

Ahmed sagte langsam: „Dies ist ein Notruf. Hier spricht Rettungsbrigadier vierundfünfzig B. Geben Sie mir die heutigen Krankenhausaufnahmen, alle Zunahmen über Sigma entsprechend dreißig. Einkreisen die Zentren aller Gebiete mit einem scharfen Anstieg ... " – er sah mich durchdringend an – „ ... von Schwindelanfällen, Erschöpfungs-

11

erscheinungen und akuten Depressionen." Wieder musterte er mich. „Überprüfen Sie allgemeine Angstzustände und Hypochondrie." Dann wartete er darauf, daß die Statistikabteilung die entsprechenden Daten zusammenstellte.

Ich fragte mich, ob ich nun stolz sein oder mich darüber schämen sollte, daß ich mich krank fühlte.

Ahmed wartete. Er war schlank, tüchtig, ungeduldig und hatte schwarze Augenbrauen und ebensolche, dazu durchdringende Augen. Er sah beinahe aus wie damals, als er zehn und ich neun gewesen war. Seine Eltern waren Emigranten, sprachen irgendeine nichtamerikanische Sprache. Sie gehörten der stolzen Sorte an. Wenn andere vor Haß oder Liebe in einem Kampf oder um eine Freundschaft erglühten, konnten Ahmed nur Ideen in Brand versetzen. Und seine Einfälle beim Spielen hatten ihn zum König unserer Straßenbande gemacht. Er hatte uns in die tollsten Abenteuer geführt und in Gegenden gebracht, die nur Erwachsenen zugänglich waren, damit wir was zu sehen bekamen, und wenn wir in der Falle saßen, brachte er uns entweder mit schnellen Schritten aus ihr heraus oder legte die Erwachsenen mit Worten herein. Und ich entschied, ob ein Ort gut oder schlecht war. Wo es ungut aussah, gingen wir nicht hin. Wenn Ahmed mich zu Rate zog und mich fragte, wie der oder der Ort auf mich wirkte, war ich immer stolz gewesen.

Und dann war er an uns vorbeigestürmt. Wir flogen alle aus der High School, aber Ahmed bekam gute Noten, graduierte und qualifizierte sich für eine gehobene Ausbildung. Die übrigen Mitglieder unserer Bande hatten alle ihre Erwachsenenrente bekommen und die Stadt verlassen. Außer Ahmed und mir. Und ich wußte, daß Ahmed die beste Spürnase der Rettungsbrigade geworden war.

Das Armbandfunkgerät pfiff, und er hielt es sich ans Ohr. Die dünne Stimme rasselte Zahlen und statistische Begriffe herunter. Ahmed sah sich die an uns vorübergehenden Leute an. Er schien überrascht zu sein. Schließlich schenkte er mir einen respektvollen Blick. „Es ist ganz Manhattan. Frauen kommen mit eingebildeten Schwangerschaften in die Hospitäler. Wirklich schwangere Frauen werden eingeliefert, weil sie Alpträume haben. Männer bilden sich Geschwüre und Krebskrankheiten ein. Es gibt eine Menge Selbstmorde und noch mehr Bitten um Hilfe bei akuter Selbstmordgefährdung. Du hast recht. Die ganze Stadt ist aus dem Häuschen."

Er marschierte über die 42. Straße auf die Sixth Avenue zu und ging dabei sehr schnell. „Brauche zusätzliche Unterstützung. Versuche eine andere Methode." Ein Hängeschild, auf dem ZIGEUNER-TEESTUBE stand, gab bekannt, daß man hier orientalischen Tee, exotisches Gebäck bekam und sich die persönliche Zukunft aus der Hand lesen lassen konnte. Ahmed bahnte sich einen Weg durch die Schwingtür und eilte eine sich bewegende Rolltreppe hinauf, wobei er jedesmal zwei Stufen mit einem Schritt nahm. Ich war direkt hinter ihm. Wir kamen mitten in einem großen Restaurant heraus, das eine niedrige Decke hatte und mit kleinen Tischen und zierlichen Stühlen ausgestattet war.

Vier alte Damen saßen um einen Tisch herum, knabberten Gebäck und unterhielten sich. Ein Geschäftsmann saß an einem Tisch in der Nähe des Fensters und las das *Wall Street Journal*. Die jüngeren Studenten saßen gegen eine Glasfensterwand gelehnt und sahen auf das Menschengewimmel der 42. Straße hinab. In einer Ecke saß eine dicke Frau an einem Tisch und hielt sich ein Magazin vor das Gesicht. Sie ließ es sinken und sah uns über den Rand hinweg an. Die vier alten Damen hörten auf zu reden, und der Geschäftsmann faltete das *Wall Street Journal* zusammen und legte es beiseite, als seien Ahmed und ich zwei Kuriere mit schlechten Nachrichten. Sie waren alle in einer miserablen, nervösen Stimmung; in der gleichen Stimmung, in der auch ich gewesen war. Sie erwarteten das Schlimmste.

Ahmed schlängelte sich durch die Tischreihen auf den Ecktisch zu, an dem die dicke Frau saß. Sie legte das Magazin auf den Nebentisch, als wir auf sie zukamen. Sie hatte ein rundes Gesicht voller Lachfältchen. Sie nickte und lächelte mir zu, aber Ahmed nicht. Statt dessen sah sie ihm direkt in die Augen, als er vor ihr Platz nahm.

Er beugte sich über den Tisch. „In Ordnung, Bessie, du fühlst es also auch. Hast du herausbekommen, wer es ist?"

Die Frau antwortete mit leiser, aber fester Stimme, als fürchte sie sich, zu laut zu sprechen. „Gestern habe ich es eine Zeitlang gespürt, Ahmed. Ich habe versucht, die Teeblätter zu benutzen, um die Rettungsbrigade auf eine Spur zu bringen, aber sie spürte nur und dachte nicht. Heute – vor einer Stunde – wurde es laut und abscheulich, aber das Nachforschen und Verstärken in so vielen Leuten mit schlechter Laune, die ängstlich sind und sich alle paar Minuten andere Gründe ausdenken, warum sie sich so fühlen …" Sie machte eine Pause, und ich wußte, was sie zu beschreiben versuchte. Wenn man es zu beschreiben versucht, wird es nur noch verwirrter. Man fühlt sich dann so … so … in einer Falle … sterbend, vergessen … verloren.

Sie sprach nun noch leiser. Ihr rundes Gesicht drückte Besorgnis aus. „Das Gefühl eines schlechten Traums ist immer noch da, Ahmed. Ich frage mich, ob ich …"

Sie wollte nicht darüber sprechen, aber Ahmed hatte den Mund zu einer Frage geöffnet. Die Frau tat mir leid, deswegen warf ich mich dazwischen, um ihn zu stoppen.

„Was meinen Sie mit den Leuten? Wie kommt es, daß die Menge …" Ich machte eine vage Bewegung mit der Hand und meinte damit die Stadt und die Menschen. Die Stadt war nicht verloren.

Ahmed sah mich ungeduldig an. „Erwachsene wenden nicht gerne Telepathie an. Sie geben vor, es nicht zu können. Aber angenommen, ein Mann fällt in einen Aufzugschacht und bricht sich ein Bein. Niemand findet ihn, und er kann auch kein Telefon erreichen, so wird er verzweifeln, beten und anfangen, Geisteskräfte einzusetzen. Er wird versuchen, seine Gedanken so zu verstärken, wie er nur kann. Er weiß nicht, wie laut er sendet. Aber dieser Depp sendet weder seinen Namen, noch beschreibt er die Stelle, wo er liegt. Er sendet nur ‚Hilfe! Ich hab mir das Bein gebrochen!' Wenn die Leute diesen Gedanken auffangen, glauben sie, es wäre ihr eigener. Sie denken ‚Hilfe! Ich hab mir das Bein gebrochen.' Und sie humpeln in die Kliniken und lassen ihre gesunden Beine röntgen. Die Ärzte schicken sie nach Hause. Sie aber fangen den Gedanken ‚Hilfe! Ich hab mir ein Bein gebrochen' wieder auf, und dann hängen sie in den Kliniken herum und gehen den Ärzten auf die Nerven. Sie haben Angst. Die Rettungsbrigade benutzt sie als Spurenleser. Immer wenn eine anormale Welle von um Hilfe bittenden Leuten in einem Distrikt zu verzeichnen ist, versuchen wir ihr Zentrum ausfindig zu machen und denjenigen zu lokalisieren, der wirklich in Schwierigkeiten steckt."

Je mehr er redete, desto besser fühlte ich mich. Ich vergaß die schlechte Laune des Tages, und allmählich hörte es sich so an, als ob die Arbeit der Rettungsbrigade etwas sei, das auch ich tun konnte. Ich weiß, wie sich die Menschen fühlen; man muß nur neben ihnen stehen. Vielleicht würde die Rettungsbrigade mich aufnehmen, wenn ich ihr zeigte, daß ich Menschen finden konnte.

„Toll", sagte ich. „Und was ist mit der Verhinderung von Morden? Wie macht ihr das?"

Ahmed nahm seine silberne Marke aus der Tasche und sah sie sich an. „Ich werde dir ein Beispiel geben. Stell dir einen intelligenten, empfindsamen Jungen mit blühender Phantasie vor. Sein blöder Alter versohlt ihn. Der Junge wird sich hüten, den Mund aufzumachen; er stellt sich nur vor, was er mit dem Kerl tun wird, wenn er erwachsen ist. Jedesmal, wenn der Mann ihn zur Weißglut treibt, ballt der Junge die Fäuste, lächelt und wandelt alles in einen Ball aus geistiger Energie um. Er stellt sich vor, den Schädel des Mannes irgendwann mit einer Axt zu spalten. Er denkt laut. Eine Menge Leute in seinem Distrikt haben nicht viel zu tun. Also denken sie auch nicht nach. Da sie nie viel planen und sich nicht viel vorstellen, handeln sie aufgrund der paar Gedanken, die ihnen kommen. Verstehst du?"

„Die Deppen tun das, was er denkt." Ich grinste.

Ahmed grinste nicht. Er wandte sich wieder der dicken Frau zu. „Bessie, wir müssen das Opfer lokalisieren. Was sagen die Teeblätter über ihren Aufenthaltsort?"

„Ich habe nicht gefragt." Bessie langte zum Nachbartisch und ergriff eine leere Teetasse, auf deren Boden ein paar aufgeweichte Teeblätter lagen. „Ich hatte gehofft, ihr würdet sie finden." Sie stand auf und watschelte in ihre Küche.

Ich stand immer noch. Ahmed sah mich mit einem widerwilligen Ausdruck an. „Lenk nicht vom Thema ab. Willst du nun bei der Suche helfen oder nicht?"

Bessie kam zurück. Sie trug ein Tablett mit einer runden Teekanne und einer sauberen Tasse. Sie stellte das Tablett auf dem Tisch ab, füllte die Tasse und schüttete die Hälfte des dampfenden Tees in die Kanne zurück. Ich erinnerte mich daran, daß eine Möglichkeit des Gruppenbewußtseins, Informationen zu bekommen, darin besteht, zuzusehen, wie Menschen bestimmte Umrisse – etwa Tintenkleckse oder Teeblätter – deuten. Also blieb ich still stehen und versuchte, sie nicht durcheinander zu bringen.

Bessie sank langsam auf den Stuhl, rührte den Tee in der Tasse herum und sah hinein. Wir warteten. Sie schüttelte die Tasse, schaute, schloß dann die Augen und stellte sie hin. Sie saß still da, mit geschlossenen Augen, und hielt die faltigen Lider zusammengepreßt.

„Was war es?" fragte Ahmed leise.

„Nichts, nichts, nur ein …" Sie hielt keuchend inne. „Nur ein verdammter, lausiger, madendurchsetzter Schädel."

Das war ein schlechtes Zeichen; es war schlimmer als die Gewißheit, daß der Gegner beim Kartenspiel vier Asse hat. Tod. Ich kriegte wieder dieses Gefühl, krank zu sein. Bessies Tod?

„Tut mir leid", sagte Ahmed. „Aber mach weiter, Bessie. Versuch's aus einem anderen Winkel. Wir brauchen den Namen und die Adresse."

„Sie hat nicht an ihren Namen oder ihre Adresse gedacht." Bessies Augen waren immer noch eng geschlossen.

Ahmed sprach plötzlich mit einer seltsamen Stimme. Ich hatte sie schon einmal gehört, damals, als er noch der Anführer unserer Bande gewesen war. Er hatte einen anderen Jungen hypnotisiert. Es war eine tiefe, ebenmäßige Stimme, die einen bis ins Innerste durchdrang.

„Sie brauchen Hilfe, aber niemand ist gekommen, um Ihnen beizustehen. Über was denken Sie nach?"

Die Frage ging mir in den Kopf. Eine Antwort bildete sich. Ich wollte sie geben, aber Bessie sprach zuerst. „Wenn ich nicht denke, nur die Augen schließe und mich nicht bewege, fühle ich gar nichts. Alles geht dann weit weg. Wenn die bösen Dinge passieren, kann ich davon wegbleiben und mich weigern, zurückzukehren." Bessies Stimme klang wie in einem Traum.

Die gleichen finsteren und schläfrigen Gedanken hatten sich auch in meinem Kopf geformt. Sie sprach sie für mich aus. Plötzlich fürchtete ich, die Dunkelheit könnte mich verschlingen. Es war wie eine Nachtwolke – oder ein Kissen, das tief herunterschwebt und einen einlädt, das Haupt darauf zu betten, sich gleichzeitig jedoch langsam dreht und wendet und blitzende Haifischzähne zeigt, damit man weiß, daß dort ein Raubfisch auf einen wartet und jeden fressen wird, der ihm zu nahe kommt.

Bessies Augen öffneten sich. Sie richtete sich auf. Ihr Blick war so weit, daß an den Rändern das Weiße sichtbar wurde. Sie hatte Angst vor dem Schlaf. Ich freute mich, daß sie ihm entgangen war. Sie war drauf und dran gewesen, in die einladende Finsternis hinabzuschweben, in der das schwarze Ungeheuer wartete.

„Wenn du zu tief reingehst, könntest du tot wieder aufwachen", sagte ich und legte eine Hand auf Ahmeds Schulter, um ihm zu sagen, er solle langsamer vorgehen.

„Es ist mir egal, wer von euch für sie spricht", sagte er, ohne sich umzudrehen. „Aber du mußt lernen, deine Gedanken von den ihren getrennt zu halten. Du denkst nicht ans Sterben, sondern das Opfer tut es. Sie schwebt irgendwo in Todesgefahr." Erneut beugte er sich über den Tisch und sah Bessie an. „Wo ist sie?"

Mein Griff auf Ahmeds Schulter verstärkte sich, aber Bessie nahm gehorsam die Teetasse zwischen ihre dicken Finger und sah wieder hinein. Ihr Gesicht war unschuldig und rund, aber ich glaube, sie hatte mehr Mut als ich.

Ich ging an ihr vorbei um den Tisch und sah über ihre Schulter in die Tasse. Ein paar Blätter trieben dort herum und formten ein obskures Muster. Bessie tippte die Tasse mit einem ihrer dicken Finger an. Das Muster veränderte sich. Die Blätter wurden zu einer Art Bild, aber ich konnte nicht genau ausmachen, was es darstellte. Es sah aus wie etwas von Bedeutung, aber ich kam nicht ganz dahinter.

Bessie sagte liebevoll: „Du hast Durst, nicht wahr? Da, da, mein Goldkind. Wir werden dich finden. Wir haben dich nicht vergessen. Denk an deinen Namen, dann werden wir ..." Ihre Stimme erstarb zu einem leisen, sich auflösenden Gemurmel; wie das einer ablaufenden Aufziehpuppe. Sie stellte die Tasse hin und stützte den Kopf in beide Hände.

Ich hörte ein Flüstern. „Des Versuchens und des Lächelns müde. Sterben lassen. Mag der Tod geboren werden. Der Tod wird kommen und die Welt vernichten; die wertlose, vertrocknete, verkommene ..."

Ahmed streckte die Arme über den Tisch, packte Bessies Schultern und schüttelte sie. „Aufhören, Bessie. Das bist nicht du. Es ist die andere."

Als Bessie den Kopf hob, war ihr Gesicht verändert. Ihr rundlich-lächelndes Äußeres war einem kummervollen, faltigen Ausdruck gewichen. Sie glich jetzt einem alten Bluthund. Sie murmelte: „Es stimmt. Warum soll man auf jemanden warten, der einem hilft und einen liebt? Wir sind geboren worden, um zu sterben. Daran kann man nichts ändern. Es gibt keinen Grund zur Hoffnung. Hoffnung erzeugt Schmerz. Hoffnung tut ihr weh." Es gefiel mir nicht, wie Bessie redete. Es war, als sei sie tot. Eine sprechende Leiche.

Obwohl sie den Anschein erweckte, sich zusammenzureißen und auf Ahmed zu konzentrieren, um ihm Bericht zu erstatten, glitt eines ihrer Augen aus dem Brennpunkt und schien anderswohin zu blicken.

„Hoffnung schmerzt", sagte sie. „Sie haßt die Hoffnung. Sie versucht sie umzubringen. Sie fühlt meine Gedanken und hielt meine Ansichten über das Leben und die Hoffnung für ihre eigenen. Ich erinnerte mich, wie Harry mir stets geholfen hat, und sie explodierte in Schwärze und Haß ..." Bessie stützte den Kopf wieder auf ihre Hände. „Ahmed, er ist tot. Sie hat Harrys Geist in meinem Herzen getötet. Er wird nie wieder zurückkehren, nicht einmal in meinen Träumen." Ihr Gesicht war tot, wie eine Maske.

Ahmed streckte die Hand aus und tätschelte ihr erneut die Schulter. „Schäm dich, Bessie. Komm raus da."

Sie richtete sich auf und funkelte ihn an. „Es stimmt. Alle Männer sind Ungeheuer. Niemand wird einer Frau helfen. Du willst doch, daß ich dir bei der Erfüllung deines Jobs helfe, damit du, wenn du das Mädchen findest, noch einen Orden bekommst, stimmt's? Du empfindest gar nichts für sie." Ihr Gesicht verdunkelte sich dermaßen, daß ich mich wieder an die finsteren Wolken erinnert fühlte.

Ich mußte sie da herausholen, aber ich wußte nicht, wie ich das anstellen sollte.

Ahmed ließ einen Löffel gegen die Teetasse klicken und sagte mit unerwartet lauter Stimme: „Wie laufen die Geschäfte hier, Bessie? Zahlen sich die neuen Mädchen aus?"

Sie sah überrascht auf die Tasse und blickte sich dann irritiert in ihrem Lokal um. „Nicht viel Kundschaft da im Moment. Wahrscheinlich nicht die richtige Zeit. Die Mädels sind in der Küche." Bessies Gesicht nahm wieder ihre alten Züge an. Sie setzte die Maske der freundlichen Bedienerin auf, wurde wieder rundlich und lächelte. „Sollen die Mädchen dir was bringen, Ahmed?"

Als sie sich freundlich zu mir umwandte, klangen ihre Worte noch weniger mechanisch. „Und Sie, junger Mann? Womit kann ich Ihnen dienen? So wie Sie dastehen, sehen Sie ziemlich energiegeladen aus. Die meisten jungen Leute mögen unsere türkischen Honigbrötchen." Ich war zwar immer noch nicht ganz in ihrem Brennpunkt – ich meine, sie nahm mich immer noch nicht hundertprozentig wahr, aber ich lächelte ihr zu, denn ich freute mich, daß es ihr jetzt besser ging.

„Nein, danke, Ma'am", sagte ich und schaute Ahmed an, weil ich wissen wollte, was er als nächstes tat.

„Bessies Honigbrötchen haben Weltruf", sagte Ahmed. „Sie triefen fast, soviel Honig ist in ihnen drin, und sie haben einen so delikaten Geschmack, daß sie einem fast den Mund verbrennen." Er stand leichtfüßig auf und sah ein bißchen abgespannt aus. „Schätze, ich nehme ein Dutzend mit."

Die dicke Frau saß da und blinzelte ihn an. Ihr rundes Gesicht sah nun nicht mehr krank und eingefallen aus, nur ein wenig faltig und ausdruckslos; wie man eben aussieht, wenn man morgens in den Spiegel schaut. „Türkische Honigbrötchen", wiederholte sie. „Ein Dutzend." Sie bimmelte mit einem Glöckchen, das auf der Mitte des Tisches stand und erhob sich.

„Warte unten auf mich", sagte Ahmed zu mir. Dann wandte er sich der Frau zu. „Weißt du noch, als diese Sektierer-Tagung stattfand und die alle reinkamen, Hummer bestellten und aus der Hand gelesen haben wollten? Wo hast du bloß all die Hummer hergeholt?" Sie gingen zusammen zur Theke, auf der allerlei Kuchen und Brötchen ausgestellt waren. Ein hübsches Mädchen in einem gestärkten Kittel kam aus der Küche und stellte sich dahinter.

Bessie lachte. Sie begann mit einem nervös klingenden, hellen Gekicher und endete mit einem tiefen „Hoho", das sich anhörte wie das Gelächter des Weihnachtsmannes. „Und ob ich mich daran erinnere! War das ein Chaos! Ich hing am Telefon und vesuchte in zehn Minuten zwanzig Handleser zusammenzukriegen! Du kannst dir sicher vorstellen, wie dankbar ich war, als du diese zwanzig jungen Leute rüberschicktest, die den Leuten dann aus der Hand lasen. Ich war zuerst ungeheuer nervös, aber dann merkte ich, daß sie ihnen wirklich zuhörten. Zuerst dachte ich, du hättest irgendwo eine ganze Zigeunersippe aufgetrieben. Hoho! Ich hatte keine Ahnung, daß es sich um eine Polizeischüler-Klasse aus der Persönlichkeitsanalyse handelte."

Ich ging zur Tür und auf den Bürgersteig hinaus. Ein paar Minuten später kam Ahmed die Rolltreppe herunter. Wieder nahm er je zwei Stufen mit einem Schritt. Er kam wie eine Rakete zu mir hinaus. „Hier, trag das." Er warf mir die Papiertüte mit den türkischen Honigbrötchen zu. Der warme, süße Duft roch herrlich. Ich nahm die Tüte und steckte eine Hand in sie hinein.

„Du sollst sie nur tragen, nicht essen." Ahmed lief auf die Treppe der U-Bahn zu, die auf den ersten Untergrund-Gehweg führte.

Ich nahm die Hand aus der Tüte und folgte ihm. Als ich langsam die Treppe hinunterging, verspürte ich ein Schwindelgefühl, obwohl ich nicht zwei, sondern stets nur eine Stufe nahm. Als ich unten ankam, sah Ahmed sich die Schilder an, die in die unterschiedlichsten Richtungen wiesen und bekanntgaben, welches Gleis in welchen Stadtteil führte. Zum ersten Mal sah ich ihn besorgt und unsicher. Er wußte nicht, in welche Richtung er sich wenden sollte.

„Wir wissen, daß das Opfer weiblich, erwachsen, jünger als Bessie, möglicherweise schwanger und irgendwo in einer Falle sitzt, in der es weder Nahrung noch Wasser gibt", dachte er laut vor sich hin. „Sie hat Hilfe von Menschen erwartet, die sie liebt. Sie wurde enttäuscht. Jetzt macht der Gedanke an Liebe sie wütend, und sie haßt den Gedanken, daß es irgend jemanden geben könnte, der ihr hilft."

Ich dachte an Bessies plötzlich krank und eingefallen aussehendes Gesicht, nachdem das Opfer auf ihr geistiges Hilfsangebot eingeschlagen hatte. Daß das Opfer wütend war, schien mir die Untertreibung des Jahres zu sein. Ich erinnerte mich an den wilden, bedrohlichen Himmel und sah, wie die Leute an uns vorbeieilten. Sie waren bleich und ängstlich. Zwei Häschen, die wirklich schlimm aussahen, kamen vorbei. Die eine hielt ihren Magen fest und murmelte etwas von Alka-Seltzer; die andere hatte rotgeränderte Augen, als hätte sie geweint. Kann eine einzige Person in Not dies einer ganzen Stadt voller Menschen antun?

„Wer ist sie, Ahmed?" fragte ich. „Ich meine, was ist sie überhaupt?"

„Ich verstehe es selber nicht", sagte Ahmed. Plötzlich überfiel er mich wieder mit dieser Frage und benutzte dabei diese tiefe, hypnotisch klingende Stimme, die mich rückwärts in den schwarzen Wirbel aus Angst vor dem Tode warf. „Wenn du Durst hättest, wenn du sehr durstig wärst und es nur eine Stelle in der Stadt gäbe, an der du einen Schluck kriegen könntest ..."

„Ich habe aber keinen Durst." Ich versuchte zu schlucken, aber meine Zunge fühlte sich plötzlich geschwollen an. Mein Mund schien ausgetrocknet und mit Sand gefüllt zu sein. Meine Zunge war wie ein ausgedörrter Holzklotz. Die Welt kippte zur Seite. Ich stellte mich breitbeinig hin, um nicht umzufallen. „Ich habe Durst. Wie hast du das gemacht? Ich möchte zur White-Horse-Taverne in der Bleecker Street gehen und eine Gallone Ginger Ale und eine Flasche Bier trinken."

„Du bist mein Kompaß. Laß uns gehen. Ich geb einen aus."

Ahmed lief die Subway-Stufen zur Eighth Avenue hinunter bis zu den Sesselgleisen. Ich folgte ihm und hielt dabei die Tüte mit den süß duftenden Brötchen fest wie einen Koffer voller schwerer Steine. Der Geruch machte mich hungrig und schwach. Ich konnte zwar immer noch gehen, aber ich war mir verdammt sicher, daß man mich auf einer Tragbahre hier herausholen mußte, wenn Ahmed mich noch einmal in diese dumpfe Stimmung versetzte.

Auf den Gleisen verbanden wir unsere Sessel, und Ahmed lenkte sie so lange von Band zu Band, bis wir eine gute Geschwindigkeit erreicht hatten. Die Sessel fuhren durch die Tunnels, und wir kamen an hellerleuchteten Schaufenstern vorbei, hinter denen hübsche Manniquins tanzten und allerlei Dinge zum Kaufen ausgestellt waren. Sonst sah ich immer auf, wenn wir in die Nähe des Waldbrandes und der dreidimensionalen Bilder der Wasserfälle vorbeikamen, aber heute nicht. Ich saß da, hatte die Ellbogen auf den Knien liegen und ließ den Kopf hängen. Ahmed musterte mich besorgt. Er runzelte die dunklen Augenbrauen, und seine schwarzen Augen begutachteten mich von oben bis unten, als sei ich ein medizinisches Diagramm.

„Mann, jetzt würde ich wirklich gern die Selbstmord-Statistik sehen. Ich brauche dich nur ansehen, dann weiß ich, wie sie aussieht."

In mir war aber noch genug Leben, um mich verärgert zu fühlen. „Ich hab' meine eigenen Gefühle, das sind nicht die von irgendeinem Häschen. Ich bin schon den ganzen Tag krank gewesen. Ein Virus oder so was."

„Verdammt noch mal, kapierst du es denn nie? Wir müssen das Mädchen retten, weil es sendet. Und es sendet, daß es sich elend fühlt!"

Ich schaute auf den Boden zwischen meinen Füßen. „Eine lausige Begründung. Warum könnt ihr sie nicht retten, nur weil sie in Schwierigkeiten ist? Laß sie doch senden. Auf der High School haben wir gelernt, daß jeder sendet."

„Hör zu …" Ahmed beugte sich vor, weil er mir einen Gedanken erklären wollte. Seine Augen fingen an zu glitzern, als er in den Bann dieser Idee geriet. „Vielleicht sendet sie zu laut. Die Statistik-Abteilung hat alle Daten abgespult, die Trends und Wellen gemeinschaftlichen Handelns betreffen. Man nimmt an, daß Leute, die zu laut senden, Verursacher solcher Massenaktionen sind."

„Krieg' ich nicht rein, Ahmed."

„Ich meine, wenn man feststellt, daß viele Leute an einem wolkigen Tag nach Coney Island rausfahren und nicht genügend U-Bahnen fahren, kommt es zu einem Verkehrsstau. Man vergleicht diesen Tag dann mit anderen wolkigen Tagen, an denen die gleichen Temperaturen herrschten und versucht rauszukriegen, was dafür verantwortlich ist. Manchmal ist es ein Betriebsausflug, aber manchmal ist es auch ein einzelner Mensch, der an den Strand geht, und tausend andere Leute aus der ganzen Stadt, Leute, die ihn nicht einmal kennen, lassen sich plötzlich entschuldigen, verschieben Termine und gehen ebenfalls an den Strand. Manchmal kommen sie zur gleichen Zeit dort an, verstopfen die U-Bahnen für eine Stunde und geben den Leuten von der Verkehrskontrolle eine harte Nuß zu knacken."

„Geht es um einen Klub?" Ich gab mir alle Mühe herauszufinden, was er meinte, aber ich verstand einfach nicht, was das miteinander zu tun hatte.

„Nein", sagte Ahmed. „Die Leute kennen sich nicht mal. Man hat das überprüft. Die Verkehrsexperten müssen aber im voraus wissen, was auf sie zukommt. Sie haben damit angefangen, die Namen dieser Leute zu sammeln, und dabei hat man herausgefunden, daß die meisten, die in diesen Wogen kommen, Arbeiter mit einem IQ unter hundert sind, aber dennoch irgendwie mit ihrem Leben zurechtkommen. Es hat den Anschein, als würden sie von einem Mann kontrolliert, der sich in ihrer Mitte befindet und einen Grund hat, bestimmte Schritte zu tun. Die Leute von der Statistik nennen diesen Menschen in der Mitte einen Archetyp. Das ist ein altes griechisches Wort. Ein Original, nach dem alle anderen Leute gefertigt sind. Ein echter Mensch unter tausend Echos."

Der Gedanke, daß es Leute gab, die nur Echos waren, behagte mir nicht. Es erschien mir beleidigend, jemanden ein Echo zu nennen. „Sie müssen sich irren", sagte ich.

„Hör zu …" Ahmed beugte sich wieder vor. Seine Augen leuchteten. „Sie glauben, daß sie recht haben. Ein Mensch und tausend Echos. Man hat die Vergangenheit derjenigen überprüft, von denen man glaubt, daß sie die Menschen in der Mitte sind. Bei den Archetypen handelt es sich um gewöhnliche, energische Leute, die ein ganz durchschnittliches Leben führen. Solange das Leben eines Archetypen normal verläuft, verhält er sich auch normal – und alle, die von ihm kontrolliert werden, benehmen sich nicht anders. Kapiert?"

Ich hatte es weder kapiert, noch gefiel mir das, was er sagte. „Ein durchschnittlicher gesunder Mensch ist ein guter Kerl. Er würde überhaupt niemanden kontrollieren wollen", sagte ich, obwohl ich wußte, daß ich das Bild damit überzuckerte. Menschen können schlimm sein. Sie lieben es, über andere Macht zu haben. „Hör mal", sagte ich, „manche Menschen lassen sich eben gerne leiten. Könnte es sein, daß sie irgendwelchen Ratschlägen folgen?"

Ahmed lehnte sich zurück und zupfte an seinem Kinn. „Das paßt. Was du meinst ist Anleitung per ESP. Vielleicht weiß der Archetyp gar nicht, daß er sendet. Er tut nur das, was der Durchschnittsmensch tun möchte. Erklärt die gleichen Probleme – und zwar noch besser. Er sendet laute, nette, einfache Gedanken, denen die anderen leicht zuhören, wenn die das gleiche Leben führen und die gleichen Probleme haben. Möglicherweise haben mehr als die Hälfte der Bevölkerung mit einem IO unter hundert den telepatischen Empfang gelernt und lassen die Archetypen für sich denken."

Ahmed wurde immer aufgeregter. Seine Augen saugten sich an dem Bild fest, das er in seinem Kopf sah. „Vielleicht wissen die Leute, die ihr Leben von den Archetypen bestimmen lassen, nicht einmal, daß sie auf die Gedanken eines anderen reagieren. Sie entdecken nur, daß sich in irgendeiner Ecke ihres Bewußtseins etwas tut, das ihnen ihre Probleme bewußt macht. Ist dir schon mal aufgefallen, daß der Durchschnittsmensch glaubt, Nachdenken sei gleichbedeutend mit Stillsitzen und in die Ferne starren, wobei man das Kinn auf die Hand stützt, als würde man einer fernen Musik lauschen? Manchmal bekommt man auch zu hören: ‚Wenn zuviel Lärm herrscht, kann ich meinen eigenen Gedanken nicht mehr folgen.' Aber wenn ein Intellektueller, ein wirklicher Denker, nachdenkt …" Er fing an lauter zu reden, als ihn die Sache richtig packte. Mit glitzernden Augen beugte er sich nach vorn.

Ich lachte und unterbrach ihn. „Wenn ein Intellektueller nachdenkt, legt er den höchsten Gang ein, beugt sich vor, glotzt einen durchdringend an und geht praktisch mit jedem Wort die Wand hinauf. Wie du, Ahmed. Bist du ein Archetyp?"

Er schüttelte den Kopf. „Nur für meinen Typ. Wenn ein Durchschnittsmensch meine Denkweise aufschnappen würde … Sie würde seine Probleme nicht lösen. Also würde er sie ignorieren."

Er hörte auf zu reden, weil ich so laut lachte. Lachen vertreibt immerhin die Geister der Verzweiflung. „Für deinen Typ! Hoho! Zeig mir einen, der dir ähnelt. Haha! Ignorieren? Mensch, wenn irgendeiner deine Gedanken auffangen würde, ginge er geradewegs zum Psychiater. Er würde glauben, er hätte 'ne Schraube locker."

Vor uns erschienen die großen „14"-Schilder, die besagten, daß wir uns der 14. Straße näherten. Ich löste die verbundenen Sessel, und wir glitten zur Seite, wechselten auf langsamere Spuren und fuhren schließlich bergauf.

Wir hielten an. Auf der langsamen Spur, die an uns vorbeilief, kniete ein Mädchen seitwärts auf einem Sessel. Ich dachte zuerst, sie würde ihr Schuhband richten, aber als ich zurückschaute, sah ich, daß sie nicht saß, sondern lag. Sie hatte sich ganz zusammengerollt und lutschte an ihrem Daumen. Zurückentwicklung. Rückzug in die Kindheit. Sie gab sich geschlagen.

Irgendwie erzeugte dies einen Angstschauer in mir. So leicht sollte man nun doch nicht aufgeben. Ahmed war aus seinem Sessel gesprungen und hatte schon den halben Weg zu den Stufen zurückgelegt, die sich am Ende der Haltestelle befanden.

„Ahmed!" schrie ich.

Er wandte sich um und sah das Mädchen. Langsam glitt sie in ihrem Sessel auf der langsamen Spur davon.

Ahmed winkte mir, daß ich ihm folgen solle, und rannte die Treppe hinauf. „Komm schon", rief er zurück. „Bevor es schlimmer wird!"

Als ich oben rauskam, sah ich ihn gerade in der White-Horse-Taverne verschwinden. Ich lief den Block hinunter und trat hinter ihm ein. Hier herrschte kühler Schatten Die Wände waren mit Holz verkleidet. Nichts schien sich zu bewegen. Langsam gewöhnten sich meine Augen an das Licht, und ich sah Ahmed an der Theke stehen. Er hatte die Ellbogen aufgestützt, nippte an einem Bier und unterhielt sich mit dem Barmann über das Wetter.

Es war zuviel für mich. Die Welt war auf diese und Ahmed auf jene Weise völlig aus dem Häuschen. Ich sah da nicht mehr durch, ich hätte Ahmed eins auf die Rübe geben können.

Obwohl ich Durst hatte, sah ich keinen Grund, in der näheren Umgebung dieses Irren etwas zu essen oder zu trinken. Ich baute mich ein gutes Stück entfernt von ihm auf, stemmte die Ellbogen auf die Theke und rief dem Barmann zu: „Ein kleines Bock zum Mitnehmen." Dann deutete ich mit geneigtem Kopf auf Ahmed. „Er wird's bezahlen."

Ich hatte ganz normal gesprochen, aber der Barmann sprang auf und beeilte sich unheimlich. Er schob eine Flasche in eine braune Papiertüte, stellte sie vor mich hin und bestrich die Theke mit Holzpolitur.

„Schönes Wetter", sagte er und musterte seinen Laden mit gebeugten Schultern. Dann sah er hinter sich. „Ich wünschte, ich könnte ein bißchen an der frischen Luft spazierengehen. Sind Sie schon mal hiergewesen?"

„Einmal", sagte ich und nahm die Tüte. „Hat mir gut gefallen." Ich dachte an die Leute, mit denen ich das Lokal zum ersten Mal besucht hatte. Jean Fitzpatrick – sie hatte mir auf einer Party ein paar von ihren Gedichten gezeigt – und ein anderer netter Bursche, ihr Ehemann. Mort Fitzpatrick hatte auf seiner Querflöte eine Eigenkomposition gespielt, als wir zur Taverne rübergegangen waren. Ein paar von ihren bärtigen Freunden waren auch dabeigewesen und hatten so komische philosophische Gespräche geführt und Trip-Erfahrungen ausgetauscht. Das Mädchen hatte mir erzählt, daß sie und ihr Mann ein Haus in der Nachbarschaft hätten, und mich zu einer Party eingeladen, was ich ablehnte, woraufhin sie sagte, ich könne jederzeit bei ihnen reinsehen.

Ich wußte, daß sie es damit ehrlich meinte, denn diese Leute, die Kunst und komische Bücher sammeln, statt sich zu computergesteuerten Kommunen zusammenzutun, mögen Menschen, die anders sind. Sie haben immer für einen die Tür offen und eine Kanne Kaffee, die sie mit einem teilen können.

„Wohnen Jean Fitzpatrick und Mort Fitzpatrick noch in der Gegend?" fragte ich den Barmann.

„Ich seh' sie hin und wieder, aber sie sind in letzter Zeit nicht mehr hiergewesen." Der Barmann wischte die Theke ab und polierte sie, dabei entfernte er sich von mir und ging wieder auf Ahmed zu. „Soweit ich weiß, sind sie in irgendeine Kommune gezogen."

Ahmed nippte an seinem Bier. Er sah uns von der Seite an, wie ein Fremder.

Ich ging in den grauen Tag hinaus und hielt die Papiertüte unter dem Arm. Die Flasche Bockbier zerrrte an mir wie ein Stein. Ich hätte diesen verrückten, krank machenden Job als Aufspürer einfach vergessen können. Ich hätte einfach nach ein paar Leuten wie Jean Fitzpatrick Ausschau halten und ihnen erzählen können, wie bescheuert dieser Tag gewesen war, daß ich es nicht hatte aushalten können und Mücke gemacht hatte. Irgendwann wäre die Geschichte schon lustig geworden und hätte die Welt zu einem Ort gemacht, an dem ich's hätte aushalten können.

Ahmed holte mich ein und legte eine Hand auf meinen Arm. Ich mußte mich zurückhalten, um nicht rumzuwirbeln und ihm eine reinzuhauen. Ich sah einfach geradeaus.

„Bist du sauer?" fragte er und ging um mich herum, um mein Gesicht zu sehen. „Wie fühlst du dich?"

„Meine Gefühle gehen nur mich was an", sagte ich. „Klar? Hier lebt irgendwo ein Mädchen, das ich besuchen möchte. Ich möchte sichergehen, daß mit ihr alles in Ordnung ist, klar? Ich will dich bei deiner Rettungsarbeit nicht aufhalten. Also warte nicht auf mich, verstanden?" Ich ging weiter, aber die Pest folgte mir auf dem Fuße. Und dabei hatte ich doch laut und deutlich gesagt, daß ich keine Gesellschaft haben wollte. Ich konnte ihm ja schlecht aufs Maul hauen, schließlich sind wir ja mal Feunde gewesen.

„Kann ich mitkommen?" fragte er freundlich. „Vielleicht kann ich helfen."

Ich zuckte die Achseln und marschierte auf den Fluß zu. Welchen Unterschied machte das schon? Ich war müde, und es war ziemlich viel los in New York. Irgendwann mußte Ahmed ja wieder seinen Geschäften nachgehen. Als ich mir vorstellte, wie ich mit dem Mädchen reden würde, wurde mir ganz warm. Es war entspannend. Wir würden einen Kaffee trinken, uns gegenseitig ein paar doofe Witze erzählen und die ganze Welt vergessen.

Das Haus der Fitzpatricks gehörte zu diesen verwitterten alten Kästen, die das letzte Jahrhundert übriggelassen hat. Damals war die Stadt noch ein Kaff. Man hatte das Haus in liebevoller Handarbeit restauriert, und ein Trupp von freiwilligen Anstreichern hatte ihm neuen Glanz verliehen. Es leuchtete weiß und hatte rote Türen und Fensterläden. Unter den Fenstern hingen Blumenkästen, in denen grüne Ranken, Pflanzen und wilde Blumen blühten. Über dem ganzen Haus verliefen die Hochstraßen des Hudson River Drive. Der Verkehr, der dort drüber rollte, brachte die Luft zum Rumpeln und den Boden unter meinen Füßen zum Erzittern.

Ich klopfte an die hellrote Tür. Niemand kam. Ich fand einen Klingelknopf daneben und drückte ihn. Ich hörte es zwar bimmeln, aber drinnen rührte sich nichts.

Die Häuser in den gemischten Zonen sind meist voller Gäste. Tag und Nacht ist jemand da: Reisende, die tolle Projekte planen oder sich Sachen ausgedacht haben, die man anderswo nicht gebrauchen kann. Sie alle können sich der Toleranz ihrer an allem interessierten Gastgeber erfreuen: Leute, die aus irgendwelchen Kommunen ausgestiegen sind, oder kraftlos aussehende Flüchtlinge aus den Studenten- oder Forschungsbetrieben, die einen Nervenzusammenbruch hinter sich haben und aus der Tretmühle raus müssen, um ihn auszukurieren. Und niemand hatte etwas dagegen, wenn man seinen Kopf hineinsteckte und nach Aufmerksamkeit verlangte, wenn man niemanden durch Klopfen oder Klingeln zum Aufstehen bewegen konnte. Ich drückte die Klinke, um reinzugehen. Aber sie war fest. Abgeschlossen.

Ich kam mir vor wie jemand, den man nicht im Hause haben will. Da kommt dieser Riesentrottel wieder ... George, der nur Muskeln im Schädel hat ... schließ bloß die Tür ab. Es war wirklich ein mieser Tag, aber was sollte ich nun machen? Ich konnte nirgendwo anders hingehen.

Ich stand zitternd da und bewegte die Klinke wie ein Irrer. Aber die Tür ging nicht auf. Statt dessen erzeugte die Klinke ein rasselndes Geräusch, wie das von einer Kette oder einem Wecker im Krankenhaus. Der Klang ging mir durch und durch und ließ beinahe meine

Hand einfrieren. Ich stellte mir vor, daß hinter der Tür irgendwas war, das gleich die Tür öffnen würde: ein Ungeheuer mit einem Totenschädel, das auf mich wartete.

Ich wandte der Tür den Rücken zu und ging vorsichtig und leise die beiden Stufen zum Bürgersteig hinunter. Ich war so in Gedanken versunken, daß ich mir einbildete, die Tür ginge hinter mir auf und quietschte. Ich dachte sogar, da sei ein kalter Wind, der von hinten kam und nach mir griff.

Ich schaute nicht zurück, sondern machte mich davon und ging in die gleiche Richtung, aus der ich gekommen war. Dabei sagte ich mir, daß ich die Tür gar nicht hatte berühren wollen.

Ahmed trottete neben mir her, sah mich von der Seite an und war plötzlich vor mir, wie ein riesengroßer Krebs.

„Was ist denn los? Was ist denn?"

„Sie ist nicht ... Niemand war ... " Es war eine Lüge. Jemand oder etwas war in dem Haus. Vergiß es, leg noch einen Schritt zu.

„Wohin gehen wir jetzt?" fragte Ahmed.

„Direkt in den Fluß hinein", sagte ich und lachte. Es hörte sich komisch an und tat mir in der Brust weh, wie ein Husten. „Das Wasser ist eine Fata Morgana in der Wüste, und du gehst auf trockenem Sand und suchst nach Wasser, in dem du dich ersäufen kannst. Der Sand ist mit all dem verlorenen, getrockneten Zeug bedeckt, das du nicht sehen kannst. Du stirbst auf dem trockenen Sand, kriechst auf allen vieren und suchst nach Wasser. Niemand sieht dich. Über dir segeln die Leute dahin und sehen in den falschen Wellen die Reflektionen des Himmels. Taucher kommen und finden deine getrocknete Mumie auf dem Boden. Und sie machen sich Notizen, denn sie wundern sich, weil sie glauben, es sei Wasser in dem Fluß. Aber es ist alles trocken."

Ich hielt an. Vor uns waren die großen Docks und zwischen ihnen die uralten Landungsbrücken. Es hatte keinen Zweck, in diese oder eine andere Richtung zu gehen. Die Welt war verschrumpelt und alt, und der Staub von Jahrtausenden hatte sich auf ihre Mumienhülle gelegt. Wie ich so dastand, wurde die Welt noch kleiner und schloß sich um mich wie eine Schachtel. Ich war tot, lag auf der Nase und stand doch aufrecht auf dem Bürgersteig. Ich konnte mich nicht bewegen.

„Ahmed", sagte ich und hörte meine Stimme, als käme sie aus weiter Ferne, „hol' mich hier raus. Wozu hat man schließlich Freunde?"

Er schwebte an mir vorbei wie ein böser Kobold. „Warum kannst du dir nicht selbst helfen?"

„Ich kann mich nicht bewegen", antwortete ich und kam mir dabei bemerkenswert vernünftig vor.

Er umkreiste mich, sah sich mein Gesicht an und die Art, in der ich dastand. Er bewegte sich abrupt, wie eine Stechmücke, die die richtige Stelle für eine Attacke sucht. Ich sah mich, wie ich mit Insektenspray nach ihm schoß.

Plötzlich setzte er wieder die Stimme ein, diese klare, tiefe, hypnotische Stimme, die auch die dunkle, private Welt durchdringt, in der ich schlafe und träume.

„Warum kannst du dich nicht bewegen?"

Unter meinen Füßen öffnete sich der Abgrund. „Weil ich dann fallen würde", erwiderte ich.

Wieder benutzte er die Stimme, und sie drang durch bis in die Innenwelt, in der die Träume lebten und immer wahr gewesen sind. Ich war verwelkt und schwach und lag auf Staub und Fetzen alter Kleider. Ich hatte einen fauligen und staubigen Geruch in der Nase und sah nach unten, über den Rand, aus dem die Luft nach oben stieg. Die Luft von unten schmeckte besser. Ich war schon ziemlich lange da. Ahmeds Stimme erreichte mich und fragte: „Wie tief könntest du fallen?"

Ich versuchte es mit Augenmaß. Ich war müde, und das Nachdenken strengte mich sehr an. Drei bis vier Meter zu diesem Absatz, dann mit dem Fuß auf die Leiter, die dort liegt und damit dann auf die nächste Treppenflucht zu ... Am Boden wartete der Tod.

„Ein langer Weg", erwiderte ich. „Ich bin zu schwer. Die Stufen sind zu steil."

„Dein Mund ist trocken", sagte er.

Ich spürte, wie der Durst mich beinahe verbrannte. Er dörrte meine Kehle aus und machte aus meiner Zunge ein unförmiges Ding, als er mir die Hauptfrage stellte.

„Sag mir, wie du heißt."

Ich versuchte meinen richtigen Namen zu nennen – George Sanford. Aber eine andere Stimme krächzte: „Jean Dalais."

„Wo wohnst du?" fragte er mit dieser durchdringenden Stimme, die im Inneren meines Kopfes Echos erzeugte und in der bösen Welt widerhallte, in der ich oder ein anderer auf dem Boden lag und den Staub ewigen Verfalls einatmete.

„Die Treppe runter", hörte ich mich sagen.

„Und wo bist du jetzt?" fragte die gleiche durchdringende Stimme.

„In der Hölle", antwortete die Stimme aus meinem Kopf.

Ich holte aus, um ihn mit einem einzigen Schlag niederzustrecken. Er war gefährlich. Ich mußte ihn stoppen, damit er aufhörte. Voller Haß und mit großer Sorgfalt schlug ich zu. Er kippte nach hinten, und ich machte, daß ich wegkam. Ich rannte ohne Pause, ein, zwei Blocks weit. Meine Beine gehörten mir, mein Körper gehörte mir. Ich war George Sanford und konnte mich bewegen, ohne Angst vor dem Fallen zu haben. Niemand war hinter mir. Niemand war vor mir. Die Sonne schien durch die Wolken, ein frischer Wind blies über die leeren Bürgersteige. Ich war allein. Ich hatte die Kapselwelt des Todesgrauens wie eine verwaiste Telefonzelle hinter mir zurückgelassen.

Jetzt wußte ich, was ich tun mußte, um aus der Sache rauszukommen. Nicht daran zurückdenken. Einfach vergessen, was Ahmed zu tun versuchte. Scheiß drauf, was gehen dich andere Leute an. Mach einfach einen Spaziergang an der Pier entlang, und laß die neblige Sonne auf dich scheinen. Denk an was Nettes oder auch an gar nichts.

Ich schaute zurück. Weit hinter mir saß Ahmed auf dem Randstein. Mir fiel ein, daß ich ziemlich stark war und der Sportlehrer gesagt hatte, ich solle mich zurückhalten, wenn ich zuschlug. Auch bei Ahmed? Er hatte nachgedacht und war nicht darauf vorbereitet gewesen.

Was hatte ich gesagt? Jean Dalais. Jean Fitzpatrick hatte mir ein paar von ihren Gedichten gezeigt. Sie hatte sie mit diesem Namen unterzeichnet. War Jean Dalais in Wirklichkeit Jean Fitzpatrick? Vielleicht hatte sie diesen Namen gehabt, bevor Mort Fitzpatrick ihr Mann geworden war.

Inzwischen war ich an dem weißen Haus mit den roten Fensterläden vorbeigelaufen. Ich sah mich um – es lag nur einen halben Block hinter mir. Ich lief zurück, mit langen Schritten, und bevor die Angst mich wieder zu packen bekam, rüttelte ich an der Klinke, zerrte an der roten Tür und sah mir das Schloß an.

Ahmed holte mich wieder ein. „Weißt du, wie man Schlösser knackt?" fragte ich ihn.

„Dauert zu lange", erwiderte er leise. „Laß es uns bei den Fenstern versuchen."

Er hatte recht. Das erste Fenster, an dem wir es versuchten, war nur vom New Yorker Ruß verschlossen. Rußverschmiert und mit schwarzen Händen kletterten wir in die Küche. Abgesehen von einem vertrockneten Salat, der in einer Schüssel lag, war sie sauber aufgeräumt. Das Spülbecken war trocken, die Luft roch abgestanden.

Ich glaube, es gehört zum guten Benehmen, wenn man sein Eindringen irgendwie bekanntmacht.

„Jean!" rief ich. Zurück kamen ein paar Echos und Stille, und dann fiel oben etwas aus einem Regal. Wieder erhoben sich in meinem Kopf die Geister und stellten sich mit ausgestreckten Krallen hinter mir auf. Ich lugte über meine Schulter und sah nur die leere Küche. Meine Haut prickelte. Ich hatte Angst davor, Lärm zu machen. Ich hatte Angst, der Tod würde mich hören. Ich mußte rufen und hatte Angst davor. Ich mußte mich bewegen – und auch davor hatte ich Angst. Ich starb vor Feigheit. Es waren die Gedanken eines anderen; sie hatten den Geruch von Krankheit, das Brennen von Durst, die Energie der Wut. Innerlich schrumpelte ich zusammen.

Ich legte eine Hand auf den Küchentisch. „Oben, auf dem Dachboden", sagte ich. Ich wußte jetzt, was nicht mit mir stimmte. Jean Dalais war ein Archetyp. Sie lag im Delirium und träumte, daß sie ich sei. Oder ich war wirklich Jean Dalais und litt unter einem anderen Traum, und mir träumte, daß da seltsame Leute in meiner Küche standen und nach mir suchten. Ich, Jean, haßte diese Halluzinationen. Ich drosch auf die Traumbilder der Männer ein, die ein Gefühl von Schwäche und Unwohlsein verspürten, und wußte, wieviel Zeit vergangen war, ohne daß mir jemand geholfen hatte. Ich haßte die ganze Welt, die mich eingesperrt und aus jeder Hoffnung eine Lüge gemacht hatte, und ich versuchte die Lügen ins Nichts zu blasen.

Die George-Sanford-Halluzination glitt auf dem Küchenboden in eine sitzende Position. Die Papiertüte mit der Bockbierflasche knallte mit einem lauten Geräusch auf den Boden. Sie hörte sich beinahe real an. „Schau du nach, Ahmed", sagte der George-Sanford-Mund.

Die andere Gestalt in diesem Traum beugte sich vor und stellte ein Telefon auf den Fußboden. Es prallte mit einem anderen Laut auf das Linoleum und erzeugte ein helles Klingeln, das man fast auch oben noch hören konnte. „Die Halluzinationen werden immer echter. Jetzt kann ich sie schon hören", murmelte der Phantasie-Sanford vor sich hin. Oder war es Jean Dalais, die nachdachte?

„Wenn ich rufe, wählst du die Null und sagst, daß die Rettungsbrigade rüberkommen soll." Ahmed hob die Papiertüte mit der Bockbierflasche auf. „Alles klar, George?" Er fing an, die Küchenschubladen zu durchsuchen. „Na großartig, Bier! Es gibt nichts Besseres gegen extreme Dehydration. Ist Salz drin. Hält das System vom Flüssigkeitsschock fern."

Er fand einen Bieröffner und steckte ihn in die Hüfttasche. „Flüssig-keitsschock kommt von plötzlichen Veränderungen im Wasser-Salz-Haushalt", fügte er hinzu und stieg leise, jeweils zwei Stufen auf einmal nehmend, die Treppe hinauf. Er verschwand aus meinem Gesichts-kreis, aber ich hörte seine Schritte. Sie waren leise und forschend. Selbst Ahmed hatte Angst davor, Geister aufzuwecken.

Was hatte Bessie über das Opfer gesagt? „Hoffnung schmerzt." Sie hatte versucht, dem Opfer Hoffnung zu machen, aber das Opfer hatte ihr mit einem Dolch aus Wut und Verzweiflung ins Herz gestochen.

Deswegen saß ich auf dem Boden!

Gefahr, George, nicht nachdenken! Ich schloß die Augen und leerte meinen Kopf.

Der Traum von der Rettung und die Abbilder der Männer waren verschwunden. Ich war Jean Dalais und sank ins Dunkel zurück, in eine warme, umfassende Dunkelheit, in der sich nichts rührte und niemand dachte. Da gab es nur – in weiter Ferne – den Fußboden an meinem Gesicht.

Ein seltsames Rumsen ließ den Boden erzittern, und ein kratzendes Geräusch zerrte an meiner Neugier. Ich fing an wieder aufzuwachen. Es war ein bekanntes Geräusch, ich kannte es aus dieser anderen Welt und aus einem anderen Leben, das nun sechs Tage hinter mir lag, eine Ewigkeit, und ich hatte es fast vergessen. Der Fußboden der Dachkam-mer drückte gegen mein Gesicht und roch nach Staub. Das Rumsen und Kratzen kam wieder. Metall auf Holz. Ich war neugierig. Ich öffnete die ausgetrockneten, sandgefüllten Augen und hob den Kopf, und diese Bewegung erweckte meinen Körper und warf ihn in eine Hölle aus Durst, Schmerzen und Schwäche.

Ich sah die beiden Enden der Aluminiumleiter, die durch die Falltür in die Dachkammer hineinragten. Die Leiter war wieder da. Sie war vor langer Zeit umgekippt, aber jetzt war sie wieder da, sah mich an, erwartete, daß ich sie hinunterkletterte. Ich verfluchte sie, schleuderte ihr eine Welle von Haß entgegen. Was nützt einem eine Leiter, wenn man sich nicht bewegen kann? Ich hatte schon lange herausgefunden, daß Bewegungen Schmerzen hervorriefen. Es war nicht gut, das Baby hier zu bekommen. Es war besser, still liegenzubleiben.

Ich hörte eine Stimme. „Sie ist hier, George. Ruf die Rettungsbri-gade an." Ich haßte die Stimme. Sie war nur eine von vielen in diesem langen Alptraum imaginärer Rettung. Wer war „George"? Ich war Jean Dalais.

George. Jemand hatte „George" gerufen. Unten, in der kleinen, imaginären Küche, stellte ich mir das kleine Abbild eines Mannes vor, der nach einem Telefon tastete, das neben ihm auf dem Boden stand. Schwerfällig wählte er die Null. Eine weibliche Stimme stellte eine Frage. Der imaginäre Mann sagte „Rettungsbrigade". Mit schwerer Zunge.

Das Telefon klickte und summte, dann sagte eine tiefe Stimme: „Rettungsbrigade".

Ich auf dem Dachboden wußte, wie sich der Traum von der Rettungsbrigade abspielen sollte. Ich hatte ihn schon einmal geträumt. Ich sprach jetzt durch das kleine Abbild des Mannes. „Mein Name ist Jean Fitzpatrick. Ich bin in der Washington Street Nummer neunundzwanzig. Ich sitze in der Dachkammer fest und habe nichts zu trinken. Wenn ihr nicht so blöde Narren wärt, hättet ihr mich schon lange gefunden. Beeilt euch. Ich bin schwanger." Sie ließ das Abbild des Mannes den Hörer niederlegen. Als das Abbild des Mannes die Hände vors Gesicht schlug, verblaßte der Traum wieder.

Meine Augen waren zu; der Boden der Dachkammer preßte sich gegen mein Gesicht. Ganz in der Nähe knirschten die Leiterstufen unter einem Gewicht. Dann der Dachkammerboden. Da war etwas Schweres, das sich langsam über ihn hinwegbewegte. Eine Bewegung; das Rascheln von Kleidern. Ich hörte das Klicken eines Flaschenöffners, der gegen einen Flaschendeckel schrammte, dann das Klicken eines zu Boden fallenden Verschlusses und das Blubbern und Zischen einer kalten Flüssigkeit. Da war eine Hand, die vorsichtig meinen Kopf anhob und einen kalten Flaschenhals gegen meine Lippen drückte. Ich öffnete den Mund. Die kalte Berührung einer Flüssigkeit ... Sie drang in mich ein und lief mir die Kehle hinab. Ich fing an zu schlucken.

George Sanford – ich – nahm die Hände von den Augen und sah auf das Telefon herab. Ich lag gar nicht auf dem Boden. Ich trank auch nicht. Ich hatte überhaupt keinen Durst. Hatte ich auf Ahmeds Ruf hin die Rettungsbrigade alarmiert? Das kleine Abbild eines Mannes in Jean Fitzpatricks Geist hatte sowohl angerufen als auch wieder eingehängt, aber dieses Abbild, diese Marionette, war ich gewesen; ich, George Sanford, fast einen Meter neunzig groß. Ich bin nicht die Marionette irgendeiner Frau. Die Kraft der Telepathie wird von Gefühlen und Bedürfnissen angetrieben, und die Frau dort oben hatte von beidem genug. Aber keiner hätte das mit mir anstellen können, wenn ich nicht sowieso hätte helfen wollen. Keiner.

Von oben kam das melodiöse Geräusch eines Zweiklanghorns und wurde immer lauter. Vor der Tür verstummte es. Jemand hämmerte laut gegen die Tür. Ich fühlte mich ganz gut, aber mir war immer noch schwindelig, und ich hatte Angst, mich zu bewegen.

„Komm rein", krächzte ich. Die Leute rappelten an der Klinke. Ich stand auf und ließ sie herein. Dann stützte ich mich auf die Rücklehne eines Stuhls.

Krankenpfleger von der Rettungsbrigade in Blau und Weiß. „Sind Sie der Kranke?"

„Nein, die Frau oben." Ich deutete nach oben, und sie eilten mit ihrer Ausrüstung und einer Tragbahre die Treppenstufen hinauf.

Obwohl sie jetzt keinen Durst mehr litt und sie kein Bedürfnis mehr hatte, ihren Geist auf hohen Touren laufen zu lassen, waren wir immer noch irgendwie miteinander verbunden, denn ich spürte, wie die Spitze einer Nadel in meine Hüfte drang. Das Gefühl der Schummrigkeit und Angst löste sich auf, die Welt nahm wieder ihre altbekannten Formen an, und die Küche verlor die Ähnlichkeit mit einer staubbedeckten Dachkammer. Sie war jetzt nur noch eine saubere Küche, und der Sonnenschein der ganzen Welt drang durch das Fenster.

Ich holte tief Luft, reckte mich und spürte, daß meine Arm- und Beinmuskeln wieder Kraft gewannen. Ich ging in den zweiten Stock hinauf und hielt die Leiter fest, als die Männer von der Rettungsbrigade den besinnungslosen Körper einer jungen Frau aus der Dachkammer bargen.

Sie hatte lockiges Haar, ein schmutziges Gesicht und magere Arme und Beine. In der Mitte war sie aufgebläht wie ein schwangerer Kürbis.

Ich sah zu, wie der blauweiße Helikopter der Rettungsbrigade sie wegbrachte.

„Willst du mitkommen und zusehen, wie ich meinen Bericht schreibe?" fragte Ahmed.

Als wir die Küche verließen, hielt ich nach der Tüte mit den türkischen Honigbrötchen Ausschau, aber sie war weg. Ich mußte sie irgendwo verloren haben.

Wir gingen ein paar Blocks weiter nach Süden und dann in das nächste Polizeirevier. Ahmed setzte sich hinter einen unbenutzten Schreibtisch, um seine Formulare auszufüllen. Im Wartezimmer fand ich einen Stapel Comic-Hefte und nahm mir das Heft, auf dessen Umschlag am meisten los war. Meine Hände zitterten ein bißchen, aber ich war glücklich und kam mir richtig wichtig vor.

Ahmed füllte den Kopf des Formulars aus, schrieb ein paar Zeilen und schaltete dann den Kalkulator ein, der zu dem Schreibtisch gehörte. Er hielt inne, starrte ein paar Löcher in die Luft, sah mich an und schrieb dann weiter. Er sah mich alle paar Sekunden an, und ich fragte mich, was er da über mich schrieb. Ich wollte, daß er gute Sachen über mich schrieb, damit die Bosse von der Rettungsbrigade es lasen und mich einstellten.

„Ich hab 'n guten Riecher, was, Ahmed?"

„Ja." Er schrieb etwas in einen Kasten, las die Erklärungen zur nächsten Frage, kaute am Ende seines Schreibers herum und starrte an die Decke.

„Würd' ich nicht einen guten Aufspürer abgeben?" fragte ich.

„Welche Note hast du in Varianzanalyse auf der High School gekriegt?"

„Hab' ich nie gehabt. Ich bin wahrscheinlich auch in Algebra durchgefallen; schon in der Sechs B ... "

„Die Rettungsbrigade verlangt, daß man Formulare ausfüllen kann, die auch die Statistik-Computer lesen können. Schau mal ..." Ich beugte mich rüber, und er zeigte mir ein Kästchen, in das er allerlei Zahlen und ein komisches Zeichen geschrieben hatte, das aussah wie ein umgefallenes D. „Kannst du das lesen, George?"

„Was bedeutet es?"

„Es bedeutet ‚Probabilität 0,005'. Es heißt, daß die Chancen zweihundert zu eins dagegenstehen, daß du die White-Horse-Taverne aus purem Zufall angesteuert hast, als die Fitzpatrick-Frau dort verkehrte. Auf diese Zahl bin ich gekommen, als ich die Anzahl der Kneipen im Telefonbuch überflog. Da gibt es zweihundert, die die falschen gewesen wären – und da war nur eine, in die du wirklich gegangen bist. Zweihundert geteilt durch eins macht zweihundert. Wärst du vorher in zwei andere gegangen und hättest erst dann die richtige gefunden, wäre die Chance, daß du dich irrst, zweihundert geteilt durch zwei gewesen. Das macht einhundert. Deiner Trefferzahl stand die Möglichkeit entgegen, dich zu irren oder sie aus reinem Zufall zu finden. Deine Trefferzahl liegt bei zweihundert. Kapierst du? Und hier hält man schon vierzig für ein gutes Ergebnis."

Ich guckte ihn ziemlich blöd an. In der Schule hatten ganze Lehrerscharen zwei Semester lang versucht, mir was beizubringen, bevor sie das Handtuch warfen. Für mich bedeutete das gar nichts. Es schien für mich nie etwas mit Menschen zu tun zu haben. Und ich fand auch ohne Algebra und Geographie heraus, daß sie mich nie Psychologie, Geschichte, Sozialkunde, Systemanalyse, Wirtschaftskunde, Programmieren oder Sozialarbeit studieren lassen würden. Sie würden mich nicht mal als Verkehrspolizist haben wollen. Elektrotechnik hätte ich zwar erlernen können, aber ich wollte mit Menschen arbeiten statt mit Fernsehgeräten, deswegen warf ich es hin. Ich konnte zwar kein Lehrer werden, aber das, was Ahmed bei der Rettungsbrigade machte, konnte ich auch.

„Ahmed, bei der Rettungsbrigade würde ich mich ganz gut machen. Ich brauche keine Statistik. Weißt du noch, was ich gesagt habe, als du Bessie zu tief reinschobst? Hatte ich nun recht oder nicht? Du warst im Unrecht. Das zeigt doch, daß ich keine Ausbildung brauche."

Ahmed sah mich bedauernd an. „George, dafür hast du keinen Draht. Alle weichherzigen Burschen haben Angst, wenn sie sehen, wie jemand in die traumatischen Zonen der subjektiven Welt eindringt. Sie werden immer versuchen, das zu verhindern. Auch wenn du im Unrecht gewesen wärst, würdest du jetzt sagen, ich hätte zu stark auf sie eingewirkt."

„Ich hatte aber recht."

Ahmed erhob sich halb aus seinem Stuhl, aber dann regte er sich wieder ab.

Er nahm wieder Platz. Seine Lippen ware blaß. Er preßte sie aufeinander. „Es ist mir egal, ob du recht hast; es sci denn, du hast recht gegen die Umstände. Du bekommst eine lobende Erwähnung, weil du aus allen Kneipen ausgerechnet die White-Horse-Taverne herausgepickt hast. Und du kriegst eine weitere lobende Erwähnung, weil du zwischen all den Häusern ausgerechnet das des Mädchens gefunden hast. Ich werde die beiden Zahlen miteinander multiplizieren, und damit kommst du wahrscheinlich auf über 80 000 Punkte. Das ist eine ganze Menge."

Es hatte jetzt keinen Sinn, etwas dagegen zu sagen. Er lobte mich. „Aber ich bin nur zu dieser Taverne gegangen, weil ich Durst hatte. Dafür kannst du mir keine Punkte geben. Du hast mich irgendwie durstig gemacht. Und zu dem Haus bin ich nur gegangen, weil ich sie sehen wollte. Vielleicht hatte ich einfach Sehnsucht nach ihr."

„Es ist mir gleich, was deine Gründe waren! Du bist an die richtige Stelle gegangen, stimmt's? Du hast sie gefunden, stimmt's?" Ahmed stand auf und schrie: „Du redest wie ein Höhlenmensch! Was glaubst du, wann wir leben? 1950? Oder in der Zeit, als deine Großmutter noch einen Laden hatte? Es ist mir gleich, welche Gründe du hattest; niemand schert sich noch einen Dreck darum, welche Gründe man hat. Wir kümmern uns nur um die Ergebnisse, klar? Wir wissen nicht, warum die Dinge sich ereignen, aber solange jeder einen guten Bericht über sie schreibt – mit einer lesbaren Statistik –, können wir die Maschinen damit füttern, und die sagen uns dann ganz genau, was passiert. Und damit können wir arbeiten, weil wir dann Fakten haben – und das ist die reale Welt. Ich weiß, daß du Leute aufspüren kannst. Aber deine Gründe interessieren niemanden. Wissenschaftliche Theorien darüber interessieren auch keinen!"

Er war ganz rot im Gesicht und brüllte, als hätte ich was gegen seine Religion oder so was gesagt. „Ich wünschte, wir könnten ein paar Theorien über manches kriegen. Aber wenn die Statistik sagt, daß irgendwo etwas Komisches passiert und das gleiche komische Ding dann anderswo geschieht, dann müssen wir nicht rauskriegen, wie diese Sachen zusammenhängen. Wir dürfen dann nichts anderes tun, als auf die zweite Sache vorbereitet sein, nachdem die erste passiert ist. Klar?"

Ich hatte keine Ahnung, wovon er redete. Zwar hatten auch die Lehrer solche Sachen zu mir gesagt, aber Ahmed schien die Sache so an die Nieren zu gehen, daß er sie auch noch laut herausschreien mußte. Und dabei war er mein Freund.

„Ahmed", sagte ich, „Würde ich nicht ein guter Aufspürer sein?"

„Du würdest sogar ein großartiger Aufspürer sein, du Depp!" Er warf einen Blick auf seinen Bericht. „Wahrscheinlich sogar der beste, den wir je hatten! Aber du kannst nicht zur Rettungsbrigade. Die Vorschriften verlangen nämlich, daß man anstelle von Stroh ein Gehirn im Schädel haben muß. Ich helfe dir, anderswo einen Job zu finden. Bleib' in der Nähe. Sobald ich mit dem Bericht fertig bin, leihe ich dir fünfzig Mäuse. Lies irgendwas."

Ich kam mir klein und häßlich vor, aber ich mußte mich zusammennehmen, denn dies war meine letzte Chance, einen richtigen Job zu kriegen. Und außerdem war an dem, was ich zu tun versuchte, etwas Richtiges. Die Rettungsbrigade brauchte mich. Und auch die verlorengegangenen Leute würden mich brauchen.

„Ahmed", sagte ich und versuchte mich klar auszudrücken, „ich sollte in deiner Abteilung sein. Du müßtest doch einen Weg finden, um mich da reinzukriegen."

Es ist nicht einfach zu erkennen, wenn ein starker und selbstbewußter Bursche eine Veränderung durchmacht. Im allgemeinen weiß Ahmed, was er tut. Er fragt sich nie etwas. Er starrte auf seinen Bericht, hielt die Luft an und dachte angestrengt nach. Dann stand er auf, verließ den Schreibtisch und schritt auf und ab. „Was, zum Teufel, ist mit mir los? Bei mir ist 'ne Schraube locker. Die Schreibtischarbeit verschafft mir noch 'ne matschige Birne." Er schnappte sich den auf dem Schreibtisch liegenden Bericht. „Na, komm. Attacke auf die Vorschriften. Jetzt geht's gegen das Rathaus."

„Wir können Ihren Freund nicht einstellen." Der Chef der Rettungsbrigade schüttelte den Kopf. „Er würde die Prüfungen nicht bestehen. Sie haben's selbst gesagt."

„Die Vorschriften verlangen, daß George eine schriftliche Prüfung ablegt." Ahmed beugte sich über den Schreibtisch und begleitete jedes Wort mit einem festen Hieb auf dessen Oberfläche. „Die Vorschriften sind aber einen Dreck wert; sie wurden von unfähigen Bürokraten erlassen, die verhindern wollen, daß niemand einen Job bekommt, der nicht genauso verkalkt ist wie sie! Vorschriften sind eine Waffe, die man immer dann einsetzt, wenn man es mit Leuten zu tun hat, die man nicht kennt und um die man sich einen Dreck schert. George kennen wir aber – und wir wissen, daß wir ihn haben wollen. Wie also können wir die Prüfer beschummeln?"

Der Chef streckte abwehrend eine Hand aus. „Immer langsam, Ahmed! Ich schätze Enthusiasmus, aber vielleicht können wir George auf legalem Weg reinkriegen. Ich weiß, daß er eine hysterische Epidemie verhindert und den Krankenhäusern eine Menge Zeit und Ausgaben erspart hat. Der Computer schreibt uns einen Prozentsatz aller Ausgaben gut, die unsere Arbeit der Stadt erspart. Wenn er so weitermacht, würde ich ihn gerne bei uns sehen. Aber wir sollten nicht gegen Gesetze verstoßen, um ihn aufnehmen zu können. Wir sollten sie für uns nutzen."

Der Chef betätigte das Interkom und sprach in die summende Box hinein. „Geben Sie mir die Buchhaltung, ja?" Kurz darauf kam eine Antwort aus dem Gerät, und der Chef sagte wieder etwas. Er war ein großer, eckig gebauter Mann, der allmählich Fett ansetzte. Seine Haut war schlaff, sein Haar grau. „Hör mal, Jack, wir benötigen die Dienste eines bestimmten Experten. Wir können ihn aber nicht anstellen, weil er, glaube ich, größen- und gewichtsmäßig nicht die Vorschriften erfüllt. Wie können wir ihn auf die Gehaltsliste setzen?"

Der Mann am anderen Ende sprach knapp und geschäftsmäßig. „... Sonderfonds, Dienstleistungen auf Honorarbasis. Als Berater. Akte ‚Besondere geleistete Dienste. Zeitaufwand und Resultate'. Muß im Rahmen der Ausgaben bleiben, die die einzelnen Abteilungen mit Hilfe von außen für die Stadt einsparen, und so weiter und so weiter. Alles klar?"

„Okay. Danke." Er schaltete die Klapperkiste ab und sagte zu Ahmed: „Alles klar. Ihr Freund ist drin."

Ich stand da, und mir taten die Füße weh. Da meine Hände leicht zitterten, hatte ich sie in die Tasche gesteckt und versuchte gelassen auszusehen. Die Wartezeit verbrachte ich damit, indem ich an Restaurants dachte; an all die guten Restaurants, in denen man für das letzte Geld die größten Portionen bekam. „Und wann kriege ich Geld?" fragte ich Ahmed.

„Nächsten Monat", sagte er. „Am Ende eines jeden Monats wirst du für jeden Fall, den du gelöst hast, separat bezahlt. Guck nicht so enttäuscht. Jetzt bist du Sonderberater. Du stehst auf meiner Gehaltsliste. Da bin ich dazu verpflichtet, deine Mahlzeiten zu bezahlen und dir das Fahrgeld zu erstatten, wenn ich dich irgendwo hinbringe, wo ich deine Beraterdienste brauche."

„Dann brauche sie jetzt", sagte ich.

Wir aßen ein großartiges Mahl in einem altmodischen italienischen Restaurant: Lasagne, Antipasto, Brot in dicken, harten Scheiben, eine Unmenge Margarine, einen Salat, vier Tassen heißen, schwarzen Kaffee und zum Nachtisch Spumone, herrlich und süß. Alles schmeckte frisch, war genau richtig gekocht und wurde mit Eleganz serviert. Nach der zweiten Lasagnehälfte hörte ich auf zu zittern; nach der zweiten Tasse Kaffee fühlte ich mich großartig.

Da war etwas Komisches an diesem Restaurant. Jemand plante einen Mord. Aber das wollte ich Ahmed erst nach dem Dessert sagen.

Möglicherweise hätte er gewollt, daß ich jemanden rette, statt zu essen.

Wir lehnten uns zurück und sprachen über die alten Zeiten, als er noch unser Bandenführer und ich noch ein Bürschlein gewesen war. Und wir erinnerten uns an alte Witze. Irgendwo an einem anderen Tisch verzog sich die blutige Wolke des Mordplans. Die Tat wurde verschoben. Ich kümmerte mich nicht mehr darum.

In dieser Nacht schlief ich im Besucherzimmer der Karmischen Bruderschaft, und als wir uns zum Lesen und Meditieren hinsetzten, erzählte ich den anderen Besuchern von meinem neuen Job und fragte sie, wie ich noch ein besserer Aufspürer von Leuten in Schwierigkeiten werden und mein ESP verbessern konnte.

„Durch Praxis", sagten die anderen und deuteten auf einen dünnen, alten Mann, der ein Taoist und Ratgeber war. Er saß an der Wand und konnte die Vergangenheit der Menschen erkennen und ihnen Ratschläge für die Zukunft geben, egal, wo er auch gerade war. „Frage ihn."

Ich ging zu ihm hin, nahm Platz und wartete darauf, daß er mich ansah und ich meine Fragen stellen konnte. Er saß mit geschlossenen Augen da und war sehr alt, mager, würdevoll und nett.

Ohne die Augen aufzumachen, sagte er: „Ich bin glücklich, daß du deinem Leben ein Ziel gegeben hast. Ich habe niemals versucht, andere Seelen zu lokalisieren. Ich habe nur versucht, mit ihnen eins zu werden und alles mit ihnen zu teilen. Ich glaube, deine Seele ist in Gefahr, weil du dich nicht verschließen kannst und für das Böse in den anderen stets erreichbar bist. Du darfst dem Bösen in den anderen keinen Widerstand leisten. Du mußt ihm mit Sympathie begegnen, es verstehen und lieben. Sonst kannst du nichts tun. Es gibt keine Sicherheit, denn in dir sind keine Mauern." Seine Stimme war alt und zittrig.

Er rutschte unbehaglich hin und her und strich über seinen Bart. „Aber jetzt sehe ich, daß du ungeduldig und ohne Furcht bist und nur Worte über deine Gabe des Leutefindens hören möchtest. Ich kann dir nur folgendes sagen: Der beste Weg, die Zukunft zu sehen, sind die Träume. Ich glaube, du solltest eine kleine Taschenlampe und ein Notizbuch neben deinen Schlafsack legen. Ich will dir gerne mein Licht und meine Tafel leihen."

Ich wollte zwar gar nichts über die Zukunft erfahren, aber ich dankte ihm und nahm sein Licht und seine Tafel. Als ich einschlief, hörte ich die leise Musik aus den Ohrlautsprechern der anderen, die ebenfalls in ihren Schlafsäcken lagen. Der alte Mann sprach ein Gebet. „Er möge aufwärts treiben mit den Gezeiten des Lichts, nicht abwärts mit denen der Dunkelheit. Möge er nur Seelen retten, die auch gerettet werden wollen. Wen immer er auch bewahrt, laß ihn wissen im Traumland; laß sie Freunde werden und sich darauf vorbereiten, die Oberwelt zu sehen." War das Gebet für ihn oder für mich?

Immer wenn ich träume, werde ich ein anderer. Oft träume ich, daß ich Biggy bin, der früher in unserer Straßenbande war, jetzt erwachsen ist, Ziegenherden hütet und von der Exil-Pension lebt.

Aber als ich diesmal zu träumen anfing, war ich jemand in New York.

2

Die rote Neonschrift am Himmel blinkte:

DU BIST NICHT ALLEIN!
Verwirkliche dich,
gehe deinen Interessen nach,
suche einen Partner,
finde zu dir selbst,
mit „Harmonie"-Persönlichkeitsdiagnose
und Partnerschaftsdienst.

Carl Hodges war allein. Er stand in einem verwaisten, ruinierten Teil der Stadt und sah das rote Leuchten der Werbung, die sich vom nebeligen Nachthimmel New Yorks abhob und wie eine flackernde, rote Flamme blinkte. Er wußte, was das Leuchten sagte. Du bist nicht allein.

Er schloß die Augen. Tränen quollen unter seinen geschlossenen Lidern hervor. Er verdammte den Tag, an dem er gelernt hatte, mit Zeitspuren umzugehen. Es war leicht, sich zu erinnern und zu Susanne zurückzukehren; er konnte sogar den Augenblick sehen, in dem sein Mädchen auf dem Surfbrett vor dem Abhang einer steilen Wellenfront hergejagt war. Er sah sogar den Bug des Brettes auf dem sich kräuselnden Wasser und die Welle, die es anhob, immer höher werden, bis sie umkippte und wie ein Axtblatt niederschlug.

Denk an etwas anderes!

„Wieder am Heulen, Paps?" sagte eine junge, freche Stimme. Eine Hand preßte zwei Tabletten vor seinen Mund. „Hier, Glückspillen. Kein Grund zum Heulen, 's ist 'ne gute Welt."

Gehorsam nahm Carl Hodges die Pillen in den Mund und schluckte. Die Erinnerungen und der Kummer würden bald aufhören, ihn zu schmerzen. Sie würden vergehen. Denk an was anderes. Ans Arbeiten? Ja, er sollte wirklich arbeiten gehen und einen Job ausfüllen, statt nichts zu tun und bei weggelaufenen Kindern zu wohnen. Er sollte über Dinge nachdenken, die Spaß machten.

Es war möglich, daß er ein Gefangener war, aber das störte ihn nicht.

Um ihn herum versammelten sich in der Dunkelheit eine Menge weggelaufener Kinder und Halbwüchsiger, deren bunt zusammengewürfelte Kleidung aus allen Kommunen der Vereinigten Staaten stammte. Man hatte ihm erzählt, daß sie aus den Lebensbereichen und vor den seltsamen Gebräuchen ihrer Eltern davongelaufen waren. Sie haßten die Bruderschaften, den Konformismus und die vereinheitlichte Welt der Erwachsenen, die sie dazu zwang, nach dem Gesetz zu leben, das den unabhängigen Gemeinschaften erlaubte, Kinder innerhalb ihrer Mauern zu erziehen.

Die Halbwüchsigen hatten gesagt, Vorschriften seien allemal von Übel, sämtliche Gebräuche seien neurotische Rituale und das praktische Leben, die Ängste und die Barmherzigkeit nichts weiter als Begrenzungen.

Und er sagte sich, daß sie nur Kinder waren, die eine vorübergehende rebellische Phase durchliefen.

Die Wirkung der Pillen erzeugte einen rosafarbenen Nebel des Vergnügens in seinem Kopf. Er erinnerte sich an etwas Spaßiges. „Habe ich euch eigentlich schon erzählt", murmelte er in Richtung der entlaufenen Halbwüchsigen, deren Gast-Gefangener er war, „wie ich mit Ronny das letzte Zukunftsspiel spielte? Es war halb elf, wir hatten Spätschicht. Als wir fertig waren, unterbrachen wir die Verbindung des großen Computers mit der Fernkontrolle und fingen an, Stadtschach zu spielen. Wir hatten drei kleinere Wartungsfehler in nur drei Zügen. Er vernichtete meine Stadthälfte, indem er aus einem Kühltruhenversagen in einer Kantine ein Erdbeben machte. Dabei wurde die ganze Mannschaft des Kraftwerks durch eine Lebensmittelvergiftung ausgeschaltet, und das Croton-Kraftwerk flog aufgrund eines Defekts in die Luft. Ich radierte seine Technokraten in der Brooklyn-Kuppel dadurch aus, indem ich die Polarität des Klima-Generators umkehrte. Er vervollständigte seinen Interreaktionszyklus und stabilisierte ihn, während die Kuppel unter dem Druck des Ozeans zusammenbrach und deren Bewohner festsetzte. Ein Glück, daß unsere Spiele nicht wirklich sind. Denn bei einem wirklich guten Spiel bleibt am Ende niemand übrig."

Ein blonder Junge, der der Anführer zu sein schien, kam nach vorn, nahm Carl Hodges' Arm und führte ihn in seinen Kellerraum zurück. „Du hast mal angefangen, mir davon zu erzählen", sagt er. „Aber erzähl's mir noch mal. Das interessiert mich. Ich würde Störungsvoraussage gerne zu meinem Beruf machen. Woran erkennt man, daß die

Leitungen eines Klima-Generators falsch gepolt sind und einen Ort vernichten?" Natürlich log er. Die anderen stießen sich an.

„Dann ändert sich der Geruch der Luft; manche Leute bekommen dann eine instinktive Klaustrophobie", sagte Carl Hodges, der ein totes Mädchen liebte und am liebsten auch gestorben wäre. „Hättest du nicht gedacht, daß das so große Auswirkungen hat, was?" Es war ihm gleich, was sie mit diesem Geheimnis anfingen.

Er war ganz lustig, dieser Traum, in dem ich Carl Hodges war, aber ich verspürte den plötzlichen Stich eines Schuldgefühls und erlangte ein Wissen, das er sofort unterdrückte, als er in die finstere Umarmung der Ignoranz und des Unbewußten zurückkehrte. Er haßte die Lebenden, die nicht Susanne waren.

In der unterseeischen Kuppel von Brooklyn City lagen die Technologen der Objektivisten-Kommune mit ihren Frauen und Kindern in den Betten, schliefen, entspannten sich und atmeten die frische, kühle Luft, mit der sie die freundlich vor sich hinsummenden Generatoren versorgten. Über ihnen erhob sich der halbkugelförmige Dom, der vom Meeresboden aufragte, aus starkem flexiblem Material war und dessen nachgiebiger, starker Luftdruck die unvorstellbare Masse des Ozeans von ihnen fernhielt.

Terror und Zerstörung suchten meine Träume heim. Ich erwachte. Am fernen Himmel hörte ich das Echo des leiser werdenden Donners einer zur Raumstation startenden Shuttle. Donner, Erdbeben, brechende Mauern, Risse in den Wänden; Menschen, die vor einer heranrasenden Wasserwand fliehen.

Stille kehrte in meinen Geist zurück. Das Bild löste sich auf. Die Wände waren fest und real. Ich berührte die Wand hinter meinem Kopf mit der Hand und stellte fest, daß sie in Ordnung war und bloß aufgrund des tiefen Summens vibrierte, das die Geräusche der Nachtzüge dieser mechanisierten Stadt hervorriefen. Sie fuhren unter der Erde, brachten Waren herein. New York – sicher, beschützend, automatisiert.

Drohte irgendwo Gefahr? Ich tastete mich in den Traum zurück, aber er bestand nur noch aus leisem Donner und einem Gefühl der Warnung. An ihn denkend, rollte ich mich auf den Bauch und schaltete die kleine Leselampe ein, die am Kopfende meines Schlafsacks hing, und schrieb in ein Notizbuch: „Brechende Mauern, ertrinkende Menschen." Dann sah ich, daß in meiner Handschrift am Kopf der Seite geschrieben stand: „Himmel stürzt ein, 19. Juni."

Ich mußte den gleichen Traum schon vorher geträumt und versucht haben, ihn während des Schlafs niederzuschreiben. Ich strich mir durchs Haar, zupfte daran und versuchte nachzudenken. Ich lag, auf einen Ellbogen gestützt, in einem bequemen Schlafsack im Gästeraum der Kommune der Karmischen Bruderschaft. Auf dem Boden lagen andere Schläfer in ihren Schlafsäcken und atmeten ruhig. In der Nähe lugten zwei Köpfe aus einem Schlafsack. In einer schattigen Ecke saß ein Mann im Schneidersitz, hatte sich zurückgelehnt und meditierte mit friedfertigem Gesichtsausdruck.

Vielleicht hatte er gemeint, daß das Aufschreiben von Träumen mich besser in Kontakt mit dem Unterbewußtsein bringen und mir helfen würde, die Gedanken anderer Leute aufzufangen. Vielleicht waren Träume Warnungen und bezogen sich auf Pläne, die die Leute in Schwierigkeiten bringen würden. Vielleicht sollte ich jetzt etwas unternehmen.

Ich zupfte an meinem Haar und versuchte mich zu entscheiden. Vielleicht sollte ich Ahmed anrufen. Aber Ahmed würde um drei Uhr morgens nicht ans Telefon gehen. Und wenn ich ihn anrief und sagte, es sei ein Notfall, weil am 19. Juni etwas passieren würde? Aber jetzt stand uns erst mal der 15. Juni ins Haus. Ich hatte vier Tage, um darüber nachzudenken.

Die Schlafenden, die um mich herumlagen, atmeten ruhig.

Der Traum löste sich schnell auf; es blieben nicht einmal Erinnerungen an überzeugende Einzelheiten zurück. Vielleicht war er gar nicht real gewesen.

Mit einem Seufzen glitt ich auf die weiche Deckenrolle zurück, die unter meinem Kopf lag, und schlief wieder ein.

HIMMEL STÜRZT EIN, 19. JUNI. Donner und brechende Mauern.

Ich wachte früh auf, um einem schlechten Traum zu entkommen. Es war ein heißer Morgen. In den Bäumen, die auf den Hausdächern standen, zwitscherten Vögel, und vor dem Fenster kreischte eine Möwe. Sie glitt vorbei und warf einen großen Schatten auf die Wand.

Ich stand auf, war hellwach und hatte das Gefühl, zu spät zu einem Termin zu kommen. Die Kalenderuhr an der Wand sagte 18 JUN 6:23. Ohne zu wissen, warum, hatte ich die Befürchtung, mich beeilen zu müssen.

Nackt wie ich war, steckte ich den Kopf aus dem Fenster und sah auf den von hellen Wolkenstreifen erleuchteten Himmel. Alles war friedlich. Mit dem Kopf aus dem Fenster versuchte ich mich auf Leute einzustimmen, die in Schwierigkeiten waren. Ich stellte mir vor, irgendwo festzusitzen und Angst zu haben. Ahmed hatte sich zwei oder drei Tage nicht sehen lassen, aber ich war der Arbeit die ganze Zeit nachgegangen und fand verschwundene Kinder, Katzen in Mülleimern; Touristen, die sich verlaufen hatten und sich nicht an den Namen ihres Hotels erinnern konnten, und alte Leute in mit Handabdruck-Schlössern versehenen Wohnungen, deren Türen nur auf sie selbst reagierten. Die alten Leute vergaßen ständig, wie man diese modernen Erfindungen bediente, und dann saßen sie entweder drinnen oder draußen fest und suchten nach einer Klinke.

Es war mir eine Freude gewesen, ihnen zu helfen und sie glücklich zu machen.

Aber zuerst mußte ich sie anhand ihrer Angstausstrahlung finden – und das war kein gutes Gefühl.

Die regulären Mannschaften der Rettungsbrigade stürzen sich in Feuer und Gas, um Menschen zu retten. Ich mußte in ihre Köpfe rein. Manchmal ist Feuer wirklich angenehmer.

Während ich den Kopf aus dem Fenster steckte, fiel mir der Verrückte wieder ein, der einen Mord geplant hatte, als Ahmed und ich in dem italienischen Restaurant gesessen hatten. Ich hatte ihn vergessen. Aber wenn der Irre jemanden umbrachte, bevor ich ihn erwischte, war das schlecht.

Ich zog den Kopf wieder herein und versuchte mich auf einen verrückten Mörder einzustimmen, indem ich wütend in Haß und Rache dachte. Dabei fing ich die Gedanken eines halbwachen Mannes auf, der genüßlich daran dachte, seinen klingelnden Wecker an die Wand zu werfen. Da ich allmählich wieder einzunicken drohte, ging ich unter die Kommunendusche, um wach zu werden.

Im Duschraum bewunderte ich zwei Mädchen und hoffte, daß ihnen meine neue Figur gefiel. Ich war jetzt eckig, nicht mehr rund. Um in ernste Stimmung zu kommen, nahm ich eine eiskalte Dusche, glitt in meine Shorts und ging zu diesem italienischen Restaurant. Es war geschlossen, aber drinnen lief eine kleine Putzmaschine herum, hob die Tische hoch und wirbelte mit den Bürsten.

Es war zu spät oder zu früh. Dieser Gedanke brachte wieder die geträumte Angst zurück, zu lange gewartet zu haben. Ich befürchtete, daß bereits etwas Schlimmes passierte. Während ich mit geschlossenen Augen dastand, versuchte ich mich in den Mörder einzustimmen.

Meine Angst- und Schuldgefühle stimmten mich auf einen betrunkenen städtischen Angestellten ein, der Angst hatte, den falschen Leuten ein paar wichtige Geheimnisse ausgeplaudert zu haben. *Wenn etwas Schlimmes passiert, ist es meine Schuld,* dachte er verzweifelt, als ich ihn ausklinkte. Das gilt auch für mich, Bruderherz. Ich muß diesen Mörder finden, der zu verrückt ist, um Schuldgefühle zu haben. Er wird jubeln, wenn er Blut sieht – schon wenn er daran denkt.

Ahmeds Vorgehensweise fiel mir ein. Lokalisiere deinen Mann, indem du die breiter werdende Welle der von ihm erzeugten Gedanken auf den Kreis der Echos in den Köpfen der anderen erweiterst. Frag die Krankenhaus- und Verbrechensstatistik.

Der Mörder schläft vielleicht und sendet überhaupt keine Vibrationen aus. Noch tut er keinem was. Immer mit der Ruhe, George.

Ahmed kann mit der Statistik umgehen. Er hat dir gezeigt, wie das geht. Sie wird auch dir helfen, sagte ich mir, aber der Alptraum hatte in mir das Gefühl erzeugt, daß jeden Augenblick etwas Schlimmes passieren könnte.

Für die Statistik war es noch zu früh, aber ich bekam den Expedienten ans Telefon. Er war zwar wach, hörte sich aber schläfrig an. Er sagte, er könne den Statistik-Computer dazu kriegen, einen Bericht auszudrucken.

Es war sieben Uhr früh, und die Vögel in den Bäumen des Grüngürtels zwitscherten immer noch, man möge aufstehen. Das Sonnenlicht war hell und rosa auf den Hausdächern. Kühle Schatten und etwas Nebel hingen immer noch in den talähnlichen Straßen der New Yorker West Side. Ich verließ die Telefonzelle und ging über die Straße, um mich ins Gras neben der Straße zu setzen. Ich lehnte mich mit dem Rücken gegen einen Baum und sah auf. Autos fuhren hier keine. Seit fünfzehn Jahren fuhren keine Autos mehr in der Stadt. Ich gab mich ganz dem Frieden hin.

Das Telefon klingelte. Ich ging wieder über die Straße und kehrte in die Zelle zurück. „Hier ist George Sanford." Die Telefonzelle war zu klein. Ich öffnete die Tür und lauschte dem Gesang der Vögel.

„Ihr statistischer Bericht ist gerade rübergekommen", sagte die Stimme des Expedienten. „Computer-Ausdruck, abweichendes Verhalten von der Norm im letzten Jahr, Daten bezüglich grundloser Gewalt in kleinen und größeren Fällen betreffend die Blocks zwischen der 23. und 21. Straße sowie die beiden Blocks an der Wilmont Street. In Ordnung?"

„Richtig." Ich hatte in einer Woche gelernt, wie ein Polizist vorzugehen. „Irgendwas in der Art jedenfalls. Ich will etwas wissen über so was Ähnliches wie eine Zunahme halbherzig durchgeführter Delikte. Etwa, wenn jemand an Mord denkt, ihn dann aber nicht ausführt."

„Hm, hm, da haben wir ein paar Fälle; hauptsächlich Gewaltandrohung und Angriffe, bei denen niemand verletzt wurde. Schüler, die ihre Lehrer mit Farbbeuteln bewarfen oder ihnen in der High School die Kleider zerrissen. Und einen Haufen Erwachsenen-Vandalismus."

„Welche Art Vandalismus? Geben Sie mir Einzelheiten."

Mit monotoner Stimme las er vor: „Grundlose Gewaltakte, Typ zwo: Vorhänge und Bilder abreißen oder mit Messern aufschlitzen. Typ drei: Abbildungen von Persönlichkeiten mit Sprühdosen oder Filzstiften beschmieren – entweder durchstreichen oder übermalen. Typ vier: Zeichnungen von blutigen Schwertern, Messern, Äxten." Die monotone Stimme hielt inne und fragte in normalem Tonfall: „Brauchen Sie mehr?"

„Das reicht mir", sagte ich. „Ich krieg den Standpunkt schon hin. Lesen Sie mir die Einzelheiten der Angriffe vor. Aber langsam." Ich fühlte mich jetzt schon gewalttätig.

„Wofür? Was haben Sie vor?"

„Ich versuche, mich auf einen Verdächtigen einzustimmen. Zu denken wie er", sagte ich in das Telefon. „Ich bin in der Gegend. Auf der einen Seite liegen die Kunst- und Handwerks-Kommunen, auf der anderen wohnen die alten Italiener. Ruhige Leute, die keinen Grund haben, sich wütend zu fühlen oder an Blut zu denken, aber wenn ich da vorbeigehe, um einen Teller Spaghetti zu essen, kann ich es fühlen. Jemand in diesem Block hat an Gewalt gedacht und sendet seit Jahren schlechte Vibrationen aus. Die Kinder gehen hier auf dem Weg zur Schule vorbei. Ich wollte sehen, ob die Vibrationen sie erreichen. Und das tun sie. Und zwar saftig. Ich versuche, mich auf die Vibrationen einzustimmen, um zu sehen, ob ich in den Kopf des Burschen reinkomme."

„Alles in Ordnung mit Ihnen da draußen?" fragte die Telefonstimme mißtrauisch. „Sind Sie ausgeflippt oder was?"

Bisher hatte ich immer mit Ahmed zusammengearbeitet, und er hatte die Telefoniererei erledigt. Vielleicht machte ich irgendwas falsch. „Schauen Sie, wenn Sie zu beschäftigt sind, um die Bulletins der Rettungsbrigade zu lesen, können Sie auch nichts über mich wissen. Sie geben mir besser jemanden, der nicht so beschäftigt ist, in Ordnung?"

Ich warf einen Blick nach draußen und hörte die Geräusche der aufwachenden Nachbarschaft, roch den Duft von gebratenem Speck und sah die Zeichnung einer blutigen Axt auf einem alten Ziegelgebäude. Das Haus sah uralt aus. Sein staubiges Aussehen und das Bild der blutigen Axt auf der Wand erzeugten in mir das Gefühl, jemand zu sein, der blutige Äxte liebte und ganz in der Nähe wohnte.

„Ich bin nicht beschäftigt. Nun seien Sie nicht eingeschnappt", sagte das Telefon. „Was soll ich Ihnen vorlesen?"

„Lesen Sie die Liste der Anschläge vor, mit allen Einzelheiten, aber langsam; dann fragen Sie mich laut nach meinem Namen und meiner Adresse. Stellen Sie klare Fragen und schreiben Sie auf, was ich antworte."

„Wie soll ich fragen?"

„Einfach so: Wie heißen Sie? Wo wohnen Sie?" erwiderte ich. Jetzt kamen mehr Leute vorbei. Ein junger Bursche eilte vorüber, knöpfte sich die Jacke zu und ging eilig zur Arbeit. Zwei Mädchen schlenderten heran; sie hatten Badekleidung an und Handtücher bei sich.

„Sind Sie der Neue, den wir eingestellt haben?" fragte der Expedient über das Telefon. „Der mit der Wünschelrute?"

„Nein. Ich erkläre es Ihnen ein andermal. Lesen Sie jetzt nur die Liste vor." Ich hatte das Gefühl, daß der Kerl, der was Gewalttätiges vorhatte, jetzt aufgewacht war und sich anzog. Vielleicht wollte er das Haus verlassen. Ich musterte einen untersetzten Arbeiter mit sandfarbenem Haar, der vorbeiging. Der Bursche, den ich suchte, mußte so ähnlich aussehen. Aber hatte ich den Nerv, jemanden anzuhalten, nur weil er schlechte Vibrationen ausstrahlte?

Nein.

Der Expedient verfiel wieder in seine monotone Sprechweise.

„Zwölf Fälle, in denen Schüler vier Kunstlehrer mit Tinte oder Farbe bespritzten. Zerrissene Kleider in drei Fällen. Eine Spaziergängerin aus Jersey City wurde gefesselt, bedroht und kahlgeschoren von einem unidentifizierten männlichen Attentäter, mögliches Alter zweiundzwanzig, brünett. Sie wurde gebunden, aber unverletzt in einem Mülltonnen-Lagerraum im zweiten Block Wilmont Street gefunden." Während die monotone Stimme langsam die Einzelheiten vorlas, stellte ich mir vor, die von ihr beschriebenen Dinge getan zu haben. Als ich dem Mädchen den Kopf schor, verspürte ich eine seltsame, starke Erregung und das Verlangen, einen Kopf an den Haaren mit mir herumzuschleppen.

„Wie heißen Sie?" fragte die Telefonstimme plötzlich deutlich und bestimmend.

„Charles Shiras."

„Wo wohnen Sie?"

„Wilmont Street Nummer zweiundzwanzig", erwiderte ich spontan und fand dann zu mir selbst zurück. Ich hatte eine Gänsehaut und trennte jemandem in Gedanken mit einem zackigen alten Schnitzmesser den Kopf ab. Meine Hand spürte die Vibrationen, die das Messer erzeugte.

„Ich habe den Namen", sagte der Polizei-Expedient am anderen Ende. Seine Stimme klang zwar immer noch monoton, zeigte jetzt aber eine Spur von Interesse. „Und was fange ich jetzt damit an?"

„Geben Sie der Rettungsbrigade Bescheid. Sie soll Charles Shiras festnehmen und ihn dann zu einer medizinischen Überprüfung bringen", sagte ich.

„Sie sind nicht Charles Shiras?"

„Nein, ich bin George Sanford." Endlich kapierte er.

Die Routine des In-Gewahrsam-nehmen kannte ich aus der Zeit, in der ich auf Ahmed wartend im Hauptquartier herumgehangen hatte. „Sie sollen ihn festnehmen und auf Psychosen untersuchen lassen. Die Ärzte kann er nicht beschummeln. Und wenn er einen Anwalt ruft ... falls sie ihn nicht in eine Zwangsjacke stecken ... dann gibt es garantiert Stunk." Ich hoffte, daß er an den Ärzten nicht vorbeikam. Aber wie konnte ich ihn kriegen? Was hatte ich gegen ihn in der Hand? Daß er ein Bursche war, der mir Kopfschmerzen bereitete? Wieviel würde die normale Polizei der Rettungsbrigade durchgehen lassen? Festgenommen werden kann man schließlich nur, wenn man etwas verbrochen hat. Die Rettungsbrigade konnte die Verbrechens- und Unfallrate durch abwehrende Maßnahmen zwar senken, indem sie Unruhestiftern zuvorkam. Aber aufgrund welcher Gesetze? Wer festgenommen wird, ohne ein Verbrechen begangen zu haben, ist unschuldig. Ich holte tief Luft – und fing zufällig die Vibrationen des Irren auf: Er stellte sich vor, die Hand eines anderen in einen Toaster zu schieben. Ich fühlte Schmerz und Macht. Vielleicht hatte der Mann nur eine Scheibe Brot aus dem Mittelteil eines harten Pumpernickel-Laibs geschnitten, statt eine Kehle durchzusäbeln, und schob jetzt die dicke Scheibe in den Toaster und keine Hand. Aber seine Vorstellung, dies mit einer Hand zu tun, und die Freude, die er dabei empfand, ließ mich frösteln. Sadismus geht tief: Er hat starke, primitive Wurzeln. Ich mag nicht einmal wissen, daß so was einen erfreuen kann. Es könnte ansteckend sein und irgendeines Tages jemandem Schmerzen bereiten. Ich bin zu stark. Ich werde darauf achten müssen.

Eine Zeitlang war der Expedient mit Schaltungen und Funksprüchen beschäftigt. Dann kam er ans Telefon zurück. „Buchstabieren Sie Ihren Namen George Sandford?"

„Sanford, mit nur einem d", sagte ich und wechselte von einem Bein auf das andere. In der Hitze fing ich in meinen Sandalen an zu schwitzen. Wenn man geht, sind sie kühl, aber nicht beim Stehen. Auch der Stereokopfhörer drückte heiß auf meine Ohren und ließ mich schwitzen. Er war zu eng und für kleinere Köpfe gemacht als meinen. Mit einem leisen Summen fuhr langsam ein Rentnerbus an mir vorbei, aber er erzeugte nur eine kleine Brise.

„Dienstmarkennummer?" fragte das Telefon.

„Ich habe keine. Ich bin Spezialist, Kategorie J." Das hörte sich gut an, auch wenn es nur bedeutete, daß ich die Prüfungen nicht schaffte, die man brauchte, um fest angestellt zu werden. Ein Spezialist braucht nicht mehr zu kennen als das Gebiet, auf dem er Experte ist, aber alle Experten werden mit Respekt behandelt. „Spezialist, Kategorie J", sagte ich noch einmal und sonnte mich in dem Respekt, den die Leute mir entgegenbrachten, wenn ich das sagte. Experte zu sein gefiel mir.

Eine Minute lang war der Expedient damit beschäftigt, die ein- und ausgehenden Funksprüche der Armbandsender und Polizeihubschrauber aufzunehmen, dann sagte er: „Sanford? Sind Sie noch dran? Ich habe eine Anweisung von Chief Oslow von der Rettungsbrigade für Sie. Die Gruppe, die Ihren Verdächtigen festnimmt, wird gleich zur Neurologie weiterfliegen. Gehen Sie mit an Bord und suchen Sie im gleichen Gebäude das Zimmer 106 auf. Dort ist ein Mädchen, das Ihnen helfen wird, die Einsatzreports auszufüllen, die in solchen Fällen erforderlich sind. Sie wird Ihnen helfen. Ihre Dienststelle möchte wissen, was Sie in den letzten vier Tagen gemacht haben."

Als ich den Kopfhörer aufhing, kam der Polizeihubschrauber aus dem Himmel herunter, landete auf dem Grasstreifen, und zwei Polizisten rannten in das Gebäude auf der gegenüberliegenden Straßenseite. Das Donnern ihrer Schritte auf den Treppenstufen kam mir vor wie ein Trommelwirbel, denn ich hörte nur die Leute in den anderen Häusern, die sich in Fensternähe aufhielten und übers Frühstückmachen redeten. „Wir haben keine Margarine mehr!" – „Heute steht's mir wieder ungeheuer im Hals." – „Wirf mal 'n Blick auf die Eier."

Und dann kam er, der Schrei, auf den ich gewartet hatte. Er begann als Ausruf, dann wurde er immer höher und wilder.

„Lebend kriegt ihr mich nicht. Zuerst seid ihr dran. Ich krieg sie. Ich bringe euch um. Ich bringe euch um!" Der Schrei wurde zu einem wahnsinnigen Geheule, dann rumste und krachte es. Ein paar Leute steckten die Köpfe aus dem Fenster, um rauszukriegen, wo das Geschrei herkam.

Das Gepolter verstummte. Die kreischend hervorgestoßenen Obszönitäten und Flüche aus dem Inneren der Wohnung wurden nach und nach leiser, bis die beiden Polizisten einen sich wehrenden Wahnsinnigen auf die Straße zerrten. Fußgänger hielten an, um zuzusehen.

„Diese Ausdrücke", sagte eine Frau, die sich aus dem Fenster der Wohnung über mir beugte. „Warum geben sie ihm denn kein Beruhigungsmittel?"

Die Polizisten versuchten geduldig, seine Arme in die Stellung zu kriegen, die es ihnen ermöglichte, ihm Handschellen anzulegen. Der Bursche trat um sich, biß und fluchte.

„Verstehe das Böse", hatte der Guru mir erzählt. Ich stützte mich ab und stimmte mich in die Flüche und das Zähnefletschen ein. Es war eine Überraschung, aber was für eine. Der Irre hatte einen ungeheuren Spaß. Er brauchte sich nun nicht mehr zu verstellen und vorzugeben, normal zu sein. Er war ganz entspannt, ließ alles raus, ließ es hochgehen. Gegen die Polizisten ankämpfend, was ihm ziemliche Mühe machte, wurde er langsam vom Gebäude weg in den Hubschrauber gezogen. Er erfreute sich an dem Kampf, sein Geheule war für ihn ein Kriegsschrei.

„Gebt ihm ein Beruhigungsmittel", rief die Frau nach unten.

„Das haben wir schon", erwiderte einer der Polizisten über den Lärm hinweg. „Vielleicht benimmt er sich immer so, wenn er einen Tranquilizer kriegt."

Plötzlich hörte das wütende Schreien auf. Das Beruhigungsmittel zeigte Wirkung. Sie hievten den passiven Mann in den Kopter, wie einen Invaliden. Ich ging auf sie zu. „Ich habe gerufen. Ich soll mitkommen."

„In Ordnung, steig ein." Sie machten Platz für mich. Auf einem Sitz in der Nähe, den man aufgeblasen und festgezurrt hatte, summte der Irre während des Starts vor sich hin.

Der Hubschrauber trug uns über den Hudson River, damit wir nicht in die Luftlöcher der Auf- und Abwinde über dem Gebäude kamen, und wir kreuzten über dem grünen Parkstreifen des Ufers, während der Irre vor sich hin summte, den Ausblick genoß und die Helikopterpolizisten über Funk neue Anweisungen bekamen.

Wir wurden langsamer und schwebten über einer Ansammlung brauner Ziegeltürme, wo wir auf einen Dachlandeplatz runtergingen, auf dessen Boden NOTAMBULANZ-EINGANG stand. Der Hubschrauber setzte auf und stand; ein beweglicher Teil des Daches zog ihn seitwärts auf eine Aufzugsplattform zu, die nach unten glitt und uns ins Herz der Neurologisch-Psychiatrischen Abteilung der Klinik brachte. Geschäftige Männer in weißen und grünen Kitteln nahmen den Patienten mit; die Rezeption nahm seine Brieftasche und den Bericht der Polizisten entgegen. Man bat mich, meinen Namen zu buchstabieren, und trug ihn in die Spalte ein, in der „Eingewiesen von" stand. Dann brauchte man mich nicht mehr. Ich sah einen Lift, an dem BESUCHER-EXPRESS-AUFZUG PARTERRE-AUSGANG stand.

Beschäftigte Leute eilten vorbei, drückten mich beiseite und rollten überall dort fahrbare Betten vorbei, wo ich mich hinstellen und zusehen wollte. Ich nahm den Expreßaufzug zum Parterre und war neidisch auf die Ärzte. Die Jobs, die sie hatten, schienen wichtig und arbeitsreich zu sein.

Ich stand gerade in der Eingangshalle der untersten Etage, als mir einfiel, daß Chief Judd Oslow angeordnet hatte, ich sollte mich in Zimmer 106 bei einer Sekretärin melden, um die Formulare auszufüllen. Es ging mir gegen den Strich, Formulare auszufüllen. Es war beinahe acht Uhr morgens. Ich ging ernst durch einen Korridor, bis ich Zimmer 106 fand und hineingehen wollte. Die Tür war zu. Als ich mich umwandte, sah ich eine hübsche Sekretärin herankommen. Sie hatte einen klingelnden Schlüsselbund in der Hand. Ich ging weiter.

Der Korridor endete in einer Sackgasse an einem großen Bildfenster, durch das man über den Fluß sehen konnte. Ich sah hinaus und bemühte mich, irgendwelche Hilferufe aufzufangen. Ich wartete darauf, daß die Sekretärin nach 106 ging und die Tür schloß. Ich kann das Ausfüllen von Formularen nicht leiden. Ich kann's auch nicht leiden, Fragen zu beantworten.

Warum? Ich werd' mich hüten, mich das zu fragen. Das ist auch eine Frage. Und Fragen hasse ich.

Ich zermarterte mir also den Kopf und versuchte mich auf Leute einzustimmen, die einsam waren, irgendwo in der Falle saßen und in Gefahr schwebten.

Plötzlich kam was rein, laut und voller Angst, richtig elektrisch. Todesgefahr, ja, eine große, ernstzunehmende Todesgefahr. Die Wolken über dem Fluß verwandelten sich in weiße Uniformen und einen großen, weißen Schädel. Ich packte mit aller Kraft den Rand des Fensterbretts und warf mich in die Angst hinein, ganz und gar, und kam genau im Bewußtsein und in der Umgebung desjenigen raus, der diese Furcht hatte. Er war Patient in diesem Krankenhaus und stand vor einer neurologischen Operation. Eine Schwester gab ihm mit der Spritze ein Beruhigungsmittel, und seine Angst löste sich auf und verwandelte sich in großes Vertrauen zu seinem Chirurgen.

Ich öffnete die Augen. Die Wolken waren nur Wolken, keine Totenschädel. Als ich die Landschaft betrachtete, drang aus einem anderen Teil des Krankenhauses eine neue Welle der Angst auf mich ein. Die Landschaft wurde zackig; die Gebäude glichen denen eines fremden, feindlichen Landes. Irgend jemand war entführt worden, saß gefangen und war umzingelt von Feinden, die lächelnd vorgaben, Ärzte zu sein. Paranoia, und doch fühlte sich alles klar und logisch an, wie ein wirklicher Fall von Kidnapping.

Ich redete es mir aus und ging los, um einen Spezialisten zu fragen. Am Haupteingang hielt ich einen vorbeigehenden Mann an.

„Ich möchte gerne wissen, wie man paranoide Gedanken von normalen Gedanken unterscheiden kann", sagte ich. „Ich muß Hilferufe beantworten, und alle ihre Paranoiden denken, sie wären gekidnappt worden. Ich muß aber in der Lage sein, wirkliche Entführungsfälle an ihren Vibrationen zu erkennen. Ich arbeite für die Rettungsbrigade. Ich arbeite mit ESP, aber ich kann sie nicht aussortieren."

Der Mann sah mich an und kriegte Angst, weil er mit meinen Worten nicht das geringste anfangen konnte. Er verstand überhaupt nichts, außer vielleicht, daß ich behauptete, ein Detektiv zu sein. Der Rest ging ihm zu schnell und hörte sich in seinen Ohren wie Unsinn an. Während er mich mit einem eingefrorenen Angstlächeln ansah und ich in meiner Schultertasche nach einem Ausweis kramte, griff er in die Tasche und betätigte ein Hilferufsignal.

Ich hatte zwar keine Dienstmarke, dafür aber einen Lobesbrief für die erste Rettung, die ich hingekriegt hatte, und einen kleinen Zeitungsausschnitt, der in eine Plastikhülle eingeschweißt war und in der Tasche sein mußte.

„Warten Sie", sagte ich. „Ich werd's Ihnen zeigen."

Offensichtlich hatte er aus seinen Lehrbüchern gelernt, daß große

Männer, die behaupten, sie seien nach Paranoiden Ausschau haltende Detektive, im allgemeinen gemeingefährliche Irre sind. Er hatte Angst, sich zu bewegen.

Ich wühlte mich durch Kreditkarte und Papiertaschentücher, ein eingepacktes Sandwich, meinen Notizblock und den Kassettenrekorder, die Kassetten und den Löffel, das Messer und den Kugelschreiber und die kleine Taschenlampe, und während ich wühlte, griff ich mit dem Geist durch die Wände und stimmte mich auf die in diesem Haus lebenden Paranoiden ein. Es waren mindestens fünfzig, die eingeschlossen waren und auf Drüsenoperationen warteten, und alle waren davon überzeugt, von Feinden umringt zu sein, die sie umbringen wollten. Die meisten von ihnen waren überzeugt, entführt und in ein fremdes Land verschleppt worden zu sein, wo man sie exekutieren wollte. Sie erschienen gesund, aufs höchste alarmiert und fluchtbereit. Wenn ich ihren Gedanken noch mehr Beachtung schenkte, würde ich die Irren noch vor ihren Ärzten retten.

Ich fand die plastikumhüllten Papiere und wollte gerade die Hand aus der Tasche ziehen, als ich von beiden Seiten in den Griff starker Arme geriet. Zwei ziemlich stämmige Assistenzärzte in weißen Kitteln, die durch den Panikknopf ihres Vorgesetzten herbeigerufen worden waren, hielten mich in einem Griff, der mir die Ellbogen brechen konnte, wenn ich mich wehrte. Ich stand still.

„Mal sehen, was Sie da in der Hand haben", sagte einer der Assistenten. Er war fast so groß wie ich, aber kein Schläger. Sein Tonfall war gelassen, sein Gesichtsausdruck beinahe freundlich. Er veränderte seinen Griff, nahm die Papiere und reichte sie dem Mann, den ich angesprochen hatte.

Der junge Arzt las sie sorgfältig durch, dann reichte er sie mir wieder hin. „Er ist in Ordnung", sagte er zu den beiden, die mich nun losließen. „Sie hätten in der Tasche ebensogut nach einem Revolver suchen können", erklärte der Arzt, als ich die Papiere wieder einsteckte. „Wir haben hier schon die tollsten Sachen erlebt, und von drei bis fünf ist Geisterstunde; dann fliegen die Vampire ziemlich tief."

„Ich war müde und hatte eine schlechte Nacht", sagte ich. „Tut mir leid."

Er nahm mich mit zur Rezeption und besorgte mir einen Besucherausweis. „Sie kommen zwar außerhalb der Zeiten, in denen normalerweise Führungen gemacht werden, aber die Leute haben nicht zuviel zu tun. Das hier wird Ihnen einige Ihrer Fragen beantworten."

Ich las es. „Erlaubnis für George Sanford, die Psychiatrische Abteilung der Polizei für kriminelle Gewalttäter im 18. Stock, B-Flügel, zu besuchen und zu verlassen."

Ich nahm den Lift und fuhr aufwärts an ruhig schlafenden Patienten vorbei. Die Stockwerke waren voll von ihnen, aber als ich oben ankam, warf mich das Durcheinander der Vibrationen rückwärts gegen die Tür.

„Suchen Sie jemanden?" Ein Mann mit einer weißen Jacke und blauen Hosen. Polizeimarke.

„Ich bin von der Rettungsbrigade, ich bin neu, gerade angeheuert worden. Ich möchte gerne wissen … " Die stummen, panischen Schreie, die hinter den geschlossenen Türen hervorkamen, trockneten fast mein Gehirn aus. Ich machte ein verlangendes Gesicht und deutete auf die Türen. Der Polizeiarzt konnte weder hören noch fühlen, was da drinnen vor sich ging, aber er mußte davon wissen.

„Oh. Sie sind wegen eines Bildungslehrgangs hier? Haben Sie einen Ausweis?"

Ich zeigte ihm meine Karte und den Paß, den der Arzt mir ausgestellt hatte. Einer dieser grauenhaften Schreie nahm die Obertöne kindlichen Freudengeplärrs an, wurde jung und immer jünger, widerspiegelte ärgerliche Kindheitserinnerungen, aber auch schöne und feurige, wie der Saft von Maraschinokirschen oder heißem Zimt. Das Brennen wurde heißer, bis ich versuchte, ihm rückwärts zu entkommen. Ich spürte, daß die Frau hinter der Tür ihre Erinnerungen zu stoppen versuchte, aber die Flammen schlugen höher, wurden heißer und heller und schraubten sich über das hinaus, was menschliche Gehirnzellen ertragen können. Eine sich lautlos aufblähende Explosion aus weißem Schmerz zerfetzte sie.

Ich war noch dabei, mich von den Erfahrungen der anderen Leute zu lösen, als alles einen Höhepunkt erreichte und sich selbst vernichtete.

Der uniformierte Arzt studierte meine Ausweise.

Er beendete irgendeinen Satz und wartete. Ich stand da, wie leergefegt.

„Verpassen Sie den Leuten hier eine Gehirnwäsche?" fragte ich. Obwohl die Frau hinter der Tür keine geistigen Vibrationen mehr ausstrahlte, war sie keinesfalls tot. Immer noch war da ein Gefühl von Leben, wie bei einem Tier.

Der Arzt wechselte unbehaglich das Standbein und sah mich an.

„Diesen Ausdruck benutzen wir hier nicht. Sie sind jetzt ein Profi. Die richtige Bezeichnung für diesen Ort lautet Elektronisches Persönlichkeitsrestrukturationslabor. Gehirnwäsche sagen die Laien, die von unseren Behandlungsmethoden keine Ahnung haben."

Warum spüren bloß die meisten Leute keine Vibrationen? Er stand ganz friedlich da, erzählte mir etwas und spürte nicht das geringste, während ich mich bemühte, meine Gefühle zu einem harten, kleinen Knoten zusammenzuziehen und in einer kleinen Ecke vor den stummen Schreien zu verbergen, die nun aus einem anderen Raum kamen. „Wie könnt ihr das nur aushalten?"

Der Polizeiarzt verstand nicht, daß ich damit das Auffangen von Gefühlen meinte. Er sagte: „Wir sind nicht grausam. Es ist eine wirklich humane Behandlung. Wenn ein Patient verändert wurde, ist er in der Regel dazu in der Lage, ein glückliches Leben zu führen. Diese Behandlung ist die einzige, die verhindert, daß sie Rückfälle erleiden und wieder in den Kreislauf von Kriminalität und Bestrafung zurückkehren."

Die Gewalt des aus dem zweiten geschlossenen Raum hervordringenden Schreckens ließ mich erschaudern. Dieser Patient war wirklich krank. In den meisten Nächten seines Lebens hatte er unter schweren Alpträumen zu leiden, aber er brachte es fertig, sie bei Tageslicht zu vergessen. Die Maschinerie zwang ihn dazu, sich an seine Alpträume zu erinnern. Sie brachte sie zurück und machte sie heller als die Wirklichkeit. Ich versuchte mich von seinem Alptraum zu lösen und mich auf das kühle Abbild des Korridors und des vor mir stehenden Arztes zu konzentrieren. „Es ist wie Sex, nicht wahr?" sagte ich. „Es steigt hoch und brennt aus."

Der junge Arzt sah unbehaglich aus und drehte meine Ausweise wieder und wieder herum. „Sie wissen ja schon eine Menge. Man muß Ihnen ja schon viel erzählt haben. Es scheint alles in Ordnung zu sein, aber da Sie keinen Standardausweis der Polizeischule haben, ist es wohl besser, wenn ich Sie hier herumführe."

„Ich will die armen Schweine, die man hier einer Gehirnwäsche unterzieht, gar nicht sehen", sagte ich hastig. „Machen Sie sich deswegen keine Gedanken. Ich möchte nur wissen, warum ... Ich meine, woher kommt diese Mischung? Ich meine, wenn die Leute so ängstlich sind, daß sie ihren Verstand nicht mehr gebrauchen können, woher kommt dann dieses andere gute Gefühl in sie rein?" Die Furcht und Konfusion, die aus dem zweiten Raum kam, verwandelte sich in eine unverständliche Freude. Ich wollte hier raus, bevor es wieder anfing zu brennen. „Zeigen Sie mir den Weg zu dem Lift, der nach unten geht?"

„Hier entlang." Der junge Mann mit der weißen Jacke begleitete mich, als ich den angegebenen Weg ging. Er erklärte es mir. „Mit dem Glücksgefühl fingen die Behandlungen in den frühen fünfzigern an. Elektroden da und dort." Er zeigte auf seine Schläfen. „Und hier hinten." Er berührte seinen Nacken. „Ein bißchen Saft – zu wenig, um das Gehirn zu schädigen – erzeugt eine Glückserfahrung mit natürlicher Rückkopplung. Daraus werden alles überflutende, synchrone Wellen, ein epileptisches Zucken, wie bei einem Orgasmus. Es war eine harmlose Sache, und die Experimentatoren betrieben sie mit der Begründung, sie gäbe Aufschlüsse über Epilepsie. Man bezeichnete es als großartige Erfahrung. Die Behörden hatten Angst, es könnte zu einer Art Sucht führen."

Er hielt vor dem Aufzug an und drückte den Knopf. „Aber dann fiel ihnen auf, daß keine der Testpersonen einen zweiten Versuch unternehmen wollte. Sie sagten zwar, es sei wundervoll gewesen, aber der Gedanke an eine Wiederholung schien sie zu langweilen. Drängte man sie, einen neuen Versuch zu machen, oder wurde man hartnäckig, gaben sie sich geistesabwesend und unkonzentriert."

Während wir auf den Lift warteten, gab ich mir alle Mühe, seinen Worten zu lauschen, aber das war nicht einfach, denn zwischen uns war eine Wand aus Grauen, die in dem zweiten Raum erzeugt wurde und sich plötzlich in einen freudigen Höhepunkt umwandelte. Dann kam eine alles überflutende, blinde, sorglose Ekstase, die in einem Blitz verbrannte. Der Arzt redete weiter. „Forscher fanden heraus, daß diese Erfahrung das gesamte Lustzentrum ausgebrannt hatte und die Versuchspersonen keinen Drang mehr verspürten, diesem Ziel weiterhin nachzugehen. Man versuchte die Elektroden mit anderen Ideen zu kombinieren. Man gab einer Testperson eine Zigarette und erzählte ihr, sie würde den Himmel auf Erden erleben, wenn sie sie rauchte. Das geschah auch, und die Testperson gab das Rauchen auf. Eine Zeit lang behandelte man die Leute auf diese Weise, um ihnen das Rauchen abzugewöhnen. Dann behandelte man sie so gegen Kleptomanie, und auch das wirkte. Die Leute hörten mit dem Stehlen auf. So radiert man Obsessionen, Ambitionen und die dominierenden Ziele aus und stärkt und vergrößert die nächst größeren. Der neue Bursche ist der alte, nur mit einer Hülle versehen."

Ich sah in sein ernstes und überzeugtes Gesicht und erinnerte mich an einen Haufen Gerede das gar nicht dazu paßte. „Aber alle sagen, daß ein Bursche, der eine Gehirnwäsche hinter sich hat, weggetreten, ausradiert und vernichtet ist", sagte ich. „Sie vergessen ihren Namen, meiden den Umgang mit alten Freunden und vergessen ihre Familien. Und was diese Kriminellen da hinten angeht: Sie schreien. Sie werden zwar nicht gefoltert, aber sie schreien auch nicht gerade vor Freude."

Der Arzt sah mißgestimmt aus und sah sich um, als suche er auf dem Boden nach Ideen. „Wir wissen nicht, ob sie schreien. Die Wände sind schalldicht. Aber wir haben auch nicht vor, ihnen den Aufenthalt hier angenehm zu machen. Wir verändern verurteilte Kriminelle, die wütend auf uns sind und Angst vor Bestrafung haben. Der Strom stachelt ihren Haß an und baut ihn auf, bis er eliminiert wird. Vielleicht waren Bestrafungen die Ursachen ihrer Kriminalität. Die meisten Kriminellen sind zu oft oder zur falschen Zeit bestraft worden; sie brechen Gesetze, weil sie von Haß erfüllt sind. Der Strom bringt ihre Angst und Wut zum Überkochen und löscht sie dann aus. Manchmal radiert er sogar sämtliche Erinnerungen aus, wenn Furcht und Angst den Kern einer Persönlichkeit ausmachen."

„Vielleicht sollte man die Leute, die dafür verantwortlich sind, auch dieser Behandlung unterziehen."

„Vielleicht; aber schließlich ist der Kriminelle kriminell, nicht seine Eltern. Das Gesetz bestraft einen für das, was man tut; nicht für das, was einem angetan wurde."

Der Lift kam langsam hoch und bewegte sich an den vielen Stockwerken vorbei.

„Hört sich nicht schlecht an", sagte ich. „Warum erzählen die Leute dann solche Geschichten? Ich meine, warum haben sie so schlechte Gefühle, wenn sie über Gehirnwäsche reden? Äh, ich meine Elektronische Persönlichkeitsrestrukturation?"

„Weil wir wollen, daß sie Angst davor haben. Wenn die Kriminellen hierherkommen und glauben, sie erwarte ein großer Spaß ... Wenn bekannt würde, daß sie eine Erfahrung machen, die dem Sex ähnlich ist, kämen die Kriminellen mit der Vorstellung hierher, Sex und Freuden vorzufinden. Und das, woran sie glauben, wird dann überzüchtet und ausradiert."

Der Arzt sprach lauter und machte besorgte Gesten. „Wenn Sie glauben, daß die Öffentlichkeit schlecht über uns denkt, weil wir die Erinnerungen der Leute in bezug auf Bestrafung – und manchmal ihre Namen – löschen, dann denken Sie mal daran, wie man über uns spräche, wenn wir sie nach einer Gehirnwäsche hier rausließen, nach der sie zwar vergessen haben, was Sex ist, aber immer noch Verbrechen begehen. Unser gegenwärtiges öffentliches Image mag schlecht sein, aber das ist genau das, was wir wollen. Wecken Sie bloß keine schlafenden Hunde."

Zischend öffnete sich die Liftkabine.

„Ich werde nicht darüber reden", versprach ich und stieg ein. „Danke für den Vortrag."

Ich ging in den Sonnenschein hinaus und sah auf der anderen Straßenseite einen Jungen, der zögernd an der Ecke stand. Da man - ausgenommen die äußerst langsamen Busse für die alten Leute und die Touristen - jeglichen Verkehr aus der Stadt verbannt hatte, trugen die hier verkehrenden Ambulanzfahrzeuge deutlich zu seiner Verunsicherung bei. Als die Ampel grün wurde, jagte der Wagen los.

Als ich Grün hatte, ging ich über die Straße auf den Jungen zu. Ich tat so, als hätte ich mich verlaufen, und fragte ihn, wie ich zum nächsten Rollband käme, welchen Zwecken das Krankenhaus diente und ein paar Sachen, bis der Junge sich ungeheuer wichtig vorkam, weil er einem Erwachsenen Ratschläge geben konnte.

Als die Fußgängerampel grün wurde, ging er über die Straße und strahlte Zufriedenheit aus.

Ich ging in eine Telefonzelle und wählte die Rettungsbrigade an. Ich wollte in der Vermittlung nach Ahmed fragen, aber die bekam ich gar nicht an die Strippe. Statt der Vermittlung meldete sich die tiefe, rasselnde Stimme von Judd Oslow.

„Rettungsbrigade Oslow am Apparat."

„Verzeihung, Chef, aber ich wollte Ahmed haben."

„Haben Sie diese Arbeitsberichte schon ausgefüllt, Sanford?"

„Ich war da, aber es war abgeschlossen."

„Wann war das?"

„Etwa zwischen halb acht und acht."

Dann kam eine Pause, und ich hörte, wie er nach Luft schnappte, um nicht in die Luft zu gehen. „Sie glauben möglicherweise, Sie könnten mich auf den Arm nehmen, Sanford, aber da irren Sie sich. Sie sind ein fauler Hund. Niemand füllt gern Formulare aus, aber in dieser Abteilung hat jeder die Pflicht, auch unangenehme Aufträge selbst zu erledigen. Man bürdet sie nicht anderen auf. Solange Sie diese Formulare nicht ausfüllen, können wir Sie für Ihre verrichteten Tätigkeiten auch nicht bezahlen. Ich weiß, daß Sie in dieser Woche gearbeitet haben; der Irre, den Sie heute morgen aufgespürt haben, taucht auch in den Berichten von anderen Leuten auf. Aber wir können Sie nicht dafür bezahlen. Gehen Sie in die Neurologische zurück und füllen Sie die Formulare aus, damit wir Sie bezahlen können!"

Ich ging wieder über die Straße.

Die hübsche Sekretärin legte ihre gefalteten Hände auf die Schreibmaschine, ließ einen Kassettenrekorder laufen und hörte mir mit einem Ausdruck von Überraschtheit und Unglauben zu.

Ich beendete meine Geschichte von dem Irren mit den ansteckenden mörderischen Vibrationen und der Brigade, die ihn auf meine Veranlassung hin festgenommen hatte.

„Wann haben Sie diesen Fall angenommen?" fragte sie. „Sie müßten mir die genaue Zeit sagen."

„Ich weiß nicht. Wann bemerkt man zuerst, daß etwas nicht in Ordnung ist? Schon vor einem Jahr fiel mir auf, daß dieser Block etwas Gespenstisches an sich hat, aber ich habe nichts dagegen getan. Genau merkte ich es erst in einem italienischen Restaurant, an dem Tag, als man mich anstellte. Aber auch da sagte ich niemandem etwas."

„Vor einem Jahr?" Ihre Stimme wurde schrill. „Sie bekommen Stundenlohn. Wann haben Ihre Vorgesetzten Sie auf diesen speziellen Fall angesetzt?"

Sie war ein liebreizendes, rundliches Mädchen mit nettem Gesicht und einem Knubbelnäschen, aber irgend etwas an der ganzen Szenerie machte mich wütend.

„Ich habe keine Vorgesetzten. Niemand hat mich auf den Fall angesetzt. Heute morgen um sechs Uhr dreiundzwanzig sagte ich mir einfach, ich sollte etwas unternehmen."

„Ich muß eine Spalte ausfüllen, in der danach gefragt wird, wie viele Stunden Sie gearbeitet haben, Mr. Sanford. Wann haben Sie mit der Arbeit angefangen?"

„Das kommt darauf an, was Sie mit Arbeit meinen", grollte ich und sah zur Seite, damit sie nicht sehen konnte, wie wütend ich war. „Ich habe ein Telefongespräch geführt. Das dauerte fünf Minuten."

„Wir können Sie nicht für fünf Minuten bezahlen, Mr. Sandford." Sie zog die Hände von der Schreibmaschine zurück und ballte sie auf der Schreibtischplatte zu Fäusten. „Ich versuche doch nur, Ihnen zu helfen." Ihre Augen röteten sich. Ich fragte mich, warum ich so sauer auf sie war, und versuchte, mich in meine eigene Laune einzustimmen.

„Mein Name ist nicht Sandford", sagte ich und knurrte beinahe. Mein Name erzeugte in meinem Kopf plötzlich ein sich wild überschlagendes Echo. Ich heiße nicht Sandford, ich heiße nicht Sandford ... NICHT SANFORD NICHT SANFORD. NICHT GEORGE SANFORD. George Sanford war nicht mein richtiger Name.

Sie konnte das Echo nicht hören, aber sie fragte mich etwas.

Die Neurologische, dachte ich, ist genau der richtige Ort, um verrückt zu werden. Durch die Echos, die meine Stimme in meinem Kopf erzeugte, hörte ich ihre Stimme nur vage und achtete auf die Bewegungen ihrer Lippen. „Wir müssen diese Seite ausfüllen. Wie lautet also Ihr richtiger Name – und wie Ihre Adresse?"

Ich habe keine Adresse. Ich wohne in Kommunen. Ich habe keinen Namen. Ich bin nicht ich selbst!

Natürlich sprach ich diese Verrücktheiten nicht aus. Ich nehme an, daß ich wütend aussah und nicht furchtsam, entsetzt und außer mir. Ich drehte mich um, stampfte auf den Korridor hinaus und taumelte zu diesem Bildfenster. Was passiert, wenn man sich auf sich selbst einzustimmen versucht wie in einen Fremden? Ich versuchte es immer noch. Ich hörte nicht auf. Ich sah über den Fluß und sah, wie sich die Palisadenklippen und Gebäude, die trotz der Entfernung riesig waren, in die zerbröselnden Mauern eines nahe liegenden Gebäudes verwandelten, das langsam einstürzte. Das Hubschraubergesumme kam von einem gigantischen Flugzeug, das sich anschickte, in die Wand hineinzurasen, hinter der ich stand. Ich hatte Angst; es war entsetzlich. Ich kam mir vor wie ein kleines Kind.

Die riesigen Gesichter imaginärer Erwachsener schauten auf mich herab. Aus der Ferne kamen donnernde Stimmen. „Wie heißt du denn, Kleiner?" – „Hast du in diesem Haus gewohnt?" – „Weißt du, wer noch drinnen war?" – „Wo wohnst du denn, Kleiner?"

Laßt mich in Ruhe! Ich habe es nicht getan! Ich bin gar nicht ich!

Ich drehte mich um, verließ mit schnellen Schritten die Nervenklinik und ging über die Straße in den Sonnenschein hinein. Ich kann Leute, die Fragen stellen, nicht ausstehen; selbst dann nicht, wenn sie nur in meiner Phantasie existieren.

Ich mag auch keine Formulare ausfüllen, die einen zuerst nach Namen und Adresse fragen. Schon meine Lehrer hatten aufgegeben und es für mich getan. Ich hatte immer Freunde, die solche Sachen für mich erledigten. Ausgenommen die Prüfungen. Damit mußte ich allein fertig werden. Als die Erwachsenen noch Riesen waren.

Adresse. Was soll das denn heißen? Denk nach. Es bedeutet, wo deine Mami und dein Papi wohnen. Ich weiß nicht, ich bin ein Waisenkind. (Schock, Mitleid, Entschuldigung, Schamgefühl. Verlegenheitsausstrahlung eines Erwachsenen.) Schmerzende Vibrationen. Sag es ihnen nicht! ADRESSE? Weiß ich nicht.

Du blödes Kind! Ist es schwachsinnig? Will es mich provozieren? Ich hasse dich auch, du blöder Erwachsener. NAME? Es ist nicht mein wirklicher Name. Ich kenne meinen richtigen Namen nicht. NAME? Ich möchte nicht lügen. Die Antworten passen einfach nicht zu den Fragen. Diese Formulare sind dumm. Sie stellen einem dumme Fragen. Ich werde keine Prüfungsfragen mehr beantworten. Ich tue so, als sei ich blöd. Ich tue so, als ob ich nicht lesen könnte.

Ich habe Angst, daß man mich beim Lesen erwischt. Ich habe immer noch Angst.

Im letzten Monat war mein zwanzigster Geburtstag. Ich bin zwanzig Jahre alt, männlich, Analphabet und stelle mir vor, daß ein silbernes Flugzeug auf mich fällt. Wenn ich zu denken versuche, kommt das Flugzeug. Ich höre es jetzt.

Judd Oslow hatte gemeint: „Sie mögen sich vielleicht aufführen wie ein Halbidiot, Sanford, aber das sind Sie nicht. Sie sind nur faul."

Ich bin nicht faul, Chef, ich bin verrückt.

Ich ging in die gläserne Telefonzelle zurück und sah, während ich wählte, auf einen kleinen Park hinaus. „Vermittlung? Geben Sie mir Ahmed Kosvakatats. Ja. Ich bleibe dran." Ich wartete und beobachtete einen Spezialbus, der aus einem anderen Staat kam, über das Gras hinwegschwebte und vor dem Patienteneingang der Neurologischen anhielt. Ruhige Leute mit leeren Augen wurden nacheinander aus dem Bus geführt.

Schwachköpfe, wie ich. Einer von ihnen fing an, ausgeflippte Impulse voller Angst und Gewalt auszustrahlen. Ich wollte die Tür der Telefonzelle zuziehen, als könne ich damit das Geschrei ausschließen, aber es waren nur Vibrationen – keine Geräusche. Sie ließen sich nicht ausschließen. Immer mit der Ruhe, George; versuch dich daran zu gewöhnen, verliere nicht die Nerven. Der Irre versenkte seine Zähne in den Arm eines Pflegers. Zu wenig Tranquilizer. Aber sie haben es nicht gern, wenn die Irren und Verbrecher betäubt zur Gehirnwäsche gebracht werden. Wenn sie nicht wütend und voller Angst sind, funktioniert die Sache nämlich nicht.

In ein paar Stunden würde man den Mann, den sie gerade von dem

Pfleger losrissen, in einem Zimmer festgebunden haben. Er würde dann noch ein bißchen in sich hineinschreien, aber dann auf Dauer ruhig und freundlich sein. Ich erinnerte mich daran, vor den Behandlungsräumen der Kriminellensektion gestanden zu haben. Und mir fiel ein, wie es gewesen war, als ich mich in diejenigen eingestimmt hatte, die gerade behandelt wurden.

Der Türknauf der Telefonzelle brach ab und landete in meiner Hand. Mit dem Knauf in der Hand stand ich da und sah durch den Glaskäfig zu, wie sie den letzten der Neuankömmlinge in das Krankenhaus brachten. Irre, wie ich.

3

„George?" sagte eine Stimme in meinem Kopfhörer.

„Ja, in Ordnung", sagte ich geistesabwesend. Ich legte den Türknauf auf die Ablage und schaute durch das Glas auf den blauen Himmel und die Hubschrauber, die summend auf den Hausdächern landeten. Frei. Das Telefon sagte etwas und erinnerte mich daran, wo ich war.

„Bist du das, Ahmed?" fragte ich. „Ich hab gerade einen Irren festnehmen lassen. Aber du warst nicht da, um mir bei den Berichten zu helfen. Kannst du rüberkommen, mir ein Essen spendieren und die Sache für mich erledigen?"

Er antwortete nicht. Ich hörte jemanden atmen.

Ein Mädchen blieb stehen, ganz in der Nähe der Zelle. Es hatte eine Blume über dem linken Ohr, was bedeutete, daß sie nach einem neuen Freund suchte.

„Frieden und Einssein, kleine Schwester", sagte ich mit dem Gruß der Liebeskommune. Sie lächelte und strahlte freundliche Vibrationen aus.

„George", sagte die Stimme in meinem Kopfhörer geduldig, „hier ist der Chef, Judd Oslow – nicht Ahmed oder irgendein Mädchen. Wach auf, Mensch!" Ich wachte sofort auf. „Jawohl, Sir. Tut mir leid."

„George, hör genau zu", sagte die geduldige Stimme, die aus dem Stereo-Kopfhörer kam, und mit geschlossenen Augen empfing ich aufgrund des Echos ein Hörbild seines holzgetäfelten Büros mit dem Eichenholzschreibtisch. Der altmodische, vinylverkleidete Fußboden erzeugte das feine Quietschen sich hin und her bewegender Füße. Nur in der Nähe der Sprechmuschel gab es keine Echos, denn der große, eingefallene Körper des Chefs absorbierte sie.

„Ja, Sir, ich höre zu."

„George, Ahmed ist verschwunden. Wir haben heute mit der Post seinen Armbandsender bekommen. Natürlich ohne Absenderadresse."

Es war, als hätte mir jemand in den Magen getreten.

„Glauben Sie, er ist tot?"

„Nein, er wird nur vermißt. Er hat sich seit Mittwoch nicht mehr gemeldet, aber der Armbandsender deutet nicht darauf hin, daß er ermordet wurde."

Ich hatte keine Lust, darüber zu reden. Als ich noch ein Junge war, hatten mir meine Freunde Geschichten von Banden- und Organisationskriegen erzählt. Wenn irgendeine Organisation oder Bande jemanden umbrachte, schickte sie seine Armbanduhr in einem kleinen Päckchen an dessen Familie. Ahmed war jetzt seit einem Jahr bei der Polizei und Mitglied der Rettungsbrigade. Wenn jemand die Brigade für seine Familie hielt, konnte er durchaus tot sein.

„George, sind Sie noch da? Haben Sie irgendwas von Ahmed gehört? Irgendwelche Botschaften oder Vibrationen aufgefangen?"

„Nein." Ich hatte Ahmeds Vibrationen nie auffangen können. Schon als Kind – als er noch der Boß unserer Straßenbande gewesen war – hatte ich ihn für ein Gehirn ohne irgendwelche Gefühle gehalten. Intelligenz ist ein weißes Licht, das einem zeigt, wie man dies und jenes macht. Sie läßt einen alle Situationen kühl betrachten und macht aus einem Durcheinander etwas Harmonisches. Ahmed hatte einen Suchscheinwerfer, der direkt aus seinem Inneren kam.

Ich weiß eine Menge über Gefühle – über meine und die von anderen. Als wir größer wurden, brauchten wir dieses Licht alle.

„Er wird seit Mittwoch vermißt?" wiederholte ich und hörte meine Stimme knurren. „Warum haben Sie mir das nicht eher gesagt?"

„Kein Grund zur Aufregung. Sie kriegen den Job, ihn zu finden."

„Wer arbeitet sonst noch an der Sache? Verlassen Sie sich nicht nur auf mich. Sie werden eine Menge Leute brauchen. Schicken Sie die ganze Abteilung los. Ich habe nicht mal Geld für die Auslagen."

Seine Stimme war immer noch geduldig und langsam. „Sie sollten die Zeit und die Spesen aufführen und uns dann eine Rechnung ausstellen, haben Sie das vergessen? Sie haben noch nicht mal einen Bericht über die beiden letzten Jobs angefertigt."

„Ich mag keinen Papierkram", murmelte ich. „Ich fühle mich schon krank, wenn ich Formulare zu lesen versuche. Ich bin neurotisch." Ich bin psychotisch. Ich kriege Angst und sehe Flugzeuge abstürzen, sagte ich ihm im stillen.

„Dann lassen Sie's von Ihrer Freundin machen", schnappte der Chef.

Ich schaute auf, aber das Blumenmädchen ging schon weiter. Sie schaute zurück und winkte, hielt aber nicht an. Ich vergaß sie.

„Ich brauche etwas Geld, um nach Ahmed zu suchen", murmelte ich.

Der Chef klang müde. „Geben Sie mir die Nummer Ihrer Kreditkarte und den Namen Ihrer Bank, dann lasse ich hundert Dollar auf Ihr Konto überweisen. In Ordnung?"

„In Ordnung." Ohne Geld ist auch ein reicher Bursche arm. Ich kam mir immer noch pleite vor.

Der Chef hörte mir zu. „Sie haben das Geld in zehn Minuten, George. Sie sind nicht pleite. Denken Sie daran, daß wir Ihnen viel mehr Geld schulden als das. Sie brauchen nur Ihre Berichte abzuliefern und Ihre Quittungen zu sammeln. Tun Sie bloß, was die Buchhaltung wünscht, sonst wird man mir den Hunderter von meinem eigenen Gehalt abziehen."

Vielleicht fiel mir ja noch was ein, wie ich die Berichte fertigkriegen konnte. Im Moment interessierte mich aber nur der Auftrag. „Woran hat Ahmed gearbeitet, als Sie das letzte Mal von ihm hörten?"

„Im Revier an der Madison Avenue, Ecke 53. Straße, wartet ein Bericht auf Sie", sagte der Chef, und mehr war nicht aus ihm rauszukriegen.

Ich marschierte eine Meile nach Süden, hielt dann wegen einer Tasse Suppe an einem Essensautomaten an, drückte den Suppenknopf und steckte meine Kreditkarte in den Schlitz. Ich hörte zu, wie der Automat klickte und rappelte. Er akzeptierte die Karte, spuckte sie wieder aus und servierte mir die Suppe. Es war herrlich anzuhören und ein gutes Gefühl, wieder eine Kreditkarte zu haben, die zu was nütze war.

Ein Junge ging vorbei.

„He, Junge, hast du Ahmed den Araber gesehen?"

„Wen?"

„So ein großer, magerer Typ von der Rettungsbrigade, der Vermißte sucht. Geht ziemlich schnell. Und hat so schwarze Augenbrauen." Ich zeigte auf meine Augenbrauen und runzelte die Stirn.

„Nö." Der Junge sah mich an und wartete auf weitere Fragen, aber ich hatte keine mehr. Die Blagen werden immer kleiner. Man kann sich kaum vorstellen, daß sie dieselben sind wie wir damals, als wir noch klein waren. Aber nicht sie haben sich verändert, sondern ich.

„Na, dann danke, Junge."

Er nickte und verschwand zwischen den Gebäuden in der grünen Wildnis der Hinterhöfe. Ich sah ihm nach. In einer Stadt mit vier Millionen Menschen hatte es wohl nicht viel Sinn, irgendeinen Jungen nach einem Vermißten zu fragen, aber manchmal hatte ich Glück. Daneben getroffen. Aber ich hatte ja um nichts gewettet. Ich ging weiter, nippte an meiner Suppe, kam auf die öffentlichen Gehwege des Kunst- und Galeriedistrikts und war bald zwischen den kostümierten Künstlern und ihrer Kundschaft. Ich ging schneller als die langsam dahinfließende Menge. Die meisten Leute waren nur da, weil sie sich was ansehen wollten, aber andere schleppten große Gemälde und Fotodrucke mit sich herum. Ich hielt auf jene zu, die den Anfang der Menge bildeten, und machte denen, die hinter mir kamen, den Weg frei. Auch wenn ich keine Suppe bei mir habe, brauche ich auf dem Gehweg mehr Raum als mir zusteht, aber ich weiß, was es für eine Arbeit macht, sich einen Weg durch die Menge zu bahnen, ohne jemanden anzurempeln. Ahmed hatte für unsere UN-Bruderschaft ein Spiel daraus gemacht, Völkerscharen wie diese zu durchqueren: Man hatte verloren, sobald sich ein Erwachsener beschwerte – oder auch nur sein Lächeln gefror.

Es war eine lustige Meute. In den Vierteln der Galerien und Künstler geht es immer lustig zu. Sogar die alten Häuser strahlten glückliche Vibrationen aus, und auch die verwilderten Grünzonen, die wilden Blumen, die großen, federähnlichen Pflanzen und die Kletterranken, die an den Zäunen endeten, damit sie die Gebäude nicht überwucherten. Ich fragte mich, warum die Schlingpflanzen nicht an den Häusern hochwachsen durften und fing an, wie ein Polizist zu denken, denn ich sah, daß die freien Flächen ohne Bewuchs Diebe daran hinderten, sich heimlich an den Fenstern zu schaffen zu machen, in die Galeriegebäude einzudringen und Bilder zu stehlen. Die Hälfte der Leute, die ich kannte, lebten von Renten. Sie hatten zwar genug Geld für Nahrung und Unterkunft, aber zu wenig, um sich die hübschen Sachen zu kaufen, die es dort drinnen gab. Und Kunstgegenstände sind teuer. Sicher wurde viel gestohlen.

Im Revier an der Madison Avenue nahm ich einen Umschlag in

Empfang, auf dem mein Name stand. Darin fand ich einen anderen Umschlag mit den Worten „Ahmed Kosvakatats, Daten des Vermißten, nur für autorisiertes Personal."

Ich nahm im Revier auf einer Bank Platz und sah mir das Material an. Es schien aus Fotokopien offizieller Akten zu bestehen, die Ahmed betrafen. Geburtsurkunde, Schulzeugnisse und solche Sachen. Schon sie anzusehen war ein Anschlag auf seine Privatsphäre. Dazwischen befand sich auch eine Vermißtenmeldung, aber mehr als sein Name, seine Beschreibung und der Ort, an dem man ihn zuletzt gesehen hatte, stand nicht darin.

Zuletzt hatte er über seinen Armbandsender von der Ecke 127. Straße der Park Avenue einen Bericht abgegeben. Eine schlechte Gegend, um darin zu verschwinden. Ein lausiger Distrikt! Die Gegend des Schwarzen Reiches, von Spanish Harlem und den versiegelten Mauern Arabisch-Jordaniens! Es ist zwar verboten, auf den öffentlichen Wegen, die durch diese Zonen verlaufen, Kämpfe abzuhalten, aber der Haß ist hier so dick, daß man ihn mit dem Messer zerschneiden kann. Die Sektoren haben das Recht, innerhalb ihrer Mauern eine eigene Polizei zu unterhalten und nach eigenen Gesetzen zu urteilen. Wer sich in sie hineinbegibt, verschwindet. Und die „Polizei" hinter diesen Mauern behauptet dann, daß niemand eingedrungen ist. Erwachsene, die vernünftig sind, kommen gar nicht erst auf den Gedanken, diese Gegend aufzusuchen. Sie gehen an den Mauern vorbei, ohne aufzuschauen, langsamer zu werden oder gar stehenzubleiben.

Ich ging in den Untergrund und nahm mir einen Fahrstuhl zum Ausgang der 125. Straße. Dann ging ich zwei Blocks zu Fuß, bis ich die angegebene Stelle erreichte, und marschierte ohne aufzuschauen daran vorbei – neben der hohen Mauer her, die Spanish Harlem von Arabisch-Jordanien trennte. An der Ecke Park Avenue und 128. Straße war eine Telefonzelle aus rostfreiem Stahl. Ich ging hinein, rief die Rettungsbrigade an und fragte nach dem Chef.

Wußte er, daß er mich darum bat, in das Territorium des Schwarzen Reiches, nach Spanish Harlem oder Arabisch-Jordanien zu gehen, um dort nach Ahmed zu suchen? Anderswo konnte er gar nicht sein. Ich fror innerlich. Der Chef mußte mir ein paar Tips geben, damit ich reinkam, mich umsehen und wieder abhauen konnte. Oder glaubte er etwa, ich wollte ihm über das Telefon nur meinen letzten Willen diktieren?

66

Er nahm meinen Anruf aber sofort entgegen. „Hier ist Judd Oslow, George."

„Chef, ich kann mit diesen Unterlagen überhaupt nichts anfangen. Woran hat Ahmed gearbeitet, bevor er verschwand?"

„An einer großen Sache. Die Kriminalabteilung zog meine besten Leute zu einer Suche heran. Ahmed auch."

„Und worum ging es dabei?"

„Darüber kann nur die Kriminalpolizei Informationen abgeben, und zwar die Abteilung für organisiertes Verbrechen. Ich kann Ihnen gar nichts sagen."

Dennoch hatte er mir einen Tip gegeben. Bei diesen drei Reichen handelte es sich um Organisationen. Ich blätterte noch einmal die Fotokopien durch, die ich in den Händen hielt, und hoffte, darin eine Information zu finden. „Haben Sie in Spanish Harlem, Schwarz-Harlem und Arabisch-Jordanien nachgefragt, ob man dort einen Mann von der Brigade gesehen hat?" Dumme Frage.

Der Chef sagte freundlich: „Man hat unsere Vermißtenmeldung dort bekommen."

„Werden sie jemanden von der Brigade reinlassen, damit er nach Ahmed suchen kann?" Noch eine dumme Frage, aber ich konnte hoffen.

„Nein. Man hat dort eine eigene Polizei, um solche Dinge zu erledigen." Bloß würde die nichts unternehmen. Judd Oslow besaß leider keine gesetzliche Handhabe, mir zu sagen, ich solle hineingehen und dort suchen. Ich wollte es trotzdem tun.

Zwei der Blätter rutschten mir aus der Hand. Ich bückte mich, um sie aufzuheben und stieß dabei mit der Stirn gegen die Ablage der rostfreien Stahlzelle.

Im Stereo-Kopfhörer räusperte sich der Chef mehrmals, als wisse er, daß ich noch etwas von ihm erwartete. Schließlich sagte er: „Fangen Sie dort an, wo man ihn zuletzt gesehen hat. Sie brauchen nicht viele Informationen, George; nicht nach dem, was ich von Ahmed über ihre Talente weiß. Sie brauchen nur ein bißchen Glück, wie in den ersten drei Fällen. Dann kriegen Sie's schon hin." '

„Oh, klar", murmelte ich, machte den Kopfhörer und das Kehlkopfmikro ab und hängte sie ein.

„Sie brauchen nur ein bißchen Glück", sagte seine Stimme und wurde dünner und entfernter, als ich das Gespräch beendete. Ich betastete die heiße Beule auf meiner Stirn und verließ die Telefonzelle.

Verschleierte Frauen schauten aus den von Stahlgittern versperrten Fenstern. Wer vorbeiging, hielt den Kopf gesenkt, damit er keinen Ärger bekam, wenn er jemanden ansah. Die Mauern hatte man gebaut, als ich fünf gewesen war – denn früher, um die Zeit meiner Geburt herum, hatten die Israelis wieder einen Krieg mit den Arabern geführt und ihnen den größten Teil ihres Wüstenlandes abgenommen. Die Ägypter hatten sich aus diesem Krieg herausgehalten und sich geweigert, Flüchtlinge aus Arabien aufzunehmen. Israel weigerte sich, arabische Flüchtlinge aufzunehmen, weil es sagte, die Araber seien seine Feinde, und sie seien Diebe und eine Gefahr für ihre Familien. Die Israelis sagten auch, es sei nur zu diesem Krieg gekommen, weil die Araber jede Nacht über die Grenze gekommen seien und geraubt, geplündert und gemordet hätten und sie keine Araber in ihrem neuen Territorium haben wollten.

Die UNO hatte die arabischen Flüchtlinge auf alle Länder der Welt verteilt. Die Vereinigten Staaten erhielten Tausende von streitsüchtigen, empfindlichen Antisemiten, die Amerika für ein jüdisches Land und alle Juden für ihre Feinde hielten. Sie entdeckten sofort die neuen Rechte der kulturellen Eigenständigkeit, machten das nach, was in Harlem geschehen war, und errichteten um einen demolierten Slum aus vier Blocks ein Grenzgebiet. Sie verliehen sich selbst das Stadtrecht, mauerten die freien Räume zwischen den restlichen Gebäuden zu, verschlossen alle Türen, Straßen und Einfahrten, die in das Gebiet hineinführten, und ließen nur eine breite Straße übrig, die an einem offenen, im Zentrum liegenden Platz endete. Diesen Platz füllten sie mit Strandsand, pflanzten ein paar Dattelpalmen, bauten einen Springbrunnen, eine kleine Moschee und ein Minarett, und erklärten die ganze Umgebung als Territorium des Vereins für die Bewahrung arabischer Kultur. Nichtmitgliedern war der Zutritt verboten; wer ihn sich dennoch verschaffte, verschwand.

Ich war ein Kind aus einem Waisenhaus und lebte in einer altmodischen Gegend bei Pflegeeltern, die an das Zusammenleben der Rassen glaubten. In unserer Bande waren Kinder fast aller Rassen, und da das UNO-Gebäude ganz in der Nähe lag, nannten wir unseren Stamm die UN-Bruderschaft.

Wir hatten ein Spiel, das wir „Hühnchen folgt dem Anführer" nannten. Wenn man zuviel Angst bekam, dem Anführer noch weiter zu folgen, mußte man als Strafe eine ganze Woche lang gackern und mit den „Flügeln" schlagen, wenn einen jemand ansprach. Wenn die schwarzen Kinder Anführer spielten, führten sie uns natürlich durch das schwarze Gebiet, und da waren wir bald alle „Hühnchen", ausgenommen jene, deren Haut dunkel genug war.

Wenn wir zwischen den Stützbalken der Brücken herumkletterten, waren wir natürlich großartig, aber sobald es darauf ankam, in bestimmte rassische Gebiete einzufallen, spielten so viele von uns „Hühnchen", daß wir das Strafmaß auf einen Tag heruntersetzen mußten, um überhaupt mal wieder miteinander sprechen zu können. Ahmed wickelte sich manchmal – wie ein Araber – in Bettlaken und behauptete, allein in das Araberland eingedrungen zu sein. Er zeigte uns auch eine Handvoll Sand, aber wir baten ihn erst dann, uns mal mitzunehmen, nachdem er in den Kellern einiger Ruinen auf geheime Gänge gestoßen war. Sie endeten in den Kellerräumen jener Häuser, die man vor der Ankunft der Araber abgerissen und zugedeckt hatte.

Schon in dieser Zeit nannten wie ihn Ahmed den Araber. Er stahl Burnusse und Kostüme für uns und führte uns fünfmal in das Araberland. Dort liefen wir wie echte arabische Kinder herum und sahen uns an, was wir nicht kannten: verschleierte Frauen, Harems, hörten den Muezzin rufen und sahen die Männer beten, die sich nach Mekka wandten. Wir sahen auch die jungen arabischen Männer, mit eingeölten, glänzenden Muskeln. Sie übten sich in Kriegsspielen und Messerkämpfen.

Wenn irgendein arabisches Kind mißtrauisch wurde und uns zu nahe kam, führte Ahmed uns nach draußen. Wir rannten dann schnell durch ein Wirrwarr von Gängen durch die aufgebrochenen Keller der Ruinen, krabbelten durch einen stinkenden, aber trockenen Abflußkanal zu einem Ausstiegloch und retteten uns auf die öffentliche Straße.

Unser letztes Eindringen in das Araberland ging nicht gut aus. Sie hatten rausgekriegt, daß fremde Kinder in ihr Territorium eingedrungen waren, und sich auf uns vorbereitet. Als wir türmten, rannten die Araberkinder den ganzen Weg johlend hinter uns her. Sie fanden unseren Einstieg in ihre Keller und hatten bald unsere Kleinen eingeholt, die nicht so schnell mitkamen. Sie packten sich den großen Jungen, der zurückgeblieben war, um die Flucht der Kleinen zu decken und warfen ihn mit einem ganzen Rudel um. Sie knieten sich auf ihn und schlugen ihm ins Gesicht, bis er blutete. Als sie dann lose Ziegel aus dem Mauerwerk zogen, um ihn zu erschlagen, kehrte Ahmed mit einer Gruppe größerer Mitglieder der Bruderschaft zurück, um ihn zu retten. Die anderen trugen ihn dann ins Freie.

Ahmed hatte uns versichert, daß sich die Araber auf unsere Augen und Hoden stürzen würden, um uns zu verstümmeln. Wir hatten Spaß an der Gefahr gehabt und waren vorsichtig gewesen, aber daß einer von uns beinahe draufgegangen war, verdarb uns stark die Laune.

Die Bande folgte Ahmed nie wieder ins Arabergebiet. Er fragte auch nie wieder danach. Die arabischen Kinder hatten unsere Gänge gefunden und warteten auf uns.

Das war jetzt zwölf Jahre her, und vor einer Woche hatte man Ahmed beauftragt, in New York nach etwas zu suchen. Ich fragte mich, ob er versucht hatte, mit einem Bettlaken getarnt in Arabisch-Jordanien nachzusehen. Vielleicht war er geradewegs hineingegangen.

Mir brach der Schweiß aus. Ich stand neben der Telefonzelle und sah zu den Fenstern hinauf, hinter denen das Arabergebiet lag.

Ich hatte zu lange zu ihnen aufgeschaut. Die verschleierte Frau, die dort gestanden hatte, war bereits von mehreren Kindergesichtern ersetzt worden, die durch die Gitter starrten.

„Ferengi", höhnten sie. „Juden! Bringt den jüdischen Hund um." Die alten Kampfschreie von Kriegern, die verloren haben. Wenn es nach den Arabern ging, waren die New Yorker entweder Juden und Feinde oder Schwarze und Sklaven; folglich beleidigte man sie.

Als ich den Kopf in den Nacken legte, schien mir die Sonne ins Gesicht. Ich musterte die lange, hohe Mauer von Arabisch-Jordanien und deren verschiedenfarbige Ziegel. Man hatte die alten Hauseingänge und Fenster zugemauert und die einst freistehenden Gebäude mit Zwischenmauern zusammengefügt. Aus den Fensterreihen im dritten Stock schrien die Kinder zu mir herab.

Ich sehe nicht wie ein Araber aus. Ich bin hellhäutig, fast zwei Meter groß, habe breite Schultern, ein rundes Gesicht, eine kurze Stupsnase, helle Wimpern, blaue Augen, strubbeliges, mittelblondes Haar und bin damit das genaue Gegenteil eines Mittelmeerbewohners – ein großer, nördlicher Typ, der blöde auf die Fenster starrte und nachdachte.

Oben an den Fenstern verhöhnten und verfluchten mich Kindergesichter mit großen Augen und dunklen Wimpern und schilderten mir mit nicht wiederzugebenden Worten, was sie mit einem Ausländer machen würden, der es wagte, die öffentlichen Wege zu verlassen. Ich wußte, daß sie nicht spaßten.

An dem Fenster, das mir am nächsten lag, erschien ein junger Mann, schob die Kinder beiseite und schrie mir mit autoritärer Stimme zu: „Was willst du?"

Es war idiotisch gewesen, ihre Aufmerksamkeit auf mich zu ziehen, aber ich mußte nun mal nachdenken. Sollte ich einfach nach Ahmed fragen? Nein. Wenn er sich nur im Araberland versteckt hielt und von seinem Rückweg abgeschnitten war, mußte sie eine solche Frage heiß machen. Ich dachte mir also etwas aus.

„Ich bin Student. Ich studiere die Geschichte der arabischen Kultur. Ich fragte mich gerade, inwiefern sich die arabische Kultur verändert hat."

Nun tauchten noch mehr stämmige junge Männer an den Fenstern auf. Sie hatten keine Hemden an, aber sie fingerten an gekrümmten Messern herum und drehten die Klingen so, daß sie aufblitzten, damit ich es bemerkte.

Der Sprecher sagte: „Wir leben wie unsere Vorfahren. Geh zurück zu deinen Büchern, kastrierter Student, und starre unsere Frauen nicht an."

Ich drehte mich um und ging weiter, immer an der Mauer entlang, unter den hochliegenden Fenstern vorbei. Irgendwas traf mich leicht zwischen den Schulterblättern, aber das konnte nur ein Steinchen gewesen sein, abgefeuert von irgendeinem Jungen mit einer Gummischleuder. Die Stadtpolizei hilft normalerweise jedem, der auf den öffentlichen Wegen belästigt wird. Sie hätte sich den Jungen binnen einer Minute schnappen können, also regte ich mich nicht weiter auf.

Am Ende der 131. Straße, mitten in einem Gewirr von Buschwerk, das sich durch den Mittelteil der Straße zog, befand sich das alte, abgedeckte Einstiegsloch, das zu den Straßeneingängen führte. In der Umgebung des Einstiegs fand ich genügend Spuren, die darauf hindeuteten, das er oft geöffnet worden war. Bonbonpapier, das zwischen den Büschen lag, zeigte, daß sich hier des öfteren Kinder trafen und Leckereien aßen.

Der Einstieg wurde überwacht. Ich ging über die Straße und lief herum, benahm mich unauffällig. Ich entschloß mich, bis um ein Uhr zu warten. Dann waren die Kinder vielleicht zu Hause und aßen zu Mittag. Außerdem lief dann eine Fernsehserie – Lawrence von Arabien –, die sie sich möglicherweise ansehen wollten. Und wenn sie es nicht wollten, würden vielleicht ihre Eltern darauf bestehen, daß sie es sich ansahen. Natürlich würden die Araber gerne eine Serie sehen, die ihr Volk glorifizierte.

Um ein Uhr stieg ich voller Zuversicht in das Loch hinab. Es war leer. Ich brachte den Abflußkanal schnell hinter mich. Obwohl er jetzt viel kleiner wirkte, war er sauber und glänzte, weil man ihn so oft benutzt hatte. Ich eilte lautlos durch die Kellerräume und sah viele Ecken, die mir bekannt vorkamen. Alles war jetzt viel sauberer und weniger staubig. Offenbar hielten sich nun mehr Leute hier auf als früher. Die arabischen Kinder hatten einen Keller wieder in Ordnung gebracht, seine Decke mit Balken abgestützt und den Raum mit Lampen versehen. Mußte wohl ihr Geheimversteck sein. An den Wänden hingen Flaggen und ein Krummschwert.

Vielleicht hatten sie am Eingang sogar eine Alarmanlage aufgestellt, die sie warnte, wenn jemand hier eindrang. Ich peilte um die Ecke und suchte nach einer alten Geheimtür, die sie vielleicht noch nicht gefunden hatten, aber dann kam die ganze Kinderbande auch schon auf mich zugerannt. Sie waren barfuß, hatten aber Knüppel, Messer und Steine bei sich.

Sie schrien und blieben stehen. Ich schrie und ging weiter, weil die Biegung des nächsten Tunnels vor mir lag. Ein paar von ihren Anführern kamen auf mich zu und umzingelten mich. Einer von ihnen schlug mir mit einem schmutzigen Knüppel, in dem ein Nagel steckte, auf die Schulter. Ich war mir niemals sicher gewesen, aber nun fiel mir ein, daß ich der Junge gewesen war, den sie damals geschnappt hatten. Bei einer Sache, die übel ausgeht, vergesse ich immer sehr schnell, welche Rolle ich gespielt habe, weil ich auch die Gefühle der anderen spüre und lieber bei den Siegern bin. Als die Araberkinder mich schnappten, war ich acht Jahre alt. Ich hatte zwar meine Augen schützen können, aber meine Nase erinnerte sich noch genau daran, wie es ist, wenn sie eingeschlagen wird. Und ebenso wußten meine anderen Körperteile, daß man sie grün und blau geschlagen hatte. Diese Erinnerung war eine schmerzhafte Sache. Ich geriet dermaßen in Panik, daß ich plötzlich wieder die gleichen Kinder auf mich zurennen sah. Die Welt geriet ins Schwanken. Ich packte mir den Jungen, der mich mit dem Knüppel getroffen hatte und warf ihn gegen die anderen. Sie fielen um wie Kegelfiguren. Dann zog ich den Knüppel mit dem Nagel aus meiner Schulter. Der Nagel war rostig.

„Verrückte Araber!" schrie ich, so daß die Wände meine Worte als Echo zurückwarfen. „Könnt ihr euch nicht wie Menschen aufführen?" Ich nahm den Knüppel, duckte mich und ging brüllend auf sie los. Da zerstreuten sie sich und verschwanden wie ein Rudel verängstigter Ratten quiekend in den Gängen.

Ich hatte nicht viel Zeit. Bald würden sie mit ihren großen Brüdern zurückkommen. Auch die erwachsenen Araber standen auf Foltern. Ich lief brüllend durch einen Seitengang, damit sie dachten, ich würde jemanden verfolgen, und nicht auf die Idee kamen, daß ich türmte. Irgendwo war hier noch ein anderer Treppenaufgang. Wir hatten ihn zugemacht und die Tür mit Zement verputzt, so daß sie aussah wie festes Gestein. Die zwölf Jahre zwischen acht und zwanzig sind ein Leben, aber nicht für eine Holztür. Sie war noch immer da.

Ich langte nach dem Stein, der den Türknauf verdeckte, zog die Tür auf und glitt durch den Spalt, ehe er auch nur dreißig Zentimeter breit war. Auch auf der Rückseite der Tür gab es einen Knauf. Ich zog daran, riß die Tür ins Schloß und versperrte sie mit einem Riegel. Hoffentlich waren die Kinder schnell weitergerannt und hatten nicht gesehen, wie ich hinter der Wand verschwunden war.

Mit dem Geruch von Staub und Zement in der Nase kroch ich in totaler Blindheit die enge Treppe hinauf. Dabei verletzte ich an den steinigen Wänden meine Knöchel und erzeugte scharrende Geräusche, als unter meinen Beinen allerlei Geröll und Steinchen in Bewegung gerieten und unter mir wegrutschten. Dann hielt ich an und dachte nach.

Ich war hier, um zu versuchen, Ahmed zu finden. Man nahm an, daß ich ihn aufspüren konnte, indem ich seine Vibrationen einfing. Aber bisher hatte ich nichts weiter getan, als der Theorie zu folgen, daß er durch den alten Geheimgang ins Araberland eingedrungen war oder sich – als Araber verkleidet – durch den Haupteingang gebufft hatte, aber später geschnappt wurde. Und ich, der in Theorie immer 'ne glatte Fünf hatte, versuchte ihn anhand einer Theorie aufzuspüren! Wenn ich meinen Ahnungen nachgegangen war, hatte ich immer mehr Glück gehabt. Es war wohl besser, wenn ich das tat, was der Chef vorgeschlagen hatte: meinen Gefühlen folgen.

Wenn Ahmed in Schwierigkeiten war – welche Vibrationen würde er dann aussenden? Ich stand da, dachte nach und versuchte mich an eine ähnliche Sache zu erinnern. Ich kann mich daran erinnern, neben ihm zu stehen und ihm die Hand zu schütteln. Ich erinnere mich daran, wie er mir auf die Schulter klopft und mir die Hand schüttelt, weil er mir gratulieren will oder so was. Ich erinnere mich daran, ein untersetzter, dicklicher, starker Junge von zwölf gewesen zu sein. Ich erinnere mich an Ahmed, der ein Jahr älter und einen Kopf größer ist. Er hat die High School zur Hälfte hinter sich. Er ist groß und stark und körperlich durchtrainiert wie ein Windhund. Er liest Bücher, kriegt gute Noten in Mathematik, kommt mit der Lehrerin gut zurecht und führt seinen Stamm auf Entdeckungsreisen durch die Stadt. Er hat nie Vibrationen ausgestrahlt, die anzeigten, daß er in Schwierigkeiten war. Ahmed hat nie Schwierigkeiten gehabt. Er war immer am richtigen Drücker, und alles, was er ausstrahlte, war eine innere Erregung, die aus Logik bestand.

Mit dem Geruch von Kalkstaub in der Nase, der allmählich trocknete, stand ich auf der dunklen Treppe und zitterte gleichzeitig vor Erregung und Anstrengung. Denk nach.

Mir fiel ein, daß an meinem Schlüsselring ein kleines Lämpchen hing. Immerhin ein Gedanke. Es war zwar ein später, aber guter Gedanke.

Ich kramte es heraus und schaltete es an. Ein helles Licht beleuchtete die engen Wände der Treppe. Sie hatten Sprünge, und auf den Stufen lag Staub. Ich suchte nach Fußspuren, aber da waren keine – außer meinen eigenen, und die waren auf den Stufen, die ich gerade erstiegen hatte. Diesen Weg hatte Ahmed also nicht genommen.

Ich ging weiter hinauf. Und vorsichtig, um nicht auf die Kiesel zu treten. Dann kam eine Stahltür, an der die Treppe endete. Neben der Tür befand sich ein unregelmäßig geformtes Loch. Dort hatten wir damals Ziegelsteine aus der Wand gezogen. Das Loch war groß genug, um ein Kind hindurchzulassen, aber zu klein für mich. Ich löste fünf weitere Steine und stapelte sie lautlos auf den Treppenstufen. Als ich die Zementfugen herauskratzte, fiel der Putz nach außen in die Leere und landete sieben Meter tiefer klickend und raschelnd auf einem Steinboden. Mit den Beinen zuerst kroch ich durch das Loch hinaus und tastete mich abwärts, bis ich festen Boden unter den Füßen spürte. Schließlich zwängte ich mich ganz hindurch und stand auf einem Eisenträger.

Ich ließ mein Licht in die Runde blitzen. In der kastenförmigen Dunkelheit lagen sich zahlreiche unbenutzte Fenster gegenüber. Sechs Etagen voller Fenster, hinter denen niemand lebte. Die beiden alten Häuser waren durch einen überdachen Laufgang und eine Vordermauer miteinander verbunden gewesen. Das, was vorher außen gelegen hatte, lag nun innen. Die Häuser selbst hatte man mit Kreuzbalken abgestemmt.

Ich saß auf einem Eisenträger, ließ die Beine baumeln und dachte nach. Und während ich nachdachte, untersuchte ich die Fenster mit der Lampe. Ich hätte durch jedes von ihnen klettern können, aber in dem Haus, das mir gegenüberlag, hatten wir als spielende Kinder Büroräume entdeckt, die noch benutzt wurden. Da wir ein Spiel spielten, das wir ernst nahmen, taten wir so, als wären wir UNO-Spione, die sich bemühten, eine arabische Verschwörung gegen den Frieden aufzudecken. Wir nahmen uns vor, die hinter diesen Mauern geführten Telefongespräche und Konferenzen der wichtigsten arabischen Führer zu belauschen. Aber wir waren nie zurückgekehrt, um dies zu tun.

Es würde nicht schwer sein, die hinter diesen Wänden geführten Gespräche zu belauschen, denn die Araber hatten die hinter den Fenstern liegenden Räume mit Zwischenwänden versehen. Zwischen ihnen und den Außenmauern der Häuser gab es genug Platz, um sich zu bewegen.

Ich glitt über den Eisenträger, indem ich mich mit den Händen voranzog, statt aufzustehen. Das Fenster auf dieser Seite war alt und verwittert, aber wir hatten vor sieben Jahren das Schloß geknackt und die Schiene geölt, in der es lief. Zum Glück verfügte es über teure Kugellager. Ich schob das Fenster nach oben. Es bewegte sich leicht und machte nur ein schwaches Geräusch. Dahinter war es dunkel und roch nach imitiertem Leder, einer Klimaanlage und Kaffee.

Ich spürte, daß ganz in der Nähe jemand aufmerksam geworden war. Es war ein Gefühl der Vorsicht, das ganz plötzlich kam und zu stark war. Jemand hatte das Geräusch gehört. Aber das war nicht allzu schlimm. Ich mußte mich jetzt nur still verhalten. Denn wenn ein Geräusch, das man gehört hat, sich nicht wiederholt, langweilt man sich schnell und verliert die Geduld.

Ich packte den Sims mit beiden Händen, zog mich durch das Fenster hinein, achtete darauf, daß ich nirgendwo anstieß und stellte dann ein Bein langsam und vorsichtig auf den Boden, bis ich sicher war, daß dieser mein Gewicht trug, ohne zu knarren. Als ich die Lampe ausschaltete, sah ich helle Lichtstreifen. Sie kamen durch die Spalten zwischen den Sperrholzplatten, die die Innenwand bildeten. Die Fugen der Platten bestanden aus langen, durchsichtigen Plastikstreifen, die sie von allen Seiten umgaben. Es war nicht schwer, durch sie hindurchzusehen.

In dem Raum waren nur Schreibtische.

Ahmeds Stimme kam aus einem anderen Zimmer. Sie hörte sich gekünstelt, tief und wichtigtuerisch an, als würde er auf einer Bühne stehen. „Selim, der Sand hat eine Antwort gegeben. Du wirst niemals

Kommandant des Flüchtlingslagers werden. Dieser Weg führt in den Tod."

„Danach habe ich nicht gefragt!" antwortete eine wütend brüllende Stimme.

„Er liest im Sand, und der Sand liest deine Träume, Selim." Eine andere Stimme lachte. „Bereite dich auf ein kurzes Leben vor."

Andere Stimmen lachten und johlten auf arabisch. Leute bewegten sich herum. Möbelrücken.

In dem Lärm, den sie machten, gingen die von mir erzeugten Geräusche, als ich die Sperrholzwand wie unter einem Erdbeben erzittern ließ, völlig unter.

Es gab einen weiteren Wortwechsel zwischen Ahmed und Selim, den ich so deutete, daß Ahmed den anderen mit seinem komplizierten Gerede auf die Palme brachte. Dann krachte es, und ich hörte einen Streit. Ich sah durch den Spalt und war bereit, geradewegs durch die Wand zu stürmen, sollte Ahmed in Schwierigkeiten stecken.

Zwischen den Kaffeetischchen rangen fünf aufgekratzte Männer mit einem sechsten und entwaffneten ihn. Sie kämpften mit freiem Oberkörper, waren braungebrannt und muskulös und hatten Messer an den Gürteln, die in Scheiden steckten. Der sechste Mann war breiter und stärker gebaut als sie und hatte ein grobflächiges Gesicht.

Auf der anderen Seite des Raums saß Ahmed hinter einem kleinen Tisch, mit dem Rücken zur Wand. Er sah sich den Kampf ausdruckslos an. Seine dunklen Augen verengten sich; sein Gesicht war schmutzig und unrasiert. Auf seinem Kinn fing ein schwarzer Bart an zu sprießen und teilte sein Gesicht in zwei Hälften. Er sah groß, mager, müde und häßlich aus.

Es versetzte mir einen Schlag, ihn so häßlich zu sehen. Irgendwas mußte mit ihm nicht stimmen. Ich sah nach, ob er Handschellen trug oder dort, wo er saß, festgebunden war, aber der kleine Kartentisch reichte über seinen Schoß, und außerdem stand mir ein anderer im Weg. Ich konnte seine Beine nicht sehen. Seine Hände verteilten langsam Sand auf der Tischplatte. Er schüttelte den Tisch. Der Sand begann zu Mustern zu zerfließen. Offensichtlich hatte er ihnen aus dem Sand nach der Rorschach-Methode die Zukunft geweissagt. Ich hatte das in seinem Polizeibuch über geplante Verhörmethoden gesehen.

Inzwischen war es den Kämpfenden gelungen dem sich wehrenden Mann eine bemerkenswerte Ansammlung von Kleinlasern und ande-

76

ren tödlichen kleinen Gegenstände abzunehmen. Sie nannten ihn Selim und redeten grinsend und spöttisch auf ihn ein.

Selim hörte nun mit der Gegenwehr auf und sprach Arabisch. Er versuchte die anderen dazu zu überreden, Ahmed umzubringen. Ich verstand zwar kein Arabisch, aber seine Gesten waren mir klar.

Ahmed sagte: „Nur wer schuldig ist, hat Angst vor Zeugen."

„Lügner!" Selim, der jetzt wieder Englisch sprach, knurrte die anderen an. „Kinder und Frauen – und jetzt auch noch die Narren – glauben seinen Lügen. Er gibt nur vor, ein Wahrsager zu sein, weil er seinen Tod aufschieben will. Das ist alles. Wir hätten ihn schon umbringen sollen, als wir ihn beim Spionieren erwischten.

Einer seiner Freunde zuckte die Achseln, die anderen lachten. „Aber Hisham will auch noch etwas über seine Zukunft wissen, wenn er zurückkommt. Wenn die Frauen und Kinder ihm erzählen, daß wir einen Wahrsager umgebracht haben, wird er annehmen daß wir irgendwelche Geheimnisse vor ihm verbergen."

Die anderen lachten wieder, diesmal aber nervöser. Natürlich verbargen sie alle irgendwelche Geheimnisse.

Einem rief Selim zu: „Ich befehle es dir!" Dann zeigte er auf Ahmed und wiederholte seine Worte auf arabisch. Der junge Krieger, den er zu kommandieren versuchte, setzte sich auf einen Kaffeetisch und bot ihm ein kurzes Messer an, was bedeutete, Selim solle es selber tun. Plötzlich nahm Selim das Messer und drehte sich zu Ahmed um.

Die anderen lachten und setzten sich hin, um zuzusehen.

Ich warf einen Blick auf Ahmed. Seine Hände schwebten leicht über der Tischplatte, aber er saß immer noch da. War er irgendwo angebunden oder frei? Konnte er mir gegen die Leute helfen?

Ich stemmte mich gegen die Sperrholzwand und sah, daß sie sich wölbte. Der Lichtschein nahm zu, ich bekam einen besseren Überblick. Der schwerfällige Selim ging drohend auf Ahmed zu und bahnte sich eine Gasse durch die verstreuten Bänke und Kaffeetische, auf denen noch Tassen, Karten und andere Spiele lagen. Kurz vor Ahmed blieb er stehen, duckte sich, als wolle er angreifen, und machte dann eine kreisende Bewegung nach links. Ahmed blieb sitzen. Ich sah, daß er angebunden war. Seine Hände hingen in der Schwebe und waren vorbereitet. Er brauchte nur etwas Sand zu packen und in die Augen des Angreifers zu werfen.

„Noch nicht, George", sagte er mit normaler Stimme. „Zu früh. Es besteht keine Gefahr."

„Zu früh?" heulte Selim, der glaubte, Ahmed wolle ihn herumkommandieren. „Wir hätten dich schon vor zwei Tagen umbringen sollen, du ungläubiger, spionierender israelischer Hund! Stirb!"

Ahmed mußte wissen, was er tat. Um Selim brauchte ich mich also nicht zu kümmern. Sehr langsam, damit es nicht auffiel, ließ ich die ausgebeulte Sperrholzwand los. Ihre Nägel waren jetzt lose. Ich brauchte nur noch dagegen zu stoßen, und sie würde fallen. Langsam, ohne ein Geräusch zu machen, rutschte sie wieder in die ursprüngliche Lage zurück. Ich seufzte erleichtert. Es war kein guter Plan gewesen, auf sechs bewaffnete Männer loszugehen. Ahmed hatte recht. Es bestand kein Anlaß. Mir fiel wieder ein, wie unsere Bande mit Messerstechern fertig geworden war. Wer eine starke und schnelle Linke und ein bißchen Praxis hat, kann einem Rechtshänder leicht die Klinge wegnehmen. Ahmed hatte es so lange mit uns geübt, bis man uns mit Messern nichts mehr anhaben konnte. Bei den Übungen hatte es keiner von uns geschafft, ihn auch nur mit einem Holzmesser zu berühren. Ahmed war von Natur aus schnell. Und er hatte lange, schnelle Arme. Wenn er Selim Sand in die Augen warf und das vor ihm stehende Tischchen als Keule benutzte, war seine vermeintliche Hilflosigkeit, da er an die Bank gefesselt war, ein reiner Witz auf Selims Kosten.

Das Gelächter und Gejohle auf der anderen Seite deutete an, daß Selim es zum Amüsement der arabischen Soldaten, die nun sahen, daß es zwecklos war, immer noch versuchte. Aber wie hoch war die Wahrscheinlichkeit, daß sie aufstanden, um Ahmed festzuhalten?

Vielleicht sollte ich weiter aufpassen, aber mir gefiel ihr Gelächter nicht. Sie hörten sich an wie ein Hunderudel, das zwei kämpfenden Wölfen zusieht. Das Gesetz der Intimsphäre ist richtig!

Die Intimsphäre ist die Basis für das Recht, anders zu sein. Keiner sollte zu lange irgendwelchen Leuten zusehen, die andere Vorstellungen von Recht und Unrecht haben. Das hat man mir in der Schule beigebracht. Und es stimmt. Als ich diesen Leuten zusah, wünschte ich mir, von hier fortzugehen oder sie umzubringen. Sie waren keine typischen Araber, sondern der Pöbel der Flüchtlinge, der Abschaum einer geschlagenen Armee, die nichts konnten außer kämpfen; die Zurückgewiesenen, denen ihre Frauen ins Lager gefolgt waren. Andere Männer, die Fähigkeiten und Berufe hatten, waren zurückgekehrt, obwohl die Israelis es ihnen nicht gestattet hatten, weil sie die Rache arbeitsloser Attentäter fürchteten, woraufhin die Heimgekehrten vor ihrer Grenze kampierten, heimatlos und von keinem Land der Erde gewollt – bis die UNO verlangt hatte, daß jedes Land der Welt eine kleine Gruppe von ihnen aufnahm und ihnen eine Berufsausbildung ermöglichte. Israel hatte dankbar dafür gezahlt, bloß damit man sie abholte.

Als sie in New York angekommen waren, hatten sie nicht das geringste Wissen gehabt – nur Groll und Rachepläne im Herzen. Sie hielten sämtliche Bewohner der Stadt für Juden. Ob sie stolz darauf waren, Araber zu sein? Wenn man sie so beobachtete, war es nicht schwer, alle Araber hassen zu lernen. Ich stellte fest, daß meine Fäuste sich aneinander rieben und mußte jeden Muskel einzeln entkrampfen, um meine Wut abzustreifen.

Das Gejohle und der Lärm wurden zu einem Crescendo. Dann verstummte alles, als hätte jemand einen Fernseher abgeschaltet. Die Anwesenden stießen einen erschreckten Schrei aus.

Ich lugte durch den Lichtspalt und sah, daß sie sich alle zur Tür gedreht hatten. Ich wechselte die Stellung und sah in die gleiche Richtung. Da stand ein Mann, ein kleiner, kahl werdender Mann, der einen weißen Umhang mit purpurnen Streifen trug. Er war ziemlich muskulös und gleichmäßig gebräunt. Er stand da, beobachtete und lauschte. Dabei nahm er eine Pose ein, die Wachsamkeit und Selbstbewußtsein zeigte. Er sah die Männer eindringlich an.

Sie warteten darauf, daß er sie zurechtwies, da er sie bei etwas erwischt hatte, für das sie eine Strafe verdienten.

Er lächelte und sagte: „Bringt ihn nicht um, Kinder! Er hat mir noch nicht geweissagt."

Die Männer lachten und entspannten sich. Der Mann war Akbar Hisham, ihr Führer.

Im Geschichtsunterricht in der 6B hatte man uns eine Videoaufzeichnung von der achtzehn Jahre zurückliegenden Ankunft der Flüchtlinge in New York gezeigt. Wichtige Leute hatten sie willkommen geheißen, und eine Kapelle hatte gespielt. Akbar Hisham hatte damals jünger ausgesehen. Er hatte schwarzes Haar gehabt, nach dem Mikrofon gegriffen und hineingesprochen.

„Ihr bietet uns an, eure Brüder zu werden", hatte er ohne zu lächeln gesagt. „Bruderschaft bedeutet, daß ihr das, was ihr habt, mit dem teilt, was wir haben. Alles, was wir jedoch teilen können, sind Niederlage, Ungerechtigkeit und Demütigung. Das werden wir eines Tages teilen, aber nennt uns nicht eure Brüder. Wir sind eure Opfer."

Das war gewiß nicht die freundliche Dankesrede, die man in New

York erwartet hatte, aber trotzdem hatte man diesem Mann gegenüber, der es gewagt hatte, gegen die Stadt Drohungen hervorzustoßen, eine Mischung aus Verehrung und Überraschung verspürt.

Er war mit einem Versprechen fortgefahren: „Wir werden das Geld nehmen, das die Welt uns für den Diebstahl und den Verlust unseres Landes schuldet, und werden uns wieder zu Stolz und Stärke erziehen. Nehmt euch in acht vor der nächsten Generation."

Jetzt war er älter, zerfurchter und verknitterter, aber er war keinesfalls heiterer als damals während seiner Rede. Ein Rudel geschlagener und verbitterter Krieger führt man auch nicht mit freundlicher Zuvorkommenheit. Und doch war Akbar Hisham ein weltbekannter Gelehrter und Historiker. Den anderen Gelehrten und sonstigen Angehörigen der gebildeten Schicht hatte man erlaubt, weiter in ihren besetzten Gebieten zu leben, sofern sie nicht in andere Länder gezogen waren und dort Arbeit angenommen hatten. Nur Akbar Hisham hatte sich dazu entschieden, mit den Flüchtlingen zu gehen und für ihre Rechte zu kämpfen.

Er nahm lächelnd auf einem Lederkissen Platz. Ich sah seinen kahlen Hinterkopf. „Ich habe gehört, daß der Gefangene mit dem Kopfschmuck eines irakischen Besuchers und einer Polizeimarke in der Tasche hereinkam. Er soll weder seine Nationalität beweisen können noch Arabisch sprechen. Und man hat ihn geschnappt, als er im äußeren Büro die Post durchwühlte. Wie stümperhaft!"

„Er ist verrückt, Effendi. Als wir ihn schnappten, gebärdete er sich wie ein Irrer und faselte, er könne die Zukunft sehen, weil er bald sterben müsse. Er erzählte dem Mann, der ihn fing, etwas über dessen Vergangenheit. Und dann sagte er, er werde sehr reich werden."

Hisham nickte. „Ich habe schon gehört, daß er euch gut an der Nase herumgeführt hat."

Die Männer protestierten. „Er sieht Bilder im Sand." – „Er hat mir meine Vergangenheit erzählt." – Sie lobten Ahmeds Fähigkeiten als Wahrsager geradezu in den Himmel.

„Auch die Frauen sagen, daß er die Wahrheit gesagt hat." Sie versuchten Hisham umzustimmen.

Nur Selim, der Mann, der Ahmed hatte töten wollen, saß mit einem mürrischen Gesicht neben seinem Führer, ohne in den Chor der anderen einzustimmen. Sein Messer steckte wieder in der Scheide.

Hisham drehte sich höflich zu ihm um. „Hat er dir eine gute Zukunft vorausgesagt, Selim?"

Selim machte ein finsteres Gesicht. „Er hat gelogen. Er hat sie alle hereingelegt. Er lügt sie alle an, um seinen Tod hinauszuzögern." Seine Worte führten dazu, daß die anderen sich bewegten, als würden sie etwas sagen wollen. Dann unterließen sie es aber doch.

Hisham lächelte seine Leute an. „Was setzt ihr dagegen, wenn ich behaupte, daß er mir die Zukunft vorhersagen kann, wenn ich ihm eine Wahrheitsdroge in die Vene jage?"

Seine Männer antworteten nicht. Der kleine, kahlköpfige, muskulöse Mann sagte auf arabisch etwas zu Selim, der sein erster Stellvertreter zu sein schien. Dann zog er eine Schachtel aus der Tasche und gab sie ihm. Dessen Stellvertreter reichte sie einem älteren Soldaten, der ihm Türrahmen herumlungerte und gab einen Befehl. Der Mann an der Tür trat vor, bohrte die Nadel der Spritze durch Ahmeds Hemd in seinen rechten Bizeps, drückte langsam die Kanüle hinab und kehrte an seinen Ausgangsort zurück.

Hisham, der Anführer der Männer, streckte die Hand aus und sagte etwas mit sanfter, verlangender Stimme. Er nahm die Spritze wieder an sich und untersuchte sie. „Gut." Zum ersten Mal sah der kahlköpfige Mann nun Ahmed an. Ahmed erwiderte seinen Blick. Seine Hände lagen flach auf der Tischplatte. Er hatte sich nicht bewegt, als der Mann mit der Spritze auf ihn zugegangen war. Hisham schenkte ihm ein freundliches Nicken und sagte: „Gefangener, man hat Ihnen gerade eine Wahrheitsdroge verabreicht. Zählen Sie von zwanzig an rückwärts."

„Zwanzig, neunzehn, achtzehn, siffzehn, sechzehn, sechzehn, zwölf, neun ..." Ahmeds schlankes, stolzes Gesicht mit den schwarzen Augenbrauen sah semitischer aus als das der Araber. Er hörte auf.

Das lederartige Lächeln auf dem Gesicht des Führers wurde breiter. Er sah kurz die anderen an, dann beugte er sich zu Ahmed hinüber. „Und jetzt, unter dem Einfluß der Wahrheitsdroge, können Sie mir jetzt meine Zukunft weissagen?"

Ahmed sah auf die Tischplatte hinab. Er zog die biegbare Leselampe näher heran, schüttelte den Tisch, und kleine Sandhügel liefen durcheinander und zerliefen in alle Richtungen, weg vom Licht.

„Ich kann immer noch Biller schehen", sagte er, „aber ich kenne Ihre Frage nischt ... Verzeihung ... Die Droge lähmt meine Schunge."

Er sah auf, müde, mager, aber wachsam. Seinen Augen unter den dichten, schwarzen Brauen entging nichts. „Ich kann's versuchen. Wollen Schie Vergangenheit, Gegenwart oder Schukunft?"

„Wundervoll! Ein Mensch mit einer Wahrheitsdroge im Blut, der mir trotzdem die Zukunft weissagen will", sagte Hisham zu den anderen. Er wandte sich wieder Ahmed zu, als interessiere er sich brennend für ein Kinderspiel. Dann wechselte er die Position und nahm auf einem Kissen Platz, das Ahmed näher war. Selim war nun von ihm weiter entfernt. Lächelnd stellte er eine Frage, über die es gar nichts zu Lächeln gab. „Wahrsager, sag mir, warum die anderen zu reden aufhörten, als ich hereinkam."

Die Araber hatten bisher lächelnd miteinander gemurmelt, aber diese Frage schien sie wie ein Keulenschlag zu treffen. Schlagartig verstummten sie.

Selim strahlte eine Welle aus Zorn und Haß ab. Er stand auf, massierte seine Hände, schätzte die Entfernung zu seinem Führer ab und fragte sich offensichtlich, ob die anderen den Status quo akzeptieren und ihm folgen würden, wenn Hisham tot wäre.

Akbar Hisham wandte sich um, damit die anderen sehen konnten, daß auf seiner offenen Handfläche ein kleiner Laser lag. Er schloß die Hand jedoch nicht. Statt dessen fragte er Ahmed über die Schulter hinweg: „Sage mir, über was sie gesprochen haben, als ich hereinkam."

Ahmed antwortete mit erhobenem Kopf. Er sah wachsam aus und behielt Selim im Blickfeld. „Ich hatte Selim die Zukunft geweissagt. Ich sagte, daß er den Plan hat, die Macht im Lager an sich zu reißen, aber daß dieser Plan sein Tod sei."

Der Laser in der Hand des Anführers deutete nun auf Selim.

Ahmed fuhr fort: „Als Sie hereinkamen, versuchte er gerade mich umzubringen, und die anderen rissen Witze über das, was ich ihm erzählt hatte."

Selim, der untersetzte Kronprinz, hatte seine gebückte Haltung nicht aufgegeben, aber jetzt sah er so aus, als wolle er Ahmed angreifen. „Er lügt. Ich bin immer loyal gewesen, Effendi. Und weil er log, wollte ich ihn umbringen."

Akbar Hisham bewegte seinen kahlen Kopf nickend hin und her. „Möglich. Ich glaube nicht an Wahrsagerei. Und für einen Gefangenen wäre es eine gute Strategie, Freunde gegeneinander aufzuhetzen. Frage ihn, was er jetzt von deinen Plänen weiß. Diesmal kann er nicht lügen."

Selim sah Ahmed an. Ihre Blicke kreuzten sich ziemlich lange, dann schluckte Selim und schaute weg. „Effendi, er ... er wird lügen."

Akbar Hisham neigte den Kopf in Richtung auf die anderen Soldaten. „Entwaffnet ihn." Mir war nicht klar, ob der Laser auf alle oder nur auf Selim zeigte.

Die Männer redeten alle auf einmal. Mit ehrlich gemeinten Gesten und großer Erleichterung deuteten sie auf den Stapel Waffen, den sie Selim abgenommen hatten, und erklärten, ihn bereits bis auf ein kleines Messer entwaffnet zu haben. Sie wollten sicher zeigen, daß sie loyal waren. Zwar sprachen sie Arabisch, aber ihre Bewegungen sagten alles.

Hisham nickte zustimmend. Die hemdenlosen Soldaten nahmen Selim ohne viel Federlesens das Messer ab.

Selim beteuerte wütend seine Unschuld und zeigte auf eine kleine Metallbox mit einem roten Knopf. Sie stand zwischen den zerbrochenen Tassen und einigen Spielkarten auf einem der Kaffeetischchen. Ich wünschte mir, ihre Sprache verstehen zu können. Die Araber waren alle zweisprachig und wechselten mühelos von einer Sprache in die andere über. Was war in dieser Box?

Akbar Hisham nickte. Dann zuckte er die Achseln, als gäbe er irgendwem nach. Er holte sich eine Tasse Kaffee aus einem vor der Wand stehenden Automaten und wartete stehend ab. Selim nahm die Box an sich. Als er sie hochhob, sah ich, daß zwei Kabel aus ihr herausliefen. Sie gingen über den Boden, verschwanden unter Ahmeds Tisch und reichten bis an seine Beine.

Selim ging weiter auf Ahmed zu und hob die Box an, damit alle sie sehen konnten. „Ich werde jetzt beweisen, daß du immer noch lügen kannst, du Hund. Ich werde es dir zeigen …"

Jetzt erkannte ich, daß es eine Folterbox war, ein simples Gerät, das mit Batterien angetrieben wurde. Ich holte aus, um die Wand einzutreten.

Ahmeds Stimme sagte: „Würde ich dir nicht raten, George."

Ahmed war der einzige in dem Raum, der genau in meine Richtung sah. Und er konnte sehen, daß ich mir hinter der Sperrholzwand zu schaffen machte. Er wußte auch, daß hinter dieser Wand ein freier Raum war. Die anderen dachten wohl, er redete mit ihnen und würde Selim mit George ansprechen. Möglicherweise wollte er mir signalisieren, ich solle warten, bis weniger Leute um ihn herum waren. Aber das, was sie jetzt taten, hatte er nicht vorhersehen können. Ich wandte meinen Blick von dem hellen Spalt ab und hielt mir den Kopf. Ich hörte, wie Selim ihn ausfragte. Die Ohren konnte ich mir nicht zuhalten.

„Du verlogenes Polizistenschwein, du hast gesagt, man würde dich

Ahmed den Araber nennen." Selims Stimme war ein einziges Grollen. „Bist du ein Araber? Sag, daß du ein Araber bist. Sag, daß du einer von uns bist. Wenn du sagst, daß du ein Araber bist, nehme ich den Finger vom Knopf."

„Ich bin kein Araber." Ahmed strahlte weder Angst- noch Schmerzvibrationen aus. Schon als wir noch unsere Kinderbande hatten, war ihm manchmal, wenn er uns irgendwo herumführte, gar nicht aufgefallen, daß er blutete oder sich verletzt hatte. Hatte er sich so darauf gedrillt, daß er die Folterbox gar nicht spürte? Ich dachte an elektrischen Strom. Sogar die Vorstellung tat weh.

„Bist du ein Araber?"

„Nein." Keine Schmerzvibrationen von Ahmed, nur das Summen entschlossener Wachsamkeit und das Warten auf einen Situationswechsel. Aber von den Arabern kam das warme Glühen eines interessierten Sadismus und so etwas wie Verehrung für die Standhaftigkeit ihres Opfers.

„Du sollst lügen! Sag, daß du ein Araber bist, dann nehme ich den Finger vom Knopf. Von welcher Rasse bist du?" Selim kämpfte um sein Leben.

„Mütterlicherseits algerisch-französisch und väterlicherseits spanisch-romani." Ahmeds Stimme war dünn und sie kam keuchend, aber er sagte die Wahrheit.

Die nachdenkliche Stimme des alten Führers unterbrach ihn. „Interessant ... Gefangener, ich habe Sie nur für einen Polizeispitzel gehalten. Bedeutet Romani Zigeuner?"

„Nein, Zigeuner bedeutet Romani", keuchte Ahmed, der es mal wieder ganz genau haben wollte.

Selims Stimme klang rauh und drückte beinahe mehr Schmerz aus als die Ahmeds, denn jetzt sah er, daß ihm auch die letzten Möglichkeiten wegschwammen, seinen Gegner zu diskreditieren. „Polizistenhund, wenn du dich einen Araber nennst, höre ich auf, dir weh zu tun. Ich schalte dann den Strom ab. Was bist du?"

„Ein Mensch."

„Genug, Selim, laß die Box jetzt los", kommandierte der Anführer.

Und noch einmal, diesmal etwas lauter, sprach Hisham den Befehl aus. „Laß die Box los, schalte den Strom ab. Es ist zu spät. Es wird dich nicht mehr retten."

Selim fällt mit einer solch großen Lautstärke eine verzweifelte Entscheidung, daß ich sogar mit geschlossenen Augen sah, wie er seinen Führer ansprang. Ich hörte das Zischen eines Lasers, dann einen dumpfen Aufprall und das Klirren auf dem Boden zerschellender Tassen. Ich hörte mit dem Zähneknirschen auf und löste meine Hände voneinander. Dann lugte ich wieder durch den Spalt und sah, wie Selims Körper langsam von der Oberfläche eines Kaffeetisches herabrutschte und unter dem Klirren weiterer Tassen auf dem Fußboden landete.

Mit einer Handbewegung, die etwas Endgültiges ausdrückte, steckte Akbar Hisham seinen Laser ein. Die arabischen Soldaten entspannten sich. Ihr Führer sagte formell: „Ich bin für das Blut dieses Mannes nicht verantwortlich. Der Zigeuner hat Selims Tod vorhergesagt. Und er hat gesagt, daß seine finsteren Pläne ihm den Tod bringen würden. Ich bin nur das Schwert in Allahs Händen, das nach seinem Willen zuschlägt. Der Zigeuner hat ebenso gesagt, daß ihr und eure Kinder erfolgreich sein und großen Reichtum erwerben werdet. Der Zigeuner spricht die Wahrheit; also fürchtet euch nicht vor der Zukunft."

Die anderen schrien und lachten dankbar und erleichtert auf, weil Hisham den Zigeuner nicht fragte, ob sie mit Selim unter einer Decke gesteckt hatten. Beschämt schworen sie ihrem Führer ewige Liebe und Treue. Der kleine Gelehrte mit dem sonnengebräunten Kahlkopf nahm ihre Verehrung mit einem leicht müden Lächeln hin.

Dann hob er die zu Boden gefallene Folterbox auf. Es war eine würfelförmige Metallschachtel, auf deren Oberseite ein roter Knopf war. In ihrem Inneren befanden sich zwei Batterien. Hisham drückte nachdenklich auf den Knopf und ließ ihn wieder los. „Zigeuner-Ahmed, warum schreist oder stöhnst du nicht, wenn wir auf den Knopf drücken?"

„Wütend macht ihr mich", erwiderte der große Bursche, der mein Freund war. Seine Gesichtshaut sah grünlich aus und war schweißbedeckt, aber er saß immer noch aufrecht. Nun reckte er sich. Er saß hinter dem Tisch, auf dem seine Hände im Sand ruhten, und warf einen abschätzigen Blick auf die im Zimmer versammelten Männer. Er sah zwar nicht gerade finster aus, aber lächeln tat er auch nicht. „Ihr alle macht mich sehr wütend."

Seine Antwort gefiel mir. So was Ähnliches hätte ich auch gesagt. Wenn man Ahmed fragte, warum er dies oder jenes getan hatte, fielen seine Antworten immer logisch aus. Das war also ein glatter Treffer für die Wahrheitsdroge.

Ahmed hatte den anderen Kindern aus der UN-Bruderschaft auch nie erzählt, welchem Volk er angehörte. Er hatte immer nur gesagt, er sei ein Mensch. Und jetzt hatte er gesagt, er sei Franzose und Zigeuner. Ein zweiter Treffer für die Wahrheitsdroge. Als zwei Männer den Leichnam des ehemaligen Thronanwärters hinaustrugen, verlor Hisham offenbar jegliches Interesse an einer Exekution. Er wandte sich Ahmed zu und fragte neugierig: „Betreibst du als Zigeuner die Wahrsagerei? Glaubst du an sie?"

„Eine einfache Antwort ist darauf nicht möglich", antwortete Ahmed nach einer müden Pause. Er zog die Lampe herab, bis sie den Sand besser beleuchtete, und schüttelte den Tisch. Der Sand zerfiel in neue Muster, und lange Schattenstreifen liefen von den Häufchen weg. Mit träumerischer, geistesabwesender Stimme sagte Ahmed: „Ereignisse sind elementar. Alle Gedanken, Erinnerungen und Überzeugungen sind nur teilweise für sie verantwortlich. Wenn ich dem Verlauf der Schatten folge oder Karten lege, dringen sofort viele Interpretationsmöglichkeiten in mich ein, wie die Ergebnisse zu deuten sind. Wirft die Zukunft ihre Schatten voraus? Sind die Schatten, die ich in meinem oder im Gruppenbewußtsein der Menschheit sehe, Bilder? Zeigen die kleinen Ereignisse am Rande, wie die Muster des Sandes, ein gewaltiges Ereignis an, das immer größer wird und die Zukunft formt? Oder hat die Jungsche Analyse recht, wonach die schöpferische Intelligenz sich in die Traumwelt nächtlichen Schlafs und primitiver Erinnerungen zurückgezogen hat, wo aus Träumen Pläne werden, die das gesamte Rassenbewußtsein durch Schlaftelepathie treiben läßt und die Zukunft anhand von Traumplänen dirigiert?"

„Hmm." Akbar Hisham, der nun saß, beugte sich vor und stützte sein Kinn auf die Hand, um weiter zuzuhören. „Hmm." Plötzlich drehte er sich um und sah in die respektvoll-leeren Gesichter der arabischen Soldaten. Sie hatten zwar nicht verstanden, was Ahmed gesagt hatte, aber seine Worte hatten sie beeindruckt, wie der mystische Gesang einer fremden Sprache oder ein mit Zauberworten gesprochenes magisches Bittgebet.

Der kleine, muskulöse Mann sah sie einen Moment lang an und seufzte. Dann schrie er: „Raus mit euch! Raus! Ich will mir meine Zukunft weissagen lassen. Verschwindet! Und bleibt bloß nicht in der Nähe!" Er stand auf und jagte die Männer mit heftigen Armbewegungen hinaus. „Los, los. Ich will mir die Zukunft weissagen lassen. Paßt auf, daß niemand die Büros betritt und ich nicht von irgendwelchen Narren oder Telefongesprächen gestört werde. Beeilt euch."

Die Männer verließen eilig den Raum. Als sie gegangen waren, setzte Akbar Hisham, der Gelehrte und Historiker, sich wieder hin und richtete den Sitz seines Umhangs, ohne Ahmed in die Augen zu sehen. Er blickte zu Boden, strich sich das nichtvorhandene Haar glatt und räusperte sich. „Ihr ... äh ... Name ist ... äh. Ich finde Ihre Theorien sehr interessant. Ich freue mich immer, wenn ich jemanden treffe, der Gruppenpsychologie studiert hat. Nur wenige Leute interessieren sich dafür. Es ... äh ... tut mir leid ... Ich meine die Sache mit der Folterbox."

Er sah auf. Sein Blick kreuzte sich mit dem Ahmeds, und er zuckte bedauernd die Achseln. „Rachedurst ist der einzige Stolz, den Verlierer sich erlauben dürfen. Und das hält sie am Leben." Er brachte ein verzerrtes Lächeln zustande und zuckte erneut die Schultern. „Ich muß sie bei guter Laune halten. Deswegen kann ich nichts dagegen machen, wenn sie sich an Fremden rächen."

Ich lehnte mich zwischen den Wänden an einen Balken und wartete darauf, daß die Araber sich weit genug entfernten, bevor ich eine der Sperrholzplatten umkippte und mich auf Hisham stürzte. Seine Entschuldigungen beeindruckten mich nicht. Taten sprechen deutlicher als Worte. Hisham hatte Ahmeds Fessel weder gelöst noch ihm Kaffee angeboten.

Ahmed lächelte nicht. „Warum lehren Sie nicht an einer Universität?"

Hishams breite Schultern zuckten nervös. „Was sollte ein netter Gelehrter wie ich dort anfangen? Glauben Sie, daß meine Flüchtlinge hoffnungslose Fälle sind? Die Juden waren einst eine arabische Nation, die man in kleinen Gruppen über die ganze Welt verstreute und in die Verbannung schickte. Man schickte sie weg, weil sie einen Krieg verloren und nach ihrer Niederlage nicht mit dem Kampf aufhören wollten. Ihre Rache bestand darin, jene Städte zu erobern, in die man sie ins Exil schickte. Und sie eroberten sie – mit Musik, Gelehrsamkeit, Wissenschaft, Geld und Stärke. Vielleicht haben auch sie als ein Trupp armer, kämpferischer Fanatiker ohne Freunde und nur mit ihrer Religion und ihren Messern angefangen. Vielleicht mußten auch sie erst eine Generation lang Schmerz ertragen, bevor sie entdecken, daß Wissen Macht bedeutet. Ich verkürze natürlich. In nur einer Generation großen Schmerzes zwinge ich diese Falken zum Lernen. Ich, ein Gelehrter, sorge dafür, daß sie sich ducken und gehorchen. Ich bin nämlich stärker, brutaler und rachsüchtiger als sie. Man hat ihnen beigebracht, Gelehrte zu fürchten und zu verehren. Nur Satan kann der König der Hölle sein." Hisham sah zu Boden und dachte nach.

Als er wieder aufschaute, hatten sich seine Züge erneut verhärtet. Er schien nun nichts mehr zu bedauern. „Wie haben Sie erfahren, daß Selim mir nach dem Leben trachtete?"

„Indem ich mir ihre Fragen anhörte", antwortete Ahmed. „Drei Frauen fragten mich, ob Akbar Hisham etwas Wichtiges herausgefunden habe, und als ich nein sagte, waren sie erleichtert. Es waren Selims Frau, seine Mutter und seine Geliebte. Sie fragten mich, ob er lange leben würde. Eine andere Frau fragte, ob ihr Gatte sich Selim anschließen solle, wie die anderen. Aber bevor sie mir diese Frage stellte, sah sie nach, ob uns auch niemand hören konnte."

„Wahrsager scheinen aus den Fragen der Leute eine Menge zu lernen", sagte Hisham nachdenklich. Er erhob sich und ging auf und ab. „Mir fällt nichts ein, wie ich Sie laufen lassen könnte. Zwingt Sie die Injektion wirklich dazu, die Wahrheit zu sagen?"

„Ja", sagte Ahmed grimmig und schloß den Mund. Ich sah, wie sich seine Wangenmuskeln bewegten.

Wieder schritt Hisham auf und ab. Einmal warf er einen Blick auf die Sperrholzwand und sah mir genau in die Augen, aber durch den dunklen Spalt konnte er mich nicht sehen. Der Gedanke, einen gelehrten Kollegen umzubringen, behagte ihm nicht. In diesem Moment nahm er nicht einmal die gelockerte Sperrholzplatte wahr. „Das würden Sie auch sagen, wenn es nicht so wäre", sagte er weinerlich. „Wer weiß, was Sie hier alles gesehen haben. Warum sind Sie überhaupt hierhergekommen? Man sagte mir, als man Sie schnappte, hätten Sie sich wie ein Verrückter benommen und Prophezeiungen gemacht. Warum sind Sie ins arabische Territorium eingedrungen? Sie wissen doch, daß das den Tod bedeutet."

Ahmed schaute in meine Richtung, dann sah er Hisham an. Als er antwortete, hielt er sich die Hand vor den Mund. Seine Stimme klang zwar gedämpft, war aber noch verständlich. „Ich hatte einen Auftrag. Ich sollte einen vermißten Computer-Wartungsexperten finden. George!"

„Hier gibt es keine entführten Computerleute. Sie haben Ihr Leben umsonst riskiert." Hisham ging weiter. „Haben Sie in unseren Büros etwas gelesen, das uns belasten würde?"

„Nein. Aber ... Nein."

„Wieso aber? Was verschweigen Sie mir?" Hisham wirbelte herum, um Ahmed anzustarren. Ich fragte mich, ob die Wahrheitsdroge Ahmed auch dann zum Reden zwang, wenn er gar nicht reden wollte. Es war ungewöhnlich, wie er antwortete. Warum legte er die Hand über den Mund?

Obwohl Ahmeds Gesicht ziemlich blaß war, bekam es nun hektische, rote Flecken. Er legte die Hände über den Mund und sagte mit ärgerlich klingender, lauter Stimme: „Ich fand einen Brief der Entführer an Sie, in dem sie für Sabotageakte gegen Einrichtungen der Stadt die Hilfe eines Experten anboten. Ich habe ihn zerrissen und in die Postrutsche geworfen, George!"

Hisham zog einen Notizblock hervor. „Sie haben Sabotagehilfe angeboten? Wie war ihre Adresse?"

Ahmed biß die Zähne aufeinander, hielt mit den Händen seinen Mund zu und gab gedämpfte Geräusche von sich. Er sah sehr wütend aus und sah in meine Richtung. Dann ließ er die Hände sinken und rief: „Nun komm schon, du Tölpel!"

Noch bevor Ahmed seine Beleidigung ganz ausgesprochen hatte, lag die Sperrholzplatte auf dem Boden, und ich hatte meine Hände um Hishams Hals. Ich zerrte ihn zu Ahmed rüber, der mir half.

Hisham trat und schlug um sich und stieß ein paar dumpfe Töne hervor, bevor wir ihn gefesselt und geknebelt hatten. Danach nahm ich seinen Laser, um Ahmed von den Fußfesseln zu befreien, und band ihn von den Stromkabeln los. Das dauerte natürlich seine Zeit, aber davon hatten wir genug, da Hisham die ganzen Araber außer Hörweite geschickt hatte. Ahmed schien erwartet zu haben, daß Hisham seine Zukunft unter vier Augen geweissagt haben wollte. Er hatte wirklich alles im voraus geplant.

Wir kamen nur langsam voran, nachdem wir aus dem Fenster geklettert und über den Eisenträger im Dunkeln verschwunden waren. Ahmed hatte etwas an Kraft verloren und war keine Hilfe beim Tragen Hishams. Wir setzten uns im Dunkeln auf dem Eisenträger hin und schnappten nach Luft.

„Warum hast du so lange gebraucht, um mich zu finden?" fragte Ahmed. Ich verteidigte mich mit einem wütenden Flüstern.

„Wieso lange? Judd hat mir erst heute morgen erzählt daß du vermißt wirst. Ich habe doch nur eine Stunde gebraucht, um hierherzufahren und reinzukommen."

„Ich war zwei Tage in diesem Zoo. Und jedesmal, wenn die Mütter nicht hinsahen, drückten die Kinder auf diesen verdammten Knopf.

Wieso hast du mit deinem ESP nicht bemerkt, daß ich in Schwierigkeiten steckte?"

Das machte mir auch Sorgen. Wie sollte ich mit Ahmed gut zusammenarbeiten, wenn ich mich nicht auf ihn einstimmen und ihn lokalisieren konnte? „Du hast eben keine Vibrationen, Ahmed."

Er zog sich über den dicken Eisenträger voran, keuchte und stieß sich mit einem sandig knirschenden Geräusch von der Mauer ab. „Soll das heißen, ich denke nicht laut genug?"

Ich rutschte über den Träger und spürte das Gewicht Hishams auf der Schulter. Er hatte jeglichen Widerstand aufgegeben. Selbst wenn es pottschwarz hier draußen war: Er hatte möglicherweise begriffen, daß er zwei oder drei Stockwerke in die Tiefe fallen und auf dem Müll des alten Gehwegs landen würde, wenn er sich rührte. Wir befanden uns zwischen zwei Gebäuden. Ich rutschte weiter und berührte Ahmeds Arm. Er zitterte und roch nach zwei Tagen schweißtreibender Angst. Ich antwortete beruhigend: „Nein, du denkst gut. Ich meine nur, du gibst keine Vibrationen ab. Du fühlst überhaupt nichts."

„Ich würde an deiner Stelle nicht darauf wetten." Er lachte krächzend und versuchte aufzustehen. Als er seine Arme durch das Loch in der Wand steckte, machte er kratzende Geräusche. Er stand unbeweglich da, bis ich gegen seinen Unterschenkel stieß. Dann kroch er vorwärts und half mir, den Körper des gefesselten Araberführers durch das Loch und auf die Treppe zu hieven. Ich marschierte drei Stockwerke in die Tiefe und hatte dabei die ganze Zeit Hisham auf der Schulter. Ahmed ging voraus. Am Fuß der Treppe lauschte er. Dann öffnete er die mit Zement verkleidete Tür einen Spalt weit und ließ Licht herein.

Da niemand diesen Korridor bewachte, liefen wir schnell in den anderen Gang und zu dem alten Abflußrohr.

Es erinnerte mich an die Zeit, in der ich acht gewesen und zusammengeschlagen worden war, deswegen steckte ich eine Menge Herz in die Lauferei. Aber ich war immer noch überrascht, als wir das Abflußrohr erreichten, ohne daß sie uns schnappten. Ich bildete mir ein, eine Menge Stimmen zu hören, die hinter uns waren. Vielleicht waren sie auch wirklich da. Ahmed war bereits in dem Rohr. Ich kletterte rückwärts hinein und zog Akbar Hishams gefesselten Körper hinter mir her. Er sollte unsere Geisel sein. Die Stimmen aus der Erinnerung blieben in meinen Ohren. Ich zuckte unter imaginären Schlägen.

Akbar Hisham krümmte und drehte sich. Als ich ihn an den Schultern hinter mir herzog, versuchte er den Kopf zu heben, damit er nicht gegen den Röhrenboden knallte.

Aus den eingebildeten Stimmen wurden echte. Es war nicht das schrille Geschrei der Kinder, die mich damals, als ich acht war, eingeholt hatten. Vom Ende der Kanalisation kamen Rufe.

Der Historiker und Führer von Arabisch-Jordanien zuckte und maß mich mit einem verzweifelten Blick. Er kaute auf seinem Knebel und wollte offenbar etwas Wichtiges sagen. Möglicherweise drohten die Verfolger, auf uns zu schießen oder Bomben zu werfen.

Ich riß ihm das Band über den Kopf, das seinen Knebel hielt, und sofort fing Hisham an, auf arabisch etwas zu rufen.

Das Gebrüll und die Echos der aufgebrachten Stimmen verstummten sofort. Hisham stand ihnen im Weg; schießen konnten sie also nicht auf uns. Ich zog ihn noch ein Stückchen mit, aber da es eine Entführung gewesen wäre, wenn wir ihn mit nach draußen genommen hätten, ließ ich ihn wie einen Stöpsel in der Kanalisation zurück und kroch rückwärts dem Licht entgegen. Schließlich stieg ich die Leiter des Einstiegslochs hinauf und landete inmitten des Parks, der den Mittelpunkt der Straße einnahm.

Auf den öffentlichen Straßen und zwischen den Menschen, die sich hier bewegten, waren wir zwar laut Gesetz sicher, aber die Mauern von Arabisch-Jordanien waren auch noch da, und von den Fenstern her brüllte man uns etwas nach. Ahmed und ich rannten los. Wir duckten uns und liefen im Zickzack, um eventuellen Laserschüssen zu entgehen, bis wir die Stufen der Subway erreicht hatten. Ich war im Nu unten, aber als ich mich umsah, stellte ich fest, daß Ahmed immer nur eine Stufe nahm und sich dabei am Geländer festhielt. Also lief ich – immer zwei Stufen nehmend – zurück, deckte ihm den Rücken und hielt nach Arabern Ausschau. Zwei von ihnen kamen auch und eilten die Rolltreppe hinunter. Möglicherweise suchten sie aber nach zwei Männern, die ebenfalls liefen, deswegen fielen wir ihnen nicht auf. Auf dem ersten Bahnsteig gingen wir in eine öffentliche Toilette, um weitere Verfolger abzuschütteln.

Ich bewachte die Tür, während Ahmed vier Gläser Wasser trank, sie gleich wieder wegbrachte, noch drei Gläser hinunterstürzte, sein Haar im Waschbecken wusch, sich das Hemd auszog, sich mit Papiertaschentüchern abtrocknete und beim Kämmen im Spiegel Fratzen schnitt.

Jetzt sah er zwar wieder sauber, rein und normal, aber immer noch ungewöhnlich mager aus.

„Du kannst dir nicht vorstellen, wie hungrig ich bin, George", sagte er und streckte sich die Zunge heraus. Dann saugte er seine Wangen ein und grinste. Er sah aus wie ein Totenschädel.

„Wieso hast du mich nicht mitgenommen, als du loszogst, um diesen Sowieso zu suchen, den sie entführt haben?" fragte ich. Wir tauschten die Plätze. Während ich die Toilette benutzte und mich wusch, behielt er die Tür im Auge.

„Weil es um eine Entführung geht, ein Verbrechen, und das die Rettungsbrigade nichts angeht. Man hat mich der Kriminalpolizei überstellt und dich nicht. Ich darf dir nicht mal was davon erzählen."

Ich rubbelte mir Gesicht und Hände mit feuchten Papiertaschentüchern ab und befreite mich vom Zementstaub.

„Ich bin eine Spürnase. Ich kann den Mann aufspüren. Welchen Unterschied macht es, in welcher Schwachkopf-Abteilung man da ist? Ich bin in gar keiner Abteilung. Ich bin Berater, Kategorie J." Ich klopfte mir den Zementstaub aus den Kleidern und erzeugte eine Wolke.

Die Tür ging auf. Ahmed duckte sich. Ein blonder Mann trat ein. Ahmed entspannte sich und ignorierte ihn.

„George, die Leute dort gehen mit Logik und polizeimäßiger Routine vor. Du findest deine Spuren aufgrund von Hilferufen und Vibrationen, Mann. Das hat mit Logik nichts zu tun. Der Vermißte stand zwar unter Drogen, aber er konnte immer noch aufrecht gehen, als er verschwand. Wer immer ihn auch gefunden hat – er hält ihn unter Drogen. Er weiß wahrscheinlich nicht mal, in welchen Schwierigkeiten er steckt. Keine Vibrationen."

Ahmed sah hinaus, dann verließ er die Toilette, und ich folgte ihm. Auf dem Bahnsteig waren jetzt Polizisten, die nach Störenfrieden Ausschau hielten. Sie waren ständig unterwegs und hielten Ausschau nach Anzeichen geplanter Bandenkriege. „Dich habe ich auch ohne Vibrationen gefunden, oder nicht?"

„Das ist was anderes." Ahmed stolperte über etwas auf dem Bürgersteig und konnte gerade noch sein Gleichgewicht halten. Ich sah nach unten, fand aber nichts, über das man hätte stolpern können. Ahmed sah aus, als würde er bald zusammenklappen. Seit Mittwoch war er vermißt gewesen. Hatte er den Leuten die ganze Zeit über ihre Zukunft geweissagt und darauf gehofft, ihren Anführer neugierig zu machen? Die Weissagung, die er Hashim gegeben hatte, war möglicherweise die vierhundertste einer ganzen Serie. Und jeder, dem er etwas sagte, hatte auf den roten Knopf gedrückt, wenn er mit dem, was er zu hören bekam, nicht zufrieden war. Zwei Tage und Nächte unter den Arabern konnten einen wirklich fertigmachen.

Vor uns standen die freien Transportsessel auf den Nebenspuren: „Downtown und West New York". Knapp dahinter sah ich eine Telefonzelle. Ahmed hatte keinen Armbandsender mehr, und mir hatte man keinen gegeben. Ich nahm Ahmeds Arm. „Wir gehen ins Bellevue Med Center. Ruf den Chef an und sage ihm, wie deine letzte Theorie über den Vermißten aussieht. Er wird einen anderen darauf ansetzen, und dann können wir ins Med Center gehen. Okay?"

„Okay." Er strauchelte erneut, diesmal schwerer, und ich hielt ihn fest, bis er wieder stehen konnte. Sein Arm war schweißnaß. „Manchmal hast du wirklich gute Ideen, George", sagte er.

„Ich empfange keine Vibrationen von dir, Ahmed, also habe ich dich ohne sie gefunden", sagte ich in sein linkes Ohr. „Denken kann ich."

Ich brachte ihn zu der Telefonzelle. Zum Glück gab es in ihr eine Bank, auf der man sitzen konnte. Ahmed ließ sich auf die Bank fallen, nahm den Kopfhörer und das Mikro an sich und stülpte sich alles über den Kopf.

„Okay, George, manchmal bist du wirklich ein Glückspilz. Aber übe keinen Druck aus, und halte dich nicht für so gut wie einen Polizisten mit einer Marke." Er grinste mich mit Zähnen an, die seit zwei Tagen nicht mehr geputzt worden waren, und drückte die Telefonnummern mit einer Hand, die wie eine Stimmgabel zitterte.

Ich hätte ihm eine reinhauen oder heulen können. Ich verstehe, warum die Araber in dieser Runde immer in dieses hysterische Gelächter ausgebrochen waren. Wenn man nichts tun kann, das einen weiterbringt, kann man nur noch lachen oder ausflippen. Ebensowenig wie die Araber konnte ich ihn dazu bringen, das zu sagen, was ich gerne hören wollte.

Wenn man einen Burschen nicht dazu bringen kann, das zu sagen, was er sagen soll, muß man ihn entweder umbringen, ihn sitzen oder den Boß spielen lassen. Und Ahmed war immer der Boß gewesen.

„Die Leitung ist besetzt. Du rufst das Med Center an und bringst mich dort hin, nachdem ich mit dem Hauptquartier gesprochen habe", wiederholte er.

„Jawohl, Boß", sagte ich.

Er sah mich von oben bis unten an und grinste wieder dieses knochige, großzahnige Totenkopf-Grinsen. In einem schrillen Sopran imitierte er das, was er hörte. „Captain Frankel spricht gerade auf einer anderen Leitung. Bitte hinterlassen Sie eine Nchricht. Sie wird aufgezeichnet, sobald Sie diesen Ton hören: Piiieeep!" Ich lehnte mich gegen die Zellenwand und suchte in beiden Richtungen nach Arabern, aber alles, was ich sah, waren Polizisten und gewöhnliche Fußgänger.

„Ahmed der Wissenschaftler", sagte ich. „Hoho! Ahmed der Zigeuner. Wo sind deine Ohrringe und die Kristallkugel?"

Mit einem überlegenen Lächeln sagte er: „Toleranz, George, Toleranz. Ich bin ein Opfer meiner Erbmasse; wir sind alle Opfer unserer Erbmasse. Verarsche ich dich etwa, weil du blöd bist?"

Am liebsten hätte ich ihm eines in seine grinsende Visage gehauen, aber das konnte ich nicht. Er war krank – und abgesehen davon mag ich den Burschen.

4

„Ann, Ahmed ist wieder da. Er ist in Ordnung, nur etwas schlapp und müde. Er liegt im Bellevue-Hospital." Die Telefonzelle war zu klein und zu eng.

„Von wo aus rufst du an?" Ann hat eine hübsche und klare Stimme; ich muß mir immer wieder sagen, daß sie Ahmeds Mädchen ist.

„Aus dem Hospital, ich bin in der Aufnahme." Ich sah, wie Ahmed sich auf eine fahrbare, automatische Liege legte. Sie fuhr in die Diagnosemaschine hinein und kam drei Sekunden später wieder heraus. Auf der Liege stand nun eine Zimmernummer. Auch seine Behandlung stand fest. Er war untersucht worden.

„Ich komme gleich rüber", sagte Ann und hängte ein.

Ich wählte eine andere Nummer. „Judd Oslow, bitte."

Diesmal war er nicht beschäftigt. Ich bekam eine Verbindung. „Mr. Oslow, ich habe Ahmed gefunden. Er ist drüben im Bellevue. Morgen ist er wieder in Ordnung. Sobald die Diagnosemaschine ihn läßt und er sein Zimmer hat, wird er Sie anrufen. Er weiß was über den Vermißten."

Oslow stieß einen überraschten Ruf aus. „Sehr gut! Das ist wirklich eine Überraschung, George! Um elf habe ich Ihnen den Auftrag gegeben, und um vier haben Sie ihn erledigt. Das ist schnell."

„Ich hatte ihn schon um drei. Aber Ihr Telefon war besetzt."

„Warum haben Sie nicht Ihren Armbandsender benutzt?"

„Weil ihr mir keinen gegeben habt. Weil ich kein Cop bin, sondern nur ein Experte."

„Regen Sie sich nicht auf, George. Ich werde versuchen, die Vorschriften zu umgehen. Morgen bekommen Sie einen mit der Post. Hätten Sie heute schon einen brauchen können?"

„Ahmed und ich saßen eine ganze Weile in der arabischen Enklave fest."

„Da hätten Sie einen brauchen können. Wahrscheinlich hätten Sie Hilfe brauchen können. Aber Sie sind auch so dort rausgekommen."

„Das sind wir", sagte ich. Judd war auch einer von denen, die immer mit mir sprachen, als sei ich ein Kind. „Chef, ich möchte gerne helfen, nach dem Vermißten zu suchen. Ich bin gut im Spurenlesen."

„Gut ist kaum das richtige Wort. Sie treffen ja so gut wie nie daneben. Aber ... aber ... " Er gab auf. Ich hatte recht, und das wußte er.

„Okay, George, ich möchte, daß Sie für uns überlegen, wo Carl Hodges steckt. Vielleicht landen Sie wieder so einen Treffer wie in den ersten drei Fällen. Ich darf meine Leute ja nicht nach ihm ausschicken. Es geht unsere Abeilung nichts an, deswegen geht es um meinen Kopf und nicht um Ihren. Machen Sie sich fertig, um eine Beschreibung zu speichern."

„Klar." Ich bereitete mich darauf vor, mir einen Mann vorzustellen.

„Carl Hodges, neunundzwanzig Jahre alt, Gewicht einhundertvierzig Pfund, einsfünfundsiebzig groß, braune Augen."

Ich stellte mir jemanden vor, der viel kleiner und dünner war als ich. Mir fielen ein paar kleine und untergewichtige Männer ein, die stets zu Keilereien aufgelegt waren, womit sie beweisen wollten, wie groß sie wirklich waren.

„Von Beruf ist er Koordinationsassistent der Computeranlage der Stadtverwaltung", las Judd Oslow vor.

„Und was ist das?" Ich wollte ein genaues Gefühl für seinen Job bekommen.

„Ein unheimlich wichtiger Wartungstechniker für die Stadt, das Gehirn aller Wartungs- und Instandsetzungsgruppen. Er sitzt an einem Computer und sagt voraus, wo Verschleißerscheinungen anfallen, wo es zu Unfällen kommt, Überschwemmungen stattfinden, Telefonleitungen ausfallen, Stromleitungen unterbrochen werden und wo es zu Rohrbrüchen kommt. Und bevor es soweit ist, schickt er die Instandsetzungsgruppen aus. Er bewahrt uns vor ziemlichen Schäden."

„Oh". *Dieser Carl Hodges,* dachte ich, *kann sehr stolz auf seinen Posten sein. Er ist eine große Nummer. Größer wird er gar nicht werden wollen.* „Wie geht er mit seinen Freunden um? Wie ist er da?"

„Warte, da kommt noch was. Seine Hobbies sind Schach, Minimax und Surfen. Er ist in keiner Kommune, aber er war mit einem Mädchen liiert, das im vergangenen Monat einen schlimmen Unfall hatte. Er war in diesem Monat nicht besonders glücklich. Zuletzt wurde er auf einer Fremdenvorstellungsparty gesehen. Möglicherweise hat er da unter Drogen gestanden, denn wir wissen, daß er zuletzt nur noch fortwährend von einer gefährlichen Sache gemurmelt hat. Und mit solchen Sachen hat er für gewöhnlich hinter dem Berg gehalten."

„Um was ging es da?"

„Er sagte, er wisse, wo alle Schwachstellen seien."

„Oh." Die Stadt war eine gigantische Maschine. Und Carl Hodges wußte, an welcher Stelle man Sand in ihr Getriebe werfen mußte, um Katastrophen zu erzeugen. Und er redete darüber.

„Erzählen Sie niemandem, warum wir ihn finden müssen."

„Und warum nicht?"

„Die Gerüchte könnten zu einer Panik führen."

„Okay, ich sage nichts." Ich mag zwar keine Geheimnistuerei, aber eine Panik oder andere allgemeine Gefühle dieser Art konnten dazu führen, daß ganze Völkerscharen sich in die gleiche Richtung bewegten, die Straßen verstopften, die Wege verkeilten und alles niedertrampelten und zerdrückten. Sabotagegerüchte konnten dazu führen, daß die Leute aus den Kraftwerken flohen und die Befestigungen verließen, die das Meer zurückhielten. Mir fiel der Traum wieder ein.

Der Chef der Rettungsbrigade schaffte es irgendwie, daß der Bildschirm funktionierte, ohne daß ich eine Münze in den Schlitz warf, und dann sah ich eine Fotografie von Carl Hodges. Ein drahtiger Bücherwurmtyp mit geschlossenem Mund und interessierten Augen. Er war unterdurchschnittlich klein.

Ich versuchte mich auf ihn einzustimmen, indem ich vorgab, das Bild sei mein eigenes, und ich blicke in einen Spiegel. Als ich in seine Augen sah, fühlte ich mich einsam.

„Haben Sie was, George?" fragte Judd Oslows Stimme neugierig.

Indem ich in seine Augen sah, die die meinen waren, sagte ich: „Vielleicht ist er allein. Vielleicht ist er nur mit sich selbst zusammen." Plötzlich gehörte das Bild nur noch einem mageren Fremden, und ich sah überhaupt keinen Ausdruck mehr. Überhaupt keine Vibrationen.

„Haben Sie die Namen seiner Freunde?" fragte ich Judd Oslow.

Judds Gesicht erschien nun auf dem Bildschirm. Er sah faltig aus, wie ein alter Hund. „Diese Spuren werden bereits von den Entführungsexperten verfolgt. Warum versuchen Sie's nicht mal in der Mittelalter-Kommune unten auf der Barkley? Da ist er manchmal hingegangen und hat an Schwertkämpfen teilgenommen."

Ich kannte diese Leute. Sie waren alle Wissenschaftler, die gerne nahe bei ihrer Arbeit wohnten. Manchmal hatte ich mir da ein paar Scheine verdient – als Versuchskaninchen. Ich nahm einen Gleitweg zur unteren Westside und betrat die Mittelalter-Kommune über eine direkte Rolltreppe. Ich kam in einem Park heraus, der umgeben war von der dreidimensionalen Illusion ferner Hügel, Burgen und einer entfernt liegenden Stadt, in deren Mitte der Turm einer gotischen Kirche stand. Die Illusion wurde von Kunststoffplatten erzeugt, die die rund um diesen Block liegenden Gebäude verdeckten, und wie üblich versuchte ich sie mit Blicken zu durchdringen und die dahinterliegenden Häuser und Fenster auszumachen, die das Bild verbarg. Alles sah echt aus; die Stadt war verschwunden.

Aus zwei Richtungen hörte ich das Gedonner von Pferdehufen auf mich zukommen, aber ich ignorierte es. Die Hufschläge waren auch nur eine Illusion; hervorgerufen wurden sie vom Klopfen unregelmäßig geformter Zahnräder. Ich trat zur Seite, heraus aus den Schienen.

Das Hufgetrappel kam auf gleiche Höhe und ging an mir vorbei. Dann gab es zwei dumpfe Aufschläge und ein doppeltes „Uff." Ein Mann wirbelte durch die Luft, mit dem Hintern voran. Er landete mit einem Aufklatschen mitten im weichen, grünen Gras und sprang sofort wieder auf.

„Reines Glück!" heulte er und machte einen Satz nach vorn, um eine Lanze aufzuheben, an deren Spitze ein Boxhandschuh befestigt war. „Dein Gaul war nach vorn gebeugt und meiner nach hinten! Ich verlange eine Wiederholung!"

Der andere, der auf seinem Pferd sitzen geblieben war, ließ das ausgestopfte Tier bis an den Rand des Abhangs laufen, auf den die Schienen zuführten, und wandte es um, damit er uns ansehen konnte. Er drückte ihm die Fersen in die Flanken – dort lagen die Gashebel – und kam mit donnernden Hufen auf uns zugeritten, wobei das Pferd auf seinen unregelmäßig geformten Rädern schwankte.

„In den Orkus mit dir, du Hundsfott!" Er jagte, im Sattel auf- und niederhüpfend, auf mich zu und richtete die Lanze mit dem Boxhandschuh auf meinen Kopf. Ich hatte offenbar die Ehre, sein Ziel abzugeben. Ich sprang auf die Gegenspur, auf der normalerweise das andere Pferd lief und duckte mich, bereit, ihm die Lanze zu entreißen und ihn vom Pferd zu ziehen. Da er sein Visier vor dem Gesicht hatte, konnte ich zwar weder sehen, wer er war, noch was er für einen Gesichtsausdruck hatte, aber die Stimme kam mir bekannt vor. Frank.

Als es näher kam, wurde das Pferd langsamer. Frank riß an den Zügeln und trat auf die Bremsen. „Ich weiß, was du im Schilde führst, Schurke", rief er aus. „Auf diese Weis' ist schon so manch tapf'rer Recke von einem Bauer genasführt worden. Ich ford're dich heraus. Leg' Rüstung an, und schwing' dich in den Sattel."

Wieder riß er an den Zügeln. Das mechanische Pferd blieb quietschend auf den Schienen stehen. Der Mann nahm Helm und Visier ab und zeigte sein grinsendes Gesicht. „Na, habe ich nicht den richtigen Tonfall drauf? Morgen, George."

„Morgen, Frank. Aber Spaß beiseite. Ich hab jetzt einen Job; so was wie 'n Detektiv-Job. Ich suche einen Vermißten, der vielleicht irgendwo in einen Aufzugschacht gefallen ist."

„Wie schade", sagte der Wissenschaftler ernüchtert. „Wie kann ich dir helfen?"

„Wenn ich mich in seine Persönlichkeit einstimmen könnte, kann ich ihn mit ESP finden", sagte ich und lehnte mich gegen das weiche Fell des Pferdes. „Aber ich kenne den Mann nicht. Ich muß wissen, wie er ist. Sein Name ist Carl Hodges."

„Was macht er doch gleich wieder? Ich glaube, ich erinnere mich an ihn." Frank schwang ein Bein über den Pferderücken und sprang zu Boden. Die Lanze mit dem Boxhandschuh steckte nun in einer Halterung. Er zog die schweren Handschuhe aus. Er war nur ein junger Bursche mit gesunder Ausstrahlung.

„Er macht Schadensvoraussagen", sagte ich. „Und er spielt gerne ein Spiel, das Stadtschach heißt. Kennst du ihn?"

Der andere Mann holte sich eine Tasse Tee aus einem Spender und kam zu uns herübergehumpelt.

„Stadtschach? Es ist kein Stadtschach, sondern Strategie und Taktik, Spiel Fünfundzwanzig, Sabotage und Fünfte Kolonne. Jemand hat mal gesagt, es sei ein bildendes Spiel. Die Polizei hat es anders eingestuft: als anstachelnd zum Aufruhr und Töten. Deswegen ist es verboten. Wenn wir es spielen, nennen wir es Stadtschach. Ich habe es seit zwei Jahren nicht mehr gespielt."

Frank bemühte sich, sich zu erinnern. „Im letzten Dezember habe ich es mit einem Burschen gespielt. Wir saßen im Unterhaltungsraum. Wir schalteten das Computer-Terminal ein und legten voll los. Es war ein magerer Kerl, etwas kleiner, und er hielt den Mund geschlossen. Hat auch nicht viel geredet. Er gewann."

„Hatte wohl mehr drauf als du, was, Frank?" fragte Franks Partner.

Die Beschreibung paßte auf Carl Hodges. Ich hörte zu und versuchte mir vorzustellen, wie Carl Hodges mit Frank Schach gespielt hatte. Beide benutzten für die Kalkulation ihrer Züge die Computertastatur.

„Weiß ich nicht genau", sagte Frank. „Wenn er einen Punkt verliert, ist er jedenfalls tieftraurig. Da er New York einfach zu gut kennt, sabotierten wir eine andere Stadt, ich glaube Brüssel. Ich hätte gewinnen können, aber mir fielen dauernd irgendwelche Züge ein, die ich vermeiden mußte, weil ich sonst Fakten preisgegeben hätte, die wir im Auftrag der UNO studiert und in den Giftschrank geschlossen hatten. Man hatte uns vergattert, damit wir bloß nicht darüber redeten. Und wenn ich darüber nachdachte, was ich nun tun und nicht tun durfte, geriet ich immer mehr ins Hintertreffen. Ich konnte Hodges' Strategie nicht mehr folgen und verlor."

Ich schloß die Augen und stimmte mich auf Frank ein. Vorsichtig versuchte ich mich durch den Irrgarten seiner Erinnerungen zu schlängeln. Gespeicherte Gefühle: Ärger, Alarmbereitschaft, Kampfgeist. Und die Gefühle eines anderen. Der andere war allein, kalt, und wollte gewinnen, um Frank zu beeindrucken, damit er in dessen Achtung stieg. Das Gefühl war mager, aber es war da. Andere Formen des Kontakts sind ungenau, schwach, schwer verständlich ... Ich hatte mich in Hodges' Attitüde eingestimmt.

„Danke", sagte ich. „Du hast mir sehr geholfen. Ich glaube, daß ich ihn finden kann."

Franks Partner humpelte zu seinem künstlichen Pferd und rieb seine Schrammen.

Frank nahm die Handschuhe zwischen die Zähne und schwang sich auf den Rücken seines eigenen Pferdes. „Übung kann nur gut für uns sein. Erst durch Übung wird man Meister. Es erweitert den Horizont. Wir trainieren für das Sommerturnier. Unsere Kommune wird sich dann mit den Chevaliers du Roland aus Montreal messen."

„Die werden euch einseifen", sagte ich. „Das sind doch Profis."

Franks Partner sagte: „Du weißt ja gar nicht, wie gut wir sind, George." Er schwang sich in den Sattel. „Auf, auf, Frank!"

Die Pferde rollten über die Schienen auf zwei sich gegenüberliegende Hügel zurück. Dort angekommen, betätigten die beiden Wissenschaftler die in den Flanken ihrer Reittiere untergebrachten Beschleuniger und jagten mit künstlich erzeugtem Donnergalopp aufeinander zu. Es machte zweimal *wumm*. Die auf den Lanzen befestigten Boxhandschuhe klatschten dem jeweiligen Gegner seitlich gegen das Kinn. Als die Stoßdämpfer in Aktion traten, um zu verhindern, daß die beiden sich den Hals brachen, sah ich, daß die Lanzen sich ineinander schoben. Die Männer flogen hintenüber, fielen von den Pferden und landeten mit einem zweifachen Plumps auf dem weichen Gras.

Hätte ich nicht soviel zu tun gehabt, wäre ich geblieben und hätte gelacht, aber da ich auf Carl Hodges eingestimmt war, verging mir das Lachbedürfnis sofort. Hodges war kalt und einsam. Er verabscheute gesellige Menschen und schien keinen Sinn für Humor zu haben. Ich folgte der Spur, auf der man Hodges zuletzt gesehen hatte, und ging auf eine Fremdenvorstellungsparty. Es war die gleiche, auf der auch er gewesen war, bevor er verschwand.

Ich tanzte mit einem Mädchen. Sie sagte, ich hätte zwei Gesichter. Ich war leicht betrunken und etwas benebelt, als ich den kalten, einsamen Gefühlen folgte, die Party verließ und nach Norden ging. Die in der Dunkelheit liegenden Gebäude warfen das Echo meiner Schritte zurück, bis die vom Grillengezirpe erfüllte Stille des Straßenbewuchses und der Bäume sie verschluckten.

Ich kam zu den Pechblocks. Es waren nur noch Ruinen, fast eingestürzt. Als man sich die Statistik angesehen hatte, war man darauf gekommen, daß diese Gegend eine Keimzelle des Pechs gewesen war. Hier hatte es nur Ärger, Unruhen, kleine Epidemien und von der Pleite bedrohte Unternehmen gegeben. Man konnte das Pech zwar nicht erklären, aber es war nun einmal übel. Als die nächste Feuersbrunst ausbrach, baute man die Häuser erst gar nicht wieder auf.

Ich ging über den flachgetretenen Schutt, trat gegen ein paar Ziegelsteine und forderte das Pech heraus. Es war kontrastreich, mondbeschienen und hatte schwarze Schatten, die solide aussahen. Und das waren sie auch.

Im Morgengrauen wachte ich auf und sah zu, wie rosafarbenes Sonnenlicht die auf dem Dach des Gebäudes wachsenden Büsche beschien; sie wurden so hell wie die Kerzenflammen auf einem Geburtstagskuchen. Im Gras neben meinen Ohren sangen und zirpten die Grillen. Grashalme kitzelten mein Gesicht.

Ich bewegte mich, verspürte Schmerz, lag still. Ich fühlte den Schmerz des Getretenwerdens. Es tat mir überall weh. Die Halbstarkenbande verstand eine Menge vom Treten. Es war ihr Recht. Ich hatte mich in ihrem Territorium aufgehalten. Normalerweise passiert mir nichts. Die meisten Leute mögen mich und haben nichts dagegen, wenn ich mich im Gebiet ihrer Kommune aufhalte. Eine Bande weggelaufener Halbwüchsiger war jedoch der Meinung gewesen, daß es an der Zeit sei, endlich mal zu zeigen, wer hier der Herr im Hause war.

Nachdem sie mit dem Treten fertig gewesen waren, hatten sie mich außerhalb ihres Territoriums auf einem Bürgersteig zurückgelassen und mir die Finger mit chinesischen Fesselröhren an die Zehen gebunden. Es dauerte eine gewisse Zeit, bis ich mich befreien konnte und zur Karmischen Bruderschaft runterging, um in deren Kommune zu schlafen.

Die Brüder im Vorderzimmer sagten, ich würde eine wichtige Gruppenmeditation stören, da ich schlechte Vibrationen ausstrahle und besorgt sei. Dann gaben sie mir eine Tasse Tee und schoben mich mitsamt meinem Schlafsack hinaus. Mich ziemlich ungeliebt fühlend, marschierte ich los und fing an, mir die Steifheit aus den Muskeln zu massieren. Ich mußte irgendwas Spaßiges tun, um wieder gute Laune zu kriegen. Ich verließ den Grüngürtel, um der Rettungsbrigade zu sagen, daß ich mir einen halben Tag freinahm.

Als die Sonne hoch am Himmel stand, kletterte ich den Ostturm der George-Washington-Brücke hinauf. Ich nahm dabei die harte Tour über die Verstrebungen, klammerte mich mit nackten Händen und Füßen an, kletterte an herabhängenden Kabeln hinauf und setzte mich ab und zu irgendwohin, um das Glitzern der Sonne auf dem Wasser zu beobachten, das über dreißig Meter tief unter mir lag. Große Schiffe glitten auf dem Wasser dahin und sahen aus wie Spielzeuge.

Der Wind blies gegen meine Haut. Manchmal war er warm, dann wieder kalt und feucht. Ich sah einem Wolkenteppich zu, der von Süden her über den Fluß trieb; er verdunkelte die Türme großer Gebäude, wurde zu einer dunkelblauen Insel auf dem hellen Blau des Flusses, kam näher und wurde größer. Dann lag eine lange Zeit ein kühler Schatten über der Brücke, und ich sah auf und beobachtete, wie sich zwischen mich und die Sonne eine dunkle Wattewolke schob.

Die Wolke zog weiter, und das Licht gleißte. Ich schaute weg, hatte plötzlich schwarze Punkte vor den Augen und sah zu, wie der Wolken-

101

schatten im Westen auf eine gigantische Klippe zusteuerte und hinter derem höchsten Punkt verschwand. Ich suchte mir einen Weg über einen steilen, abschüssigen Träger und bewegte mich äußerst vorsichtig, weil die Punkte immer noch vor meinen Augen waren. Tief unter mir erklangen die stetigen Verkehrsgeräusche von dem weißen Band der untersten Ebene der Brückenstraße. Die Radfahrer auf der obersten Ebene radelten vorbei wie Ameisen.

In der Ferne stieg mit flatternden Schwingen eine Möwe auf und kam auf mich zu. Sie fand einen Aufwind und ließ sich mit ausgebreiteten Schwingen treiben. Sie bewegte sich nicht und blieb schwebend vor mir stehen, mit hübschen weißen Flügeln, einem sardonisch-zynischen Kopf mit nach unten gerichtetem Schnabel und ausdruckslos musternden Augen.

Es reizte mich, die Hand auszustrecken und zuzupacken. Ich verlagerte den Griff einer Hand auf der Querverstrebung und schwang ein Knie über den Träger.

Die Möwe richtete die Spitzen ihrer Schwingen nach unten, stieg auf und entfernte sich wieder. Sie war jetzt etwas weiter weg.

Schließlich wurde mir klar, daß ich nicht dumm genug war, um mich von einer Möwe hereinlegen und von der Brücke stürzen zu lassen.

Die Möwe kippte zur Seite, jagte einen langen, unsichtbaren Abhang hinab und kreischte: „Krie! Ha, ha, ha. Ha, ha, ha ..." Es klang wie ein Gelächter. Ich hoffte, sie würde zurückkommen und sich mit mir anfreunden, aber ich hatte noch nie davon gehört, daß jemand Freundschaft mit einer Möwe geschlossen hatte. Ich kletterte an den steilen Trägern abwärts und ging dabei vorsichtig zu Werke. Ich tastete mit Fingern und Zehen und fand eine Eisenleiter, die an der Turmecke angebracht war. Ich kletterte auf dem schnellsten Weg nach unten und gelangte an einen Farbenschrank und ein Telefon. Etwa drei Meter oberhalb der Fahrbahn sah ich den Radfahrern und Fußgängern zu, als ich die Rettungsbrigade anwählte und Judd Oslow verlangte.

„Chef, ich hab's satt, Urlaub zu machen."

„Heute morgen sahen sie wie eine Leiche aus. Wie lange haben Sie gestern nacht gearbeitet?"

„Halb vier."

„Irgendwas über Carl Hodges rausgekriegt?"

„Kaum was." Ich sah den summenden Hubschraubern und Flugzeugen zu, die hoch über mir am Himmel kreuzten. Ich war nicht sonderlich wild darauf, über mein Versagen in der letzten Nacht zu reden.

„Wo sind Sie jetzt?"

„In einem Anstreicher-Krähennest auf der George-Washington-Brücke."

„Ist das Ihre Art von Ausruhen – eine Brücke zu besteigen?"

„Ich bin weg von den Leuten. Ich klettere gern."

„Okay, Ihre Sache. Sie sind in der Nähe des Presbyterian Medical Center. Melden Sie sich dort auf dem Büro der Brigade und füllen Sie die Berichte für die letzte Woche aus. Für ein paar Dinge, die Sie erledigt haben, würden wir Sie möglicherweise gerne bezahlen. Die Auskunftsdame wird Ihnen beim Ausfüllen der Formulare helfen. Sie wird Ihnen sicher gefallen, George. Sie hat nichts gegen Bürokram. Geben Sie ihr die Chance, Ihnen zu helfen."

Die hübsche Sekretärin mit dem rundlichen Gesicht und dem lockigen Haar freute sich gar nicht, mich wiederzusehen. Sie hörte auf zu lächeln und beendete ihr Gespräch mit den anderen Büroleuten. Dann war sie nur noch geschäftsmäßig. „Ja? Was kann ich für Sie tun, Mr. Sandford?"

Nach dem gestrigen Wirrwarr wollte ich gern, daß sie besser von mir dachte. „Ich schreibe mich S-a-n-f-o-r-d. Meine Postadresse ist die Karmische Bruderschaft auf der Neunten Avenue, zwischen der 17. und 18. Straße. Ich möchte einen Bericht machen, und zwar über eine Arbeit, die ich gestern erledigte, nachdem ich hier war."

Sie füllte flink den Kopf eines Standardformulars aus und wirkte richtig glücklich. Man muß einem Mädel nur etwas geben, das es für einen erledigen kann.

„Was haben Sie für einen Dienstgrad?"

„Spezialist, Kategorie J. Berater. Bei der Rettungsbrigade."

„Wen beraten Sie?"

„Ahmed Kosvakatats, nehme ich an. Ich habe für ihn gearbeitet, um ihn aufzuspüren, aber ich konnte nicht mit ihm reden. Er war vermißt."

Sie hörte mit dem Tippen auf und sah mich unerbittlich an. „Wer erteilte Ihnen den Auftrag zu dieser Tätigkeit, Mr. Sanford?"

„Judd Oslow, der Chef der Rettungsbrigade. Aber ich habe ihn angerufen. Ich rief ihn um zehn Uhr an, und da erzählte er mir, daß Ahmed vermißt wurde. Da fing ich an. Ich war fertig gegen vier."

Sie tippte überhaupt nichts davon nieder. Sie wurde blaß, biß sich auf die Oberlippe und strahlte schlechte Vibrationen aus. Ich glaube, sie hatte Angst davor, so wütend zu werden, wie sie gerne geworden wäre. Dann sagte sie mit roboterhafter Stimme: „Wen haben Sie zwischen zehn und vier Uhr beraten – oder von wem wurden Sie in dieser Zeit konsultiert?"

Da versuchte ich ihr Tatsachen zu geben, und nichts davon schien in die blöden kleinen Spalten ihrer Vordrucke hineinzupassen. „Ich bin eine Menge herumgelaufen und habe nachgedacht; dann hatte ich allerhand zu klettern. Ich mußte auch eine Zeitlang warten. Dann fesselte ich eine Geisel, Akbar Hisham; später mußte ich ihn schleppen und wieder klettern. All das war Schwerarbeit; Arbeit für die Rettungsbrigade. Aber der letzte Teil war wohl mehr eine Entführung als eine Beratung." Ich sprach jetzt etwas lauter, weil sie gar nichts davon tippte. Sie sah mich nur an und biß sich auf die Lippe.

Ich kriegte Kopfschmerzen und hatte Angst, wieder diese großen, silbernen Flugzeuge gegen irgendwelche Mauern rasen zu sehen. Dies hier war auch Schwerarbeit. „Kriege ich eigentlich für's Fragenbeantworten Überstunden bezahlt?" fragte ich.

Plötzlich war Ahmed da und streckte einen langen Arm aus, um den Kassettenrekorder abzuschalten.

„Nein, kriegst du nicht. Um Himmels willen, George, laß mich die Formulare ausfüllen, bevor du Janet in den Wahnsinn treibst. Ich kenne deine Stundenzahl. Judd nahm deinen Expertenrat telefonisch von zehn bis zehn Uhr dreißig in Anspruch, als er dir sagte, daß ich vemißt sei." Er wandte sich an das hübsche Mädchen. „Janet, tragen Sie ein, daß Judd Oslow ihn eine halbe Stunde konsultierte. Von zehn Uhr dreißig bis eins war er unterwegs, um Informationsmaterial zu beschaffen, selbiges auszuwerten und zum Ort des Geschehens zu gelangen. Das fällt unter den Oberbegriff Forschungstätigkeit und Transport, also Research, ohne Mittagspause, das macht zweieinhalb Stunden bei vollem Spezialistentarif. Von eins bis vier hat er mich beraten, aus einem Labyrinth herauszukommen und einer Ermordung zu entgehen. Georges Riecher ist wie eine Versicherung. Tragen Sie drei Stunden ein, in denen ich ihn konsultierte. An Spesen gab es zwei Mahlzeiten à 20 Dollar, denn Fahrtkosten und andere Ausgaben gehören zu seinem Beraterhonorar. Und zwei Mahlzeiten schulde ich ihm."

Janet tippte fleißig vor sich hin. Ihr hübsches Gesicht glühte.

Als sie fertig war, nahm sie das Formular aus der Maschine, gab jedem von uns einen Durchschlag und lächelte Ahmed schmachtend an. „Vielen Dank, Mr. Kosvakatats."

Er lächelte mir zu. „Fühlst du dich besser?"

„Mir geht's gut." Mir fielen meine Schrammen wieder ein.

„Na, dann komm."

Wir gingen hinaus und sahen uns die hohen Türme des Presbyterian Medical Center an. Auf den Landeplattformen starteten und landeten ununterbrochen Hubschrauberambulanzen.

„Laß uns keine Zeit vergeuden, George. Stimm dich auf Carl Hodges ein", sagte Ahmed und zog ein Notizbuch und einen Schreibstift hervor. „Hast du ein Bild von ihm dabei?"

„Nein."

„Ich habe eins." Ahmed zog einen Umschlag aus der Tasche und reichte mir ein Foto.

Es war, als würde der Boden unter unseren Füßen einen Satz nach oben tun. Die Dunkelheit kam wie ein Schlag, als das Hintergrundgesumme zahlreicher Bewußtseine sich von den Vibrationen der Stadt löste. Sie rauschte vorbei wie eine donnernde Welle, die die Schallmauer durchbricht. Ich schloß die Augen, um mich einzustimmen. Die Schockwelle klingelte immer noch durch das Bewußtsein der Stadt. Aber es war nicht mehr alles da. Ein klaustrophobisches Gefühl, das Gefühl, eingesperrt zu sein, hatte mich in die luftige Höhe der Eisenträger der Brücke getrieben. Es verschwand mit der sich auflösenden Gegenwart der vielen Geister, die sich eingeschlossen und festgesetzt fühlten. Sie hatten gesendet, nun erstarben sie.

Ich machte die Augen auf. Die Welt war heller geworden – die Luft frischer. Ich atmete tief ein. „Etwas Großes", sagte ich. „Etwas …"

Ahmed schaute auf den Sekundenzeiger seiner Uhr. „Etwa eineinhalb Kilometer", murmelte er.

„Was machst du da?"

„Irgendwo hat es eine Explosion gegeben. Ich rechne die Entfernung aus. Das Geräusch kommt zuerst durch den Boden, dann durch die Luft. Ich warte auf den Knall. Die Differenz kriege ich durch die Zeitverschiebung."

Das Geräusch des Sterbens der Unterseestadt kam nach dreißig Sekunden. Es war ein knirschendes Brüllen, gedämpft und leise, wie aus weiter Ferne.

Ich machte die Augen wieder zu und spürte, wie sich um mich herum die Welt veränderte und zu etwas anderem wurde.

„Hast du was, George?" fragte Ahmed aufgeregt. „Das waren etwa zehn Kilometer."

„Jemand weiß, was da passiert ist. Ich empfange ihn. Die Brooklyn-Kuppel ist gerade zusammengebrochen."

„Zwölftausend Einwohner", sagte Ahmed und betätigte grimmig seinen Armbandsender, während er sich einen Hörstöpsel ins Ohr schob. „Das Hauptquartier antwortet nicht. Da sind nur Besetztzeichen. Vor einer Katastrophe leeren sich meist die Plätze. Eine Menge Leute scheinen zu spüren, daß etwas auf sie zukommt. Ich rechne mit mindestens viertausend Toten."

Ich machte die Augen wieder zu und erforschte einen anderen Ort. „Da hat jemand einen Alptraum", sagte ich. „Und kann nicht wach werden."

„Flipp' jetzt nicht aus, George, halt' dich an die Fakten. Es sind gerade eine Menge Leute gestorben. Schalt' dich darauf ein. Ich versuche uns Anweisungen zu holen."

Ich stand mit geschlossenen Augen da und untersuchte diese Sache in meinem Kopf. Irgendwo war ein Mann in einem Alptraum gefangen und lag im Halbschlaf in einem dunklen Gefängnis oder einem Schrank. Es war so ähnlich wie in einem Delirium.

Die wirkliche Welt war an diesem hellen Tag schon grausam genug, aber die schwarzen und sich windenden Fragmente in der Innenwelt des Mannes waren noch schlimmer. Es war etwas Wichtiges an seinen Gedanken. Er hatte die entfernte Explosion ebenso gespürt wie die anderen – und er wußte, was sie bedeutete. Er hatte sie erwartet.

„Ich kann nicht rausfinden, wo er steckt", sagte ich, machte die Augen auf und gab mich wieder der sonnenbeschienen Welt hin, die mich umgab.

Ahmed kniff die Augen zusammen, legte den Kopf schief und lauschte den aufgeregt quäkenden Stimmen, die aus seinem Hörstöpsel kamen.

„Mach dir nichts draus, George. Das ist wahrscheinlich Carl Hodges. Der läuft uns nicht weg. Das Hauptquartier übermittelt gerade allgemeine Anweisungen für den Notfall. Die Reparaturtrupps und Inspektoren sollen sofort alle gefährdeten Punkte der automatischen Anlagen untersuchen und nach Beschädigungs- und Sabotagehinweisen Ausschau halten. Man hat Reparatur- und Inspektorenteams in die Jersey-Kuppel beordert, damit sie sich dort umsehen und sicherstellen, daß dort nicht das gleiche passieren kann. Man hat ihnen aufgetragen, ihre Anwesenheit als Routine-Sicherheitsüberprüfung zu deklarieren.

„Und was machen wir? Was ist mit uns?"

„Warte, ich höre zu. Sie haben unsere Namen genannt. Wir gehen zur Jersey-Kuppel und versuchen den Saboteur ausfindig zu machen, der die Brooklyn-Kuppel sabotiert hat. Es ist nicht auszuschließen, daß er in der Jersey-Kuppel die gleiche Methode anwendet."

„Welche Methode?"

„Das wissen sie noch nicht. Sie wissen nicht einmal genau, ob es überhaupt einen Saboteur gibt. Das sollen wir herausfinden."

„Wenn es ein Saboteur war, ist er jetzt vielleicht wieder an der Arbeit." Wir mußten uns beeilen. Wir rannten zu den Stiegen der Subway, gelangten auf die Untergrund-Rollbahn und schnappten uns ein paar leere Sessel, die langsam neben uns herfuhren. Wir beschleunigten und eilten auf die schnellsten Spuren zu.

Damit wir zur Jersey-Kuppel kamen, mußten wir mehrmals die Spur wechseln, bis wir auf die innersten Spuren kamen, die am schnellsten sind. Auf den langsameren Spuren kamen uns Leute entgegen, die tragbare Fernseher bei sich hatten und sie wie Zeitschriften vor sich hielten, um auf den Bildschirmen das Ausmaß der Katastrophe zu verfolgen.

Die Stimme des Sprechers war nur ein Murmeln. Wenn wir daran vorbeikamen, wurde es lauter, um dann wieder zu versiegen.

„Die Brooklyn-Kuppel: fünfzehn bis fünfundsechzig Pfund Atomsphärendruck pro Quadratzoll. Aufwärtsexplosion. Es gab zuerst eine Implosion, dann eine Explosion." Die Stimme wurde wieder lauter, als uns der nächste langsame Sessel entgegenkam. Der Mann, der hier zusah, hatte das Gerät auf das Sicherheitsgeländer gestellt, damit er mehr sehen konnte. Der Ton war laut. „Schutt schwimmt in einem Umkreis von fast zwei Kilometern über dem Explosionsmittelpunkt. Die Rettungsboote der Küstenwache, Unterseeboote und Scuba-Taucher halten sich in dem Gebiet auf und suchen nach Überlebenden."

Wir näherten uns einem Bildschirm, der das aus der Ferne aufgenommene Bild einer Explosion aufgenommen hatte, die sich wie ein Regenschirm am Horizont öffnete, und fuhren daran vorbei.

„Und so sah die Explosion vom Deck des Frachters Mary Lou aus."

Ich machte es mir in meinem Sessel bequem und schloß die Augen, damit ich mich konzentrieren konnte. Wir mußten verhindern, daß sich das gleiche Desaster in der Jersey-Kuppel wiederholte. Wer immer dafür verantwortlich war, er würde sich darüber freuen, wenn er die Explosion auf dem Bildschirm sah. Wer dafür verantwortlich war, mußte sich an der Zerstörung erfreuen und Spaß am Tod und dem Blut der kleinen Stadt haben. Ich ließ mich einfach sinken. Ich war jemand. Ich ließ meinen Geist durch die Stadt tasten und suchte nach jemandem, der sich über die Explosion freute.

„Die Polizei untersucht den Explosionsfall immer noch", sagte das Murmeln und wurde lauter, als wir den nächsten Fernsehzuschauer auf der Langsamspur passierten. Jemand gab dem Sprecher einen Zettel. „Ah, da kommt eine weitere Nachricht. Bell Telephone hat den Ermittlungsbehörden acht Aufzeichnungen aus öffentlichen Telefonzellen in der Brooklyn-Kuppel ausgehändigt. Diese Anrufe wurden in dem Moment getätigt, als die Kuppel vernichtet wurde."

Hinter dem Sprecher wurde ein Gesicht eingeblendet. Es handelte sich um das vergrößerte Abbild einer telefonierenden Frau. Nach einem Augenblick der Gewöhnung nahm das Frauengesicht für den Betrachter normale Dimensionen an. Der Sprecher schrumpfte auf Ameisengröße zusammen und wurde nicht mehr wahrgenommen, als die Frau eilig sprach. „Ich halte es hier keine Minute mehr aus. Ich wäre ja schon gegangen, aber es geht nicht. Der Bahnhof ist völlig verstopft, und vor den Fahrkartenschaltern stehen lange Schlangen. So was habe ich noch nie gesehen. Jerry besorgt Fahrkarten. Hoffentlich beeilt er sich." Das ängstliche Gesicht der Frau sah sich nach zwei Seiten um. „Ich höre die komischsten Geräusche, wie Donner. Oder wie ein Wasserfall."

Die Frau schrie auf, dann kippte der Hintergrund weg, und die Telefonzelle fiel zur Seite. Eine Hand flog am Objektiv der Kamera vorbei, die Finsternis kam in mehreren Lagen, dann zerbrach das Bild und wurde zu einem statischen Knistern. Der Bildschirm wurde grau, und der ameisenartige Sprecher, der genau davor saß, nahm seine Rede wieder auf. Die Kamera fuhr auf ihn zu, bis er wieder seine Normalgröße hatte. Er zeigte ein Schaubild.

Ich machte die Augen auf und reckte mich. Um mich herum schauten die Leute auf ihre Bildschirme und sahen sich die Bilder an, die ich gerade vor meinem geistigen Auge betrachtet hatte. Ich sah ein Schaubild jenes Platzes, an dem sich die Telefonzelle in der Brooklyn-Kuppel befunden hatte, und dann kam eine weitere Aufzeichnung von einem nichtsahnenden Menschen, der dem Tode geweiht war, ohne zu wissen, was ihm passieren würde.

Ausdruckslos schauten die Leute in den sich bewegenden Subway-Sesseln zu und umklammerten ihre Fernseher, als warteten sie darauf,

daß die Decke einstürzte. Das Publikum bekam etwas geboten ...
Machthunger, großartige Sachen, Wumm! Unbändige Kräfte, Voll-
kommenheit ... den bewundernswerten Triumph völliger Zerstörung.
Eine tolle Show. Hoffnung auf noch mehr Entsetzen.

In der ganzen Stadt sahen die Leute sich den unbekümmert telefonierenden Narren an und warteten darauf, daß es endlich losging. Sie
sehnten das Unheil förmlich herbei und hofften, daß es diesmal noch
größer, schwärzer, beängstigender und vernichtender zuschlug.

Ich machte die Augen zu, bis die heiseren Schreie verklungen
waren, musterte den Hinterkopf eines anderen vorüberfahrenden TV-
Betrachters und wandte mich dann um, um das Gesicht der Frau zu
sehen. Sie bemerkte mich nicht. Sie starrte gedankenverloren auf den
Bildschirm, und ihr Gesicht zeigte nicht den geringsten Ausdruck.

Ob sie zugeben würde, daß sie sich freute? Wußte sie überhaupt, daß
sie einen donnernden Wasserfall dazu drängte, endlich herabzustürzen
und den Tod mit sich zu bringen? Es war typisch für Fernsehzuschauer. Sie lieben das Extreme. Zugute halten konnte man ihr höch-
stens, daß sie ein junges Liebespaar, das sich auf dem Bildschirm zeigte
ebenso dazu drängen würde, sich inniger zu küssen, damit sie sich an
ihren Zärtlichkeiten erfreuen konnte. Wer das Leben liebt, liebt auch
den Tod.

Ich ließ mich tiefer in meinen Sessel sinken, schloß die Augen und
glitt auf den Wellen der Emotionen dahin, die Millionen von Fernseh-
zuschauern in diesem Moment empfanden: Gefühle, die durch das
Zusehen synchronisiert wurden. Die Masse genoß das Grauen und
den Tod einer kleinen Stadt. Immer wieder Erwartung, Vorfreude,
Panik, Vernichtung, Ende, Befriedigung.

Der im stillen angebetete Gott des Todes konnte zufrieden sein.

Zwanzig Minuten später, nachdem wir auf einen Bahnsteig überge-
wechselt waren, dessen Türen aus Luftschleusen bestanden, durch die
man in eine dichtere Atmosphäre kam, erreichten wir mit Hilfe der
unterseeischen Röhrenbahn die Jersey-Kuppel. Einwohnerzahl: zehn-
tausend; Bewohner: städtische Beamte mit ihren Familien.

Das Verwaltungsgebäude des Stadtdirektors bestand aus großen,
farbigen Blöcken aus leichtgewichtigem, durchscheinendem Plastik-
schaum und ähnelte einem Haus, das Kinder aus Bauklötzen errichtet
hatten. Es gab keinen Wind, der es hätte fortblasen können. In seinem
Inneren zauberte das Licht Flecken auf den Schreibtisch des städtischen Beamten. Er war ziemlich klein und saß hinter einem Riesen-

tisch. Während er auf einem Apparat telefonierte, blinkte auf dem anderen ein rotes Licht auf.

„Wir haben alle Züge eingesetzt. Jeder will hier raus. Nein. Zu einer Panik ist es nicht gekommen. Dafür liegt kein Grund vor." Er hängte ein und warf dem aufblinkenden anderen Apparat einen Blick zu.

„Dieses Telefon da", sagte er und zeigte mit dem Finger auf den Apparat, „ist eine Außenleitung, an der ganze Horden von idiotischen Reportern hängen, die mich fragen wollen, wie Kuppeln gebaut werden und es dazu kommen konnte, daß die Brooklyn-Kuppel in die Luft geflogen oder eingestürzt ist. Und dann wollen sie noch wissen, wann das gleiche mit der Jersey-Kuppel passiert. Die sind alle völlig verrückt. Und was wollen Sie?"

Ahmed öffnete seine Brieftache und wies sich aus. „Wir sind von der Metropolitan Rettungsbrigade. Wir sind Spezialisten, die Leute auffinden, indem wir das vorhersagen, was sie tun werden. Man hat uns hergeschickt, damit wir einen möglicherweise Wahnsinnigen aufspüren, der eventuell die Brooklyn-Kuppel sabotiert hat und vielleicht das gleiche mit der Jersey-Kuppel vorhat."

„Aber nur vielleicht", erwiderte der Stadtdirektor der Jersey-Kuppel mit zitternd schriller Ernsthaftigkeit in der Stimme. „Vielleicht aber sind gerade Sie die einzigen gefährlichen Irren hier unten. Irre, die davon reden, daß die Jersey-Kuppel zerbricht. Aber sie kann nicht brechen. Verstehen Sie das? Alles, was wir fürchten müssen, ist eine Panik. Verstehen Sie das?"

„Sicher", sagte Ahmed sanft. „Aber wir haben nicht vor, darüber zu reden. Unsere Aufgabe besteht darin, den Saboteur zu finden. Vielleicht ist alles, was wir hier tun, nur eine reine Routinevorsichtsmaßnahme."

Der Stadtdirektor zog eine Pistole aus der Schreibtischschublade und richtete sie mit zitternder Hand auf uns. „Sie reden ja immer noch davon. Dies ist eine Notsituation. Ich bin der Stadtdirektor. Ich könnte die Polizei anrufen und Sie geknebelt in eine Klapsmühle einliefern lassen."

„Machen Sie sich deswegen keine Sorgen", sagte Ahmed ruhig, nahm seine Brieftasche vom Schreibtisch und steckte sie wieder ein. „Wir sind nur hier, um die Maschinerie zu bewundern. Können wir eine Karte haben?"

Der Stadtdirektor ließ die Pistole sinken und legte sie auf den Tisch. „Wenn Sie keinen Mist bauen, wird das Mädchen im Vorzimmer

Ihnen alle Karten und Pläne geben, die Sie benötigen. Sie werden feststellen, daß bereits eine Menge Techniker an der Arbeit sind. Sie sehen die Leitungen nach und überprüfen sie. Sie sind da, um Verbesserungen einzubauen. Verstehen Sie?" Seine Stimme war zwar immer noch nervös und schrill, klang aber etwas beruhigter.

„Wir verstehen", versicherte Ahmed ihm. „Alles ist absolut sicher. Wir schauen uns mal die neuen Einbauten und so weiter an. Komm, George." Er drehte sich um und ging hinaus. An der Rezeption blieb er stehen, um sich eine Karte geben zu lassen.

Als wir draußen auf dem geschwungenen Gehweg waren und uns das unschuldig aussehende blaugrüne Licht der Kuppel beschien, warf Ahmed einen Blick zurück. „Ich bezweifle allerdings, daß der Stadtdirektor völlig in Ordnung ist. Was meinst du, George: Hat er einen Sprung in der Schüssel?"

„Noch nicht, aber er ist nahe daran." Ich sah beunruhigt nach oben auf das blaugrüne Leuchten und bildete mir ein, einen Riß zu sehen. Aber der dunkle Steg war nur ein Katzensteg in der Nähe der Kuppeloberfläche.

„Was wird er tun, wenn er durchdreht?" fragte Ahmed.

„Rumlaufen und ‚Der Himmel stürzt ein!' kreischen, wie Majestix", murmelte ich. „Was sonst?" Ich peilte noch einmal ängstlich das grüne Leuchten der Kuppel an. Sackte sie nicht schon in der Mitte ein? Nein, das war nur eine optische Täuschung. War da neben dem Luftschacht nicht doch ein Riß? Nichts da, nur ein weiterer Katzensteg, der wie ein Spinnennetz an der Decke hing.

Ich strengte mich an, lenkte meinen Blick von der Kuppelspitze weg und sah, daß Ahmed an einem kleinen Gebäude stand, das als KRAFTWERK-NEBENSTATION 10002 bezeichnet wurde. Es sah aus wie ein drei Meter hohes, von Kindern gebautes Bauklotz-Haus, das von Büschen eingerahmt war, die einem Park ähnelten. Ahmed schaute durch die offene Tür. Er winkte mir, und ich beeilte mich, um ihn zu erreichen, wobei ich das Gefühl hatte, als würde die dicke, unter Druck stehende Luft mir Widerstand entgegensetzen wie Wasser.

Ich sah hinein und erblickte einen Mann, der sich an den schweren Stromkabeln zu schaffen machte, die die unterseeische Kuppel mit Licht und Energie versorgten. Die Verschlußplatten waren abgeschraubt worden, und man konnte das ganze Strippengewirr sehen.

Handlungen und Laune des Mannes waren die eines ernsthaft vorgehenden und vorsichtigen Arbeiters. Er schloß irgendwo ein

Meßgerät an, setzte es wieder ab, machte sich Notizen und begann die Prozedur von neuem.

Ich musterte ihn. Der Mann strahlte auf eine seltsame Weise Angst aus. Seine Angst war schlimmer als das Gefühl, in einem unterseeischen Kasten eingeschlossen zu sein.

Ich selbst verspürte ein ähnliches Unbehagen, das immer größer wurde. Zweifelnd sah ich Ahmed an.

Ahmed hatte sich gegen die offene Tür gelehnt und sah zu. Dann holte er mit einem Seufzer tief Luft und ging in das Gebäude hinein. Er blieb körperlich im Gleichgewicht, um auf alles vorbereitet zu sein. „Okay, wie geht es mit den Verbesserungen voran?" fragte er den Arbeiter.

Der Mann grinste ihn über die Schulter an. Auf der Stirn wurde er schon kahl. „Keine einzige Verbesserung; nicht mal 'ne kleine Bombe."

„Zeigen Sie mal Ihre Papiere. Wir suchen nach einem Saboteur". Ahmed streckte die Hand aus.

Der Mann zog entgegenkommend einen Plastikausweis unter seinem Revers hevor und drückte den Daumen auf den eingravierten Abdruck, so daß wir sehen konnten, daß beide zueinanderpaßten. Er schien keine Angst vor uns zu haben und war ganz freundlich.

„Okay." Ahmed gab ihm den Ausweis zurück.

Der Elektriker steckte ihn sich wieder an. „Viel Spaß, meine Herren Detektive. Ich hoffe, daß Sie Ihren verrückten Bombenleger finden, damit wir aufhören können, nach Defekten zu suchen, und nach Hause gehen können. Ich kann die Luft hier unten nicht vertragen. Komischer Mief. Gefällt mir nicht."

„Mir auch nicht", sagte ich. Ein intensiver Geruch lag in der Luft. Ich fühlte das Gewicht des Wassers über der Kuppel und hatte den Eindruck, es würde die Luft der Stadt nach unten drücken. „Schlechte Luft."

„Es ist Helium drin", bemerkte Ahmed. Er prüfte die Karte der kleinen Stadt und sah in die Richtung eines gläsern funkelnden Aufzugsschachts. Ein Metallkäfig stieg im Inneren des Schachts nach oben. Er leuchtete im Halbdunkel wie ein gewaltiges Vogelbauer voller Menschen, das in einem riesengroßen Wohnzimmer hing.

Ich versuchte noch mal tief Luft zu holen und hatte das seltsame Gefühl, daß das, was ich atmete, keine Luft war. „Es schmeckt so komisch. Wie nachgemachte Luft."

„Es ist egal wie es schmeckt", sagte Ahmed und ging vor mir her. „Hauptsache ist, daß die Leute aufgrund des Innendrucks nicht das Zipperlein kriegen, wenn sie hier herausgehen. Warum hast du den Mann nicht als okay eingestuft, George? Sein Ausweis war doch in Ordnung."

„Er hatte Angst."

„Wovor?" fragte Ahmed mich.

„Nicht vor uns. Ich weiß es nicht."

„Dann ist es auch nicht wichtig. Jedenfalls hat er keine krummen Sachen vor."

Wir gingen durch den kleinen grünen Park und durch die dicke Luft auf den funkelnden Glasschacht zu, der vom Boden aus zur Spitze der hohen Kuppel hinauflief, die das Dach der Stadt bildete. Im Inneren der großen Glasröhre stieg langsam ein hellerleuchteter Käfig hoch, in dem eine Menge Leute standen. Sie überblickten die Stadt wie ein Kanarienvogel ein großes Zimmer.

„Als nächstes überprüfen wir die Luftpumpenkontrollen", sagte Ahmed. „Sie sind in der Nähe des Lifts." Leute kamen an uns vorbei, sie sahen ernst aus und waren zu gut angezogen. Sie waren blaß und still, steif und sauber. Nicht Ahmeds Fall. Beamte, Verwaltungsangestellte und Buchhalter.

Ich folgte ihm und versuchte Luft zu schnappen. Die Luft schien gar keine Luft zu sein, sondern irgendwas Minderwertiges, das sie ersetzte. Zu beiden Seiten des Parks erhoben sich glitzernde, kleine Gebäude, wie Zahnreihen. Ich kam mir vor wie im Mund eines Tigers. Die Luft schmeckte nach Friedhofsgewächsen. Die Leute, an denen wir vorbeikamen, strahlten Vibrationen dermaßen hoffnungsloser Geschlagenheit aus, daß meine Depressionen noch schlimmer wurden. Wir kamen an einer Gruppe von Leuten vorbei, die schwiegen, sich mies fühlten und darauf warteten, in den Aufzug steigen zu können. Sie hatten Angelruten und Badezeug bei sich.

Hoch über uns sank die Liftkabine langsam herab.

„Das ist schlecht", sagte ich. „Spürst du das nicht?"

„Was soll ich spüren?" Ahmed blieb neben einem kleinen, abgerundeten Gebäude stehen, das sich an der Schachtseite befand. Es war mit dem Schacht verbunden und pulsierte mit einem tiefen, beständigen *Wumm-wumm-wumm,* wie das Herz eines Riesen.

„Ich will hier raus", sagte ich. „Spürst du das nicht?"

„Diese Art von Gefühl ignoriere ich", sagte Ahmed ausdruckslos und zog am Türgriff der Pumpstation. Die Tür war nicht verschlossen. Sie ging auf. Das Wummern wurde lauter. „Sollte abgeschlossen sein", murmelte Ahmed. Wir schauten hinein.

Im Inneren des Gebäudes, am Ende einer Treppenflucht, überprüften zwei Arbeiter mehrere große, wummernde Maschinen. Wir gingen zu ihnen hinunter.

„Ausweiskontrolle, zeigen Sie uns Ihre Legitimationen", sagte ich und sah mir die Marken, die sie mir reichten, in der gleichen Weise an, wie ich es bei Ahmed und den anderen Detektiven gesehen hatte. Ich ließ mir ihre Daumenabdrücke zeigen und verglich sie mit denen auf den Fotoausweisen. Ich sah mir auch ihre Gesichter an und verglich sie. Einer war ein Großer mit einem verwitterten, wie in Stein gemeißelten Gesicht und tiefen, senkrechten Wangenlinien; der andere war klein, wettergegerbt, etwas schlanker und sah aus, als besitze er etwas mehr Humor. Beide identifizierten sich als Ingenieure der Consolidated Power and Light. Es waren Inspektoren, die sich um Zubehör für Elektromotoren und Lebenserhaltungsgerätschaften kümmerten.

„Wozu dienen die Pumpen?" fragte Ahmed und sah sich um.

„Sie pumpen Luft herein und Wasser hinaus", erwiderte einer der Männer. „Eine der Pumpen drückt das Wasser bis zur Spitze hinauf, wo es auf einer künstlichen Insel aus einem Zierspringbrunnen kommt. Der Druck gleicht sich selbst aus, deswegen braucht man keine spezielle Ausrüstung, nur Energie."

„Warum pumpt man Wasser heraus?" fragte Ahmed. „Der Luftdruck müßte doch ausreichen, um es hinauszudrücken."

Der Mann lachte. „Wie Sie es sagen, hört es sich einfach an. Der Luftdruck ist hier fast der gleiche wie in der Kuppelspitze, aber der Wasserdruck nimmt mit jedem tieferliegenden Meter zu. Hier unten auf dem Boden ist er höher als der Luftdruck. Das Wasser dringt durch die Nahtstellen der Betonplatten, durch die Bodenschicht und das Erdreich. Wir haben Drainagen, die das Sickerwasser auffangen und zu dieser Pumpe leiten. Wir erwarten Sickerwasser."

„Warum pumpt man nicht mehr Luft herein? Hoher Luftdruck würde das Wasser fernhalten."

„Ein höherer Luftdruck würde die Kuppelspitze wie einen Luftballon platzen lassen. Der Gegendruck des Wassers ist nicht hoch genug."

Ich empfing das vage Bild entweichender Luft und nachdrängenden Wassers, das durch den Boden kam. „Ist hier alles in Odnung?" Ich gab ihnen die Dienstmarken zurück.

„Ja", sagte der Mann, der uns die Erklärungen geliefert hatte, und steckte sie wieder ein. „Man müßte schon eine Bombe haben, um diese Pumpen aus dem Gleichgewicht zu bringen. Ich weiß überhaupt nicht, warum man uns losgeschickt hat, sie zu untersuchen. Lieber würde ich angeln gehen."

„Sie suchen doch nach einer Bombe, du Trottel", sagte der andere Mann säuerlich.

„Oh." Der Kleinere zog eine Grimasse. „Du meinst, nach so einer, die die Brooklyn-Kuppel in die Luft gejagt hat?" Er sah sich langsam um. „Wenn hier irgendwas passiert, sind wir jedenfalls in Aufzugnähe. Damit kommen wir nach oben."

„Da ist gar nicht dran zu denken", sagte der andere. „Der Aufzug ist zu langsam. Und außerdem stehen da noch andere Leute und warten darauf, daß sie dran sind. Verlaß dich also nicht darauf. Wenn hier eine Bombe hochgeht, sind wir mit dran."

„Warum ist der Aufzug so langsam?" fragte ich. Repariert ihn, dachte ich schweigend. Wir lauschten dem Summen des Aufzugmotors, der die Liftkabine nach unten zog. Sie war wirklich langsam.

„Man kann ihn schneller laufen lassen; der Zeitregler ist hier." Der ältere der beiden Ingenieure machte ein paar Schritte und untersuchte einen Schaltkasten. „Jemand hat ihn auf die geringste Geschwindigkeit eingestellt. Aber warum?"

„Damit die Leute was zu sehen bekommen", sagte ich. „Aber da warten ziemlich viele. Sie haben Angelruten dabei. Sie wollen zur Spitze hinauf, und da hat natürlich niemand Interesse daran, in der Mitte steckenzubleiben und die Aussicht zu genießen."

„Okay." Der redseligere der beiden ging an den Kasten und schaltete den Motor auf SCHNELL. Auf der anderen Seite der Wand erreichte die Liftkabine den Boden, kam rumpelnd zu einem Halt und öffnete die Türen.

Wir lauschten und hörten Stimmen und Fußgescharre, als die Leute in die Kabine hineinströmten. Dann ging die Tür rumpelnd wieder zu, und der Lift setzte sich in Bewegung. Aus dem Summen wurde ein schnelles Heulen. In weniger als einem Drittel der vorherigen Zeit erreichte der Lift die Kuppelspitze, und das Geräusch verstummte.

Die beiden Ingenieure nickten einander zu. „Hoffentlich sind sie jetzt zufriedener."

„Sie kommen nun schneller nach oben", sagte ich. „Und das ist nur vernünftig." Ahmed nickte zustimmend. Wir gingen hinaus und sahen zu, wie der Aufzug zurückkam. Wie ein herabfallendes Ding kam das große Vogelbauer in seinem gläsernen Schacht nach unten, wurde langsamer, hielt an und öffnete sich. Die Kabine war leer. Keiner von denen, die die Stadt verlassen hatten, kehrte in sie zurück.

Wieder stiegen Leute zu.

„Was ist da oben los?" fragte ich und bekämpfte das Verlangen, mit den Leuten in die Kabine zu steigen und die umschlossene Stadt zu verlassen. „Ich habe so ein Gefühl", sagte ich, „als wenn wir auch nach oben fahren sollten." Ich hoffte, Ahmed würde mich mißverstehen und glauben, mein Riecher hätte mir wieder mal einen Tip gegeben.

„Was spürst du?" Ahmed sah mich eindringlich an. Die Aufzugtüren schlossen sich, die Kabine stieg in die Höhe und ließ uns allein am Boden zurück.

„Ich habe das Gefühl, wir hätten den Aufzug nicht ohne uns abfahren lassen sollen. Und damit hat es sich, alter Junge. War nett, dich gekannt zu haben. An sich hätte ich nicht geglaubt, so jung zu sterben."

„Wach auf." Ahmed schnippte unter meiner Nase mit den Fingern. „Das bist nicht du, der da redet. Solche Gefühle hast du nicht. George Sanford hat noch nie Angst gehabt. So denkst du nicht."

„Tu ich doch", sagte ich traurig. Hoch über uns hörte ich die rumpelnd aufgehenden Aufzugtüren. Irgendwo dort oben war es den Leuten gelungen, sich auf die Oberfläche des Ozeans zu retten, statt am Boden zu bleiben. Ein Dock? Eine Insel? Irgendwo blies ein frischer Wind über die Meereswellen.

„Konzentriere dich auf dieses Untergangsgefühl", sagte Ahmed. „Vielleicht ist unser verrückter Bombenleger ein Selbstmordkandidat, der vorhat, mit dem sinkenden Schiff unterzugehen. Mach die Augen zu. Wer bist du, da in deinem Kopf?"

„Oben, auf einer Insel im Sonnenschein", sagte ich traurig und betrachtete meine Vorstellung aus Sand und Möwen. „Es ist zu spät, Ahmed, wir sind tot." Wieder kamen Leute und stellten sich hinter uns vor dem Aufzugschacht an. Das Geräusch der sinkenden Kabine drang aus weiter Ferne an unser Ohr. Die Leute kamen durch den Park aus der Richtung der Zugstation, und mir fiel ein, daß auch dort allerlei Menschen hinter den Gittern gestanden hatten und darauf warteten, von hier wegzukommen. Vielleicht waren einige von ihnen ungeduldig geworden und wollten an die frische Luft. Die Menge hinter uns wurde immer dichter und fing an zu drängeln. Vor uns öffnete sich die Tür der Liftkabine.

„Steig ein, George", sagte Ahmed und berührte mich am Ellbogen. „Wir fahren hinauf."

„Danke." Ich stieg ein. Wir wurden gegen die Rückwand des Käfigs gedrückt, dann schloß sich die Tür. Die Geschwindigkeit drückte einem auf den Magen. Über die Köpfe der vor uns stehenden Menschen hinweg sah ich das sich ausweitende Bild der unterseeischen Stadt, der kleinen Gebäude und des in der Mitte liegenden Parks, der von mattem, künstlichem Licht aus grünen und blauen Scheinwerfern erhellt wurde. Die Lampen hingen zwischen Bäumen und Ranken und erzeugten einen Effekt, der an Seetang und Unterwasserwellen erinnerte. Die Pfade und Wege waren von Perlenschnüren goldener Natriumlichter beleuchtet. Auf der anderen Seite des Parks lag die Bahnstation, gelb beleuchtete Quadrate aus weichem, gelbem Licht, umgeben von metallenen Gitterzäunen. Viele Leute standen da herum. Zu viele. Eine dichtgedrängte Masse. Und auf den Wegen, die zum Aufzugschacht führten, wimmelte es ebenfalls von Menschen.

Die Liftkabine erreichte die Kuppelspitze und verschwand in einem dunklen Schacht. Einen Moment lang fuhren wir durch die Finsternis, dann spürten wir, wie der Aufzug verzögerte und anhielt. Die Leute, die uns umgaben, drängten sich hinaus, schoben sich eilig durch eine Glastür, liefen eine Treppe hinunter und verließen die oberste Ebene.

Ich sah mich um. Da waren der Himmel und der Ozean, wie ich es mir erträumt hatte, aber der Himmel war wolkenverhangen und die See grau. Mir war, als sähe ich das alles durch dicke Glasscheiben. Die einer Insel nachempfundene Aussichtsplattform bestand aus einer Reihe großer Glasstufen, und der Aufzug hatte uns auf die oberste gebracht. Wir befanden uns wirklich in einer gläsernen Zelle, durch die man in alle Richtungen sehen konnte. Die dicken Glaswände erlaubten einen Ausblick auf den Horizont, die unter Glas liegenden Räume weiter unten und die kleinen Motorboote, die den Rand der künstlichen Insel umkreisen.

„Na, was sagt dein Riecher?" sagte Ahmed. „Was spürst du?" Ahmed war hellwach. Er schaute sich wachsam um und legte sein Gewicht gleichmäßig auf die Fußballen, um sofort bereit zu sein, sich auf den verrückten Bombenleger zu stürzen, sollte ich ihn lokalisieren.

„Die Luft ist mies", sagte ich. „Ich kann sie nicht atmen." Ich atmete geräuschvoll durch den Mund. Mir war zum Heulen zumute. Auf diese Art zu entkommen, hatte ich mir nie erträumt. Die Ahnung des Untergangs blieb nicht nur, sondern wurde noch schlimmer.

„Es ist die gleiche Luft und der gleiche Druck wie unten in der Kuppel", sagte Ahmed ungeduldig. „Man bläßt den Druck deswegen so hoch, damit die Leute hierherkommen können, ohne eine Luftschleuse passieren zu müssen. Hier können sie sich umsehen, ein paar Bilder schießen und wieder zurückkehren. Sicher schmeckt die Luft hier lausig. Ignoriere sie einfach."

„Soll das heißen, daß die Luft hier unter dem gleichen Druck steht und ebenso schlecht ist wie am Fuß der Kuppel?"

„Du hast's erfaßt. Den Leuten erscheint es als vernünftig, und deswegen hat man es gemacht."

„Deswegen sind die Glaswände hier so dick, damit sie nicht brechen und den Druck herauslassen könen", sagte ich und hatte das Gefühl, in einem gläsernen Sarg zu stehen. Ich sah durch die dicke Glaswand hinaus nach unten, durch das gläserne Dach des Aussichtsraums, der eine Stufe tiefer lag. Ich sah Stühle und Zeitschriften wie in einem Wartezimmer, und die Leute, die mit uns hier hinaufgekommen waren, standen in einer Schlange vor einer Glastür. Der Mann, der ganz vorne stand, versuchte sie zu öffnen. Aber die Tür war verschlossen. „Was haben die vor?"

„Sie warten darauf, daß der Luftdruck in diesem Raum sinkt und sich an den im Treppenhaus und dem nächsten Zimmer angleicht. Im Moment hält der Luftdruck die Tür noch geschlossen. Sobald er runtergegangen ist, geht die Tür nach innen auf." Ahmed machte einen gelangweilten Eindruck.

„Wir müssen hier raus." Ich ging zu der Innentür hinüber. Hinter ihr lag eine Treppe, die in den nächsten Raum führte. Ich zog an ihrem Knauf, aber sie öffnete sich nicht. „Luftdruck?"

„Ja. Warte, der Aufzug kommt wieder hoch. Er scheint die Luft zusammenzupressen und nach oben zu drücken." Die dicke Luft ließ Ahmeds Stimme ein wenig schrill und weit entfernt klingen.

Ich zerrte an dem Türknauf und spürte, wie die Luft dichter wurde und anfing, gegen meine Trommelfelle zu drücken. „Wir haben schon genug Druck hier. Jetzt reicht's mir aber mit dieser Luft. Was ich brauche, ist richtige Luft. Ich will hier raus."

Die Lifttür öffnete sich. Eine Gruppe von Leuten – einige hatten Koffer, andere Angelgeräte bei sich – drängte sich heraus, quirlte durcheinander und bildete eine Schlange. Sie drängelten und beschwerten sich über das Drängeln der anderen, aber ihr Tonfall war weit weniger zuvorkommend, als man es von Beamten erwartete.

Die Lifttür schloß sich. Die Kabine sank außer Sicht, und der Luftdruck begann zu fallen, als würde die Luft dem kolbenähnlichen Gefährt folgen. Ich schluckte; meine Trommelfelle klingelten und knackten. Ich ergriff wieder den Türknauf. Die Tür schwang mit einem Zischen auf, und ich hielt sie offen. Die Menge eilte die Stufen hinab, und die Leute, die an mir vorbeigingen, bedankten sich höflich. Mit jedem Dankeswort empfing ich das Angstgefühl der Vorübergehenden. Ich musterte das Gesicht einer Frau, das eines Teenagers, das eines jungen Mädchens und das eines gutaussehenden Mannes in den mittleren Jahren und suchte in ihnen nach etwas anderem als Angst. Aber ich fand nichts als Furcht und den mich an Mäuse erinnernden Instinkt, aus einer Falle zu entkommen. Die Leute fürchteten sich vor der Angst, deswegen waren sie auch so still. Sie fürchteten sich davor, den anderen einzugestehen, daß ein Gefühl sie dazu trieb, vor einem drohenden Unheil, das bis jetzt nur in ihrer Vorstellung bestand, zu fliehen.

„Hmm", sagte ich, als auch der letzte die Treppe hinuntergegangen war. „Laß uns gehen, Ahmed, vielleicht haben sie recht." Ich winkte meinem Freund durch die Tür und eilte hinter ihm her in den tiefer liegenden, gläsernen Raum, der mit Tischen und Zeitschriften bestückt war, um die Wartezeiten zu erleichtern. Ich hörte, daß sich hinter mir die Tür wieder schloß. Dann erklang erneut das Surren des Aufzugs, der eine neue Menschenladung nach oben brachte.

Ich lehnte die Stirn gegen die dicke Glaswand und sah auf die kleinen Docks und die vielen elektrisch angetriebenen Boote hinaus. Sie umschwärmten die Insel und dümpelten unter dicken grauen Wolken in der aufgewühlten See.

„Was bringt uns das?" fragte Ahmed.

„Die Rettung."

„Und was wird aus dem Saboteur?" fragte Ahmed und hörte sich ein wenig gereizt an. „Was fühlt er? Was denkt er? Fängst du überhaupt etwas auf?"

„Es ist eins von diesen Booten da", sagte ich und log bewußt, um Ahmed davon abzuhalten, seinem Pflichtbewußtsein zu folgen und in die Kuppel zurückzukehren. „Oder ein kleines Unterseeboot, irgendwo da draußen. Das Dach der Aussichtsplattform wird in die Luft fliegen. Sorg dafür, daß Rettungsboote hergeschickt werden. Nimm deinen Sender, beeil dich. Und besorge mir einen Hubschrauber. Ich muß in die Luft, um das Boot auszumachen."

Es waren nicht alles Lügen. Manches davon fühlte sich an wie eine Wahrheit. Ich preßte immer noch meine Stirn gegen die Glaswand und hielt Ausschau. Ich wußte, daß ich alles sagen würde, nur um hier herauszukommen.

Ich versuchte mich in den Gedanken an Sabotage einzustimmen und mich dem Geistesinhalt der anderen zu öffnen, aber das drängende Gefühl, fliehen zu müssen, kam sofort zurück, machte mich krank und überschwemmte alles andere. *Warum?* fragte ich meine Angst. *Was wird geschehen?* Ich sah das Bild von Pferden, die von innen ihre Stallmauern zertraten, eine durchgehende Rinderherde, ein Küken, das sich den Weg aus einem Ei freipickte, obwohl es noch ein Embryo war und an der Luft noch gar nicht leben konne. Die tretenden Beine eines Skeletts in einer Blase, und die Blase löste sich auf. Die Bilder waren verwirrend. Ich schob meine Gedanken beiseite und musterte die draußen liegende Inselplattform.

Die Plattform war voller Menschen. Sie standen zitternd im kalten Wind und warteten scheinbar darauf, daß sie endlich an der Reihe wären, eine Fahrt auf den kleinen Booten zu machen. Aber ich wußte, daß sie nur deswegen hinausgegangen waren, weil sie es im Inneren der Kuppel nicht mehr aushalten konnten.

Ahmed berührte meinen Arm. Er hatte die Hörstöpsel seines Armbandsenders in beiden Ohren, und seine Stimme hörte sich seltsam taub an. „Das Hauptquartier will wissen, warum, George. Kannst du ihnen ein paar Einzelheiten geben?"

„Sag ihnen, daß sie noch fünf Minuten haben; wenn sie Glück haben, auch sieben. Hol die Patrouillenboote her, damit sie die Sache stoppen. Und ..." – ich schrie beinahe in Ahmeds Armmikrofon – „... SCHICKT MIR SOFORT DIESEN HUBSCHRAUBER! Bringt ihn schnellstens her! Sobald wir die Luftschleuse passiert haben, werden wir ihn sofort brauchen!"

Die gläserne Schleusentür öffnete sich, und die Leute schoben sich taumelnd hinaus. Dahinter befand sich ein weiterer Raum mit Glaswänden. Wir versammelten uns vor den gläsernen Wänden wie Motten an einem erleuchteten Fenster und sahen hinaus.

„Warum dauert das bloß so lange?" Es war ein klagender, weinerlicher Laut, wie die nächtliche Sirene eines Krankenwagens. Die Leute murmelten zustimmend und nickten der Frau zu, die beide Hände gegen die Glasscheibe preßte, als wolle sie das, was draußen lag, berühren.

„Das ist nur wegen des Druckausgleichs", sagte ein stattlicher älterer Mann. „Wegen der Leute, die was am Fistelgang oder Trommelfellkrankheiten haben. Ist irgend jemand unter uns, der damit zu tun hat?"

Als niemand antwortete, sagte der Mann: „Dann brauchen wir auch nicht zu warten. Weiß irgend jemand von Ihnen, wie man diese Tür aufmacht? Wir könnten dann sofort rausgehen."

„Mein Sohn hat einen Schraubenzieher", meldete sich eine andere Frau und schob einen halbwüchsigen Jungen zur Tür. Ahmed sah auf. Er wollte protestieren, aber die Frau warf ihm einen finsteren Blick zu und öffnete den Mund, um ihn anzufahren.

Eine alte Frau rüttelte an der Tür. Plötzlich öffnete sie sich. Wir vergaßen das Gezänk und gingen hinaus. Wir kamen in einen kalten, salzigen Wind und hörten, wie die Wellen der grauen See gegen die Betonpfeiler klatschten.

Über den Anlegeplätzen erklang ein schweres Surren, das die Luft förmlich zu prügeln schien.

Ahmed schaute auf. Eine Strickleiter fiel herab und blieb vor uns in der Luft hängen. Ahmed griff in die Seile und zog sich hinauf. Die Leiter kam weiter herab. Er stellte einen Fuß auf die unterste Sprosse und kletterte aufwärts.

Ich stand da, atmete gierig die süße und unverfälscht schmeckende Luft und sog sie wie Lebensenergie in meine Lungen. Die Panikwolken waren aus meinem Bewußtsein verschwunden, und ich hörte die Freudenschreie der Seemöwen, die hinter den kleinen Booten herjagten und Sandwichs zu erbeuten versuchten. Die Leute versammelten sich an den Anlegestellen und fingen an, sich wieder in normalem Tonfall zu unterhalten.

Vor mir baumelte die Strickleiter hin und her. Die Seile schlugen mir gegen den Kopf; ich wischte sie beiseite. Was war geschehen? Was war aus dem Unheil geworden, dem ich gerade entkommen war? Ich versuchte mich an die Augenblicke zu erinnern, in denen ich mich gefangen gefühlt hatte, und versuchte zu verstehen, was sie hervorgerufen hatte.

„Komm schon, George!" rief eine Stimme über mir.

Ich langte nach oben und kletterte hinauf. Ich sah einen Himmel voller brodelnder, silbergrauer Wolken; ein weißblauer Polizeihubschrauber schwebte über mir, dessen kreisende Rotoren mir feuchtkalte Luft entgegenschleuderten. Sie erzeugten einen Druck, gegen den es eine Freude war anzukämpfen. Am Ende versteifte sich die

Strickleiter zu einem Stufengebilde aus Metall. Ich stieg in eine ausgelegte Kabine, die von Glaswänden umgeben war. Es handelte sich um einen großen Beobachtungshubschrauber.

Ahmed saß im Schneidersitz auf dem Boden. Er war ziemlich aufgeregt und hielt seinen Armbandsender vor den Mund. „Okay, George, stimm dich ein. Was wird die Aussichtsplattform in die Luft jagen? Wer, was, wo? Die Küstenwache wartet auf Informationen."

Indem ich mir die gleichen niederdrückenden Gefühle in Erinnerung zurückrief, die ich auf der Aussichtsplattform und im Innern der Jersey-Kuppel und ihrer schlechten Luft gehabt hatte, sah ich nach unten und wußte, wie sich die Leute dort unten fühlten.

Jeder der gläsernen Räume der vierstufigen Aussichtsplattform war voll mit Menschen, die an den Türen warteten. Ich sah, wie der Zentrallift ankam, seine Türen öffnete und erneut eine Menschenmenge ausspuckte, die warten mußte und am ersten Türknauf rütteln würde. Verzweiflung. Es drängte sie hinaus.

Und mit einem Gefühl großen Bedauerns wußte ich, wer die Saboteure waren: All diese Jungen mit ihren Schraubenziehern, all diese hilfsbereiten Leute, deren technisches Verständnis ausreichte, um Aufzüge zu beschleunigen; all diese hilfsbereiten Leute, die etwas von Mechanik verstanden und für einen Fremden in Not die Tür einer groschenfressenden, öffentlichen Toilette knackten. Sie würden sehr hilfreich sein: Sie würden die Luftschleusen knacken und hinter sich offenlassen – für die, die nach ihnen kamen. Und dort, wo sie einmal gewesen waren, würde es keinen Widerstand mehr geben, der die fünfundsechzig Pfund Druck pro Quadratzoll davon abhielt, aus der unter Druck stehenden Stadt zu entweichen und hinter dem aufsteigenden Lift her nach oben zu gelangen.

Und ich hatte vorgegeben, an einen verrückten Bombenleger zu glauben. Wie konnte ich der Polizei und der Küstenwache klarmachen, daß es die Kuppelbewohner mit ihrem Fluchtbedürfnis waren, die ihr eigenes Luftschleusensystem zerstörten?

Ich hielt mir den Kopf. Die Todesvision war stark und blendend. „Sie knacken die Schleusen, die zur Aussichtsplattform führen, Ahmed. Jemand muß das verhindern! Sag, sie sollen was unternehmen, sonst fliegen sie alle in die Luft!" Das panische Bedürfnis, von hier wegzukommen, überschwemmte mein Bewußtsein schon wieder.

„Höher", sagte ich mit zuckenden Gesichtsmuskeln und sah nach unten. „Der verdammte Kopter muß höher rauf."

„Ist mit ihm alles in Ordnung?" fragte der Pilot Ahmed.

Ahmed sprach konzentriert in seinen Armbandsender und wiederholte mehrmals meine Botschaft. Dem Piloten winkte er zu, er möge das Maul halten.

Der Blick, den der Pilot uns schenkte, zeigte, daß er nicht wußte, ob er es mit normalen Menschen oder zwei Irren zu tun hatte. Schließlich ließ er den Hubschrauber langsam steigen.

Mit kreisenden Rotoren ging der Kopter höher, neigte sich zur Seite und ließ die kleiner werdende, gläsern funkelnde Plattform in der Mitte der grauen See hinter uns zurück.

Ich packte nach dem Aussichtsgeländer und sah zu; dabei schämte ich mich, daß meine Hände zitterten.

Ich sah, daß mit der Form des gläsernen Gebäudes etwas Unerklärliches und Eigenartiges vor sich ging. „Es geht los", murmelte ich, ließ mich abrupt auf den Boden fallen und bedeckte mein Gesicht mit den Händen. „Haltet euch irgendwo fest. Jetzt geht es los. Ahmed, paß auf. Mach Bilder oder so was."

Etwas donnerte und krachte – wie eine Kanone. Dann flog etwas, das aussah wie ein zerschmetterter Aufzug voller Menschen, auf uns zu, sauste an uns vorbei und stürzte ab, sich wieder und wieder überschlagend.

Ein aufbrüllender Luftstrom packte den Kopter und warf ihn in die Luft. In einem Wirbel von herumfliegenden Koffern, Angelgeräten und kleinen Bruchstücken, die man nicht klassifizieren konnte, stellte er sich auf den Kopf. Ich klammerte mich ans Geländer.

Plötzlich nahm der Kopter wieder eine normale Lage ein; die Rotorblätter griffen in die Luft und zogen uns nach oben von dem aufsteigenden Tornado weg.

Mit einem lauten Brüllen spuckte die Jersey-Kuppel durch den Luftschacht alles nach oben, was sich in ihrem Inneren befand: Gebäude und Schaumstoffblöcke, Menschen und Möbel. Alles wurde in den Schacht gepreßt und wie in einem Wirbelsturm an die Oberfläche und darüber hinweg geblasen. Es war wie ein Springbrunnen, der zermahlenen Schutt beförderte.

Eine ziemlich lange Zeit war der Luftspringbrunnen wie eine pilzförmige Wolke, dann regneten die Gegenstände, die er mit sich gebracht hatte, Stück für Stück in die Tiefe. Der Kopter kreiste und kreiste, während der Anblick uns in seinem Bann hielt.

Ahmed, der einen Arm und ein Bein um das Geländer geschlungen hatte, lauschte halb betäubt seinem Funkgerät und versuchte die Hörstöpsel lauter zu bekommen. Er schrie: „Der Stadtdirektor lebt noch und sendet!"

Während der Kopter eine Normallage einnahm und sich die Luft wieder reinigte, hörte er zu. Alles war still.

Während Ahmed mir sagte, was er zu hören bekam, stand ich auf und schaute auf die See hinaus.

„Er sagt, daß sich das Kuppeldach gesenkt hat. Der Luftschacht hat alles angesaugt, was sich in seiner Nähe befand, ist aber von den Schaumstoffblöcken der Häuser verstopft. Die Blöcke werden aber allmählich hineingezogen, und sie können die Luft zischen hören. Die Überlebenden ziehen ihre Scuba-Anzüge an und versuchen Schlupfwinkel zu finden, wo sie den nächsten Hurrikan überstehen können, sollte die Röhre wieder frei werden. Aber er befürchtet, daß zuviel Wasser von unten in die Kuppel eindringt und sie ertrinken, weil der Druck abnimmt. Er will, daß der Luftschacht von oben zugestopft wird. Er schlägt vor, den Ausstieg dichtzubomben, damit nicht noch mehr Luft entweicht."

Ahmed lauschte weiter und neigte seinen Kopf den Geräuschen entgegen, die aus seinen Hörstöpseln kamen.

„Da schwimmen Leute", sagte ich. „Bomben erzeugen Erschütterungen. Laßt uns die Leute aus dem Wasser holen."

„In Ordnung", sagte der Pilot. „Ausschau halten."

Der Hubschrauber ging tiefer und kreuzte über dem Wasser. Wir schauten nach unten und suchten in den rollenden Wellen nach einem Schwimmer, der unsere Hilfe brauchte.

„Da." Ahmed deutete auf einen rosafarbenen, dünnen Arm und einen dunklen Kopf. Der Pilot drehte um, blieb in der Schwebe, ließ die Leiter hinab, und wir kletterten hinunter und versuchten mit einer Schlinge eine bewußtlose, nackte Frau einzufangen. Ihr Kopf tauchte unter, kam aber wieder hoch, als wir sie endlich hatten. Die Wellen klatschten gegen unsere Knie, als wir uns von der Strickleiter zurücklehnten.

„ACHTUNG, ACHTUNG!" gab eine laute, verstärkte Stimme bekannt. „ALLE IN DIESEM GEBIET BEFINDLICHEN BOOTE BEGEBEN SICH SOFORT IN DIE KATASTROPHENZONE UND NEHMEN ÜBERLEBENDE AUF. IN FÜNF MINUTEN – BEIM NÄCHSTEN SIGNAL – HABEN SICH ALLE BOOTE AUS DER NÄHE DES LUFTSCHACHT-ZENTRUMS ZU ENTFERNEN UND FÜNFHUNDERT METER WEIT ZURÜCKZUZIEHEN, UM EIN BOMBARDEMENT ZU ERMÖG-

LICHEN. WARTEN SIE AUF DAS SIGNAL. ICH WIEDERHOLE: SIE HABEN FÜNF MINUTEN, UM NACH ÜBERLEBENDEN ZU SUCHEN UND SIE AN BORD ZU NEHMEN."

Ahmed und ich schrien dem Piloten zu: „Fertig!" Das Netz, in dem die junge Frau lag, wurde nach oben gezogen und verschwand durch die untere Frachtluke im Inneren des Hubschraubers. Die Klappe schloß sich. Wir kletterten, so naß wie wir waren, wieder hinein, breiteten den bewußtlosen, hübschen Körper auf dem Boden aus und versuchten es mit künstlicher Beatmung. Die Frau war kalt. Wir konnten ihren Puls nicht finden, und sie blutete aus den Ohren, aus der Nase und aus den geschlossenen Augen. Auf ihrer glatten Haut war keine einzige Schramme zu sehen; sie hatte auch keine Brüche. Ich massierte sanft ihren Brustkasten, damit sie wieder anfing zu atmen, aber aus ihrem Mund kamen nur ein Seufzer und etwas Blut. Ich drückte noch einmal. Das Blut kam aus ihren Augen, wie Tränen.

Ahmed sagte müde: „Gib es auf, George, sie ist tot."

Ich stand auf und wich zurück. Ich war richtig erschrocken. „Was machen wir jetzt? Sollen wir sie wieder reinwerfen?"

„Nein", sagt der Pilot. „Wir müssen sie zum Hospital bringen. Vorschrift."

Wir flogen mit dem Kopter über die graue See. Wir waren so tief, daß die Spritzer gegen die Scheibe klatschten. Die Tote lag zwischen uns auf dem Boden und berührte unsere Füße.

Wir sahen einen Arm, der auf den Wellen trieb.

„Sollen wir ihn reinziehen?" fragte ich.

„Nein, Einzelteile brauchen wir nicht mitzunehmen", sagte der Polizist gelassen.

Wir kreisten weiter und kamen an den kleinen Booten vorbei, deren Passagiere beim Fischen gewesen waren, als die Katastrophe begonnen hatte. Als sie zu uns aufsahen, waren ihre Gesichter totenbleich.

Die Leiche lag zwischen uns auf dem Boden. Der Körper war ebenmäßig und unversehrt. Der Kopter kippte. Die Leiche rollte weiter. Ihre Arme und Beine bewegten sich.

Ahmed nahm auf dem Sitz des Ko-Piloten Platz, schnallte sich an, beugte sich nach vorn, legte das Gesicht in beide Hände und versuchte die Leiche nicht anzusehen. Ich sah aus dem Fenster auf die im Wasser treibenden Möbelstücke und unkenntlichen Fetzen und beobachtete die näher kommenden und das Meer absuchenden Schiffe der Küstenwache.

Das Kopter-Funkgerät piepste drängend. Der Pilot ging auf Empfang. „Befehl der Küstenwache an den Polizei-Helikopter PB 1005768. Vielen Dank für Ihre Hilfe. Wir haben jetzt genug eigene Schiffe und Maschinen hier. Bitte ziehen Sie sich aus dem Katastrophengebiet zurück. Bitte ziehen Sie sich aus dem Katastrophengebiet zurück."

„Befehl verstanden. Ziehen uns zurück", sagte der Pilot und schaltete wieder ab. Er ging auf eine andere Welle, sprach kurz mit dem Hauptquartier der Rettungsbrigade und steuerte den Hubschrauber vom Ort des Geschehens weg auf das ferne Ufer zu.

„Was macht ihr beiden bei der Polizei?" fragte er über die Schulter hinweg. Ich antwortete nicht.

„Aufspüren, überwachen, vorbeugen", erwiderte Ahmed für mich. „Wir waren vor zehn Minuten noch in der Jersey-Kuppel."

Hinter uns krachten die Bomben und vernichteten und schlossen den Luftschacht.

„Na, das hier habt ich aber nicht verhindern können", sagte der Kopter-Pilot. Ahmed sagte nichts.

Dies ist ein Erpressungsband. Eine Kopie dieses Bandes wurde jeder der größeren Kommunen und allen Sub-Städten des Distriktes New York City zugestellt.

Wir sind für die Zerstörung der Brooklyn-Kuppel verantwortlich. Dies war eine Warnung, die unsere Vernichtungsfähigkeiten demonstrieren soll. In unserer Gewalt befindet sich ein Frühwarn-Experte, dessen Spezialität es war, Unfallgefahren in bezug auf den Stadtkomplex aufzuspüren und vorherzusagen, die aufgrund simplen technischen Versagens oder menschlicher Unzulänglichkeiten entstehen. Er steht unter Drogen und ist demgemäß kooperativ. Wir fragten ihn, wie man die Brooklyn-Kuppel anhand eines einfachen technischen Versagens zur Selbstvernichtung bringen könne, und er erklärte uns, wie das geht. Wir sind nun bereit, seine Dienste auf Honorarbasis anzubieten. Wir berechnen fünfzehntausend Dollar für eine Frage. Wenn Sie befürchten, daß Ihre Kommune Feinde hat, sollten Sie sich logischerweise fragen: Was und wer kann meine Kommune vernichten, und wie kann ich diesen Angriff abwehren? Wenn Ihre Feinde bezahlen, werden wir ihnen die entsprechende Antwort geben. Vielleicht stellen sie sich schon die Frage, wie man Ihre Kommune vernichten könnte, während Sie dieses Band abhören. Vergessen Sie nicht die Brooklyn-Kuppel. Die dieser Sendung beiliegende Adresse ist für Ihren persönlichen Kontakt mit uns. Kein anderer besitzt diesen Namen. Halten Sie ihn vor der Polizei geheim und benutzen Sie ihn, wenn Sie sich zum Zahlen entschlossen haben. Wenn Sie die Kontaktadresse an die Polizei weitergeben, sägen Sie sich selbst den Ast ab, auf dem Sie sitzen. Dann wird Ihr Gegner durch einen anderen Namen mit uns Kontakt aufnehmen und sich die Informationen kaufen, die er braucht, um Sie zu vernichten. Denken Sie an die Brooklyn-Kuppel. Handeln Sie schnell. Unser Honorar beträgt pro Frage fünfzehntausend Dollar. Und das ist billig.

„Jedes Polizeirevier hat davon eine Kopie. Soll ich es noch mal abspielen?" fragte Judd Oslow. Er saß wie ein großer, fetter Buddha im Schneidersitz auf seiner Schreibtischplatte und nippte an einem Kaffee.

„Einmal reicht", sagte Ahmed. „Paranoia und Krieg zwischen den Kommunen. Was glauben diese Irren mit dem Band erreichen zu können?"

„Sie wollen Geld machen."

Judd Oslow nippte an seinem Kaffee und gab sich alle Mühe, ruhig zu bleiben. „Sie haben das Band in jede Kommune im Stadtgebiet geschickt, aber nur zwei davon haben es weitergegeben oder gestanden, es bekommen zu haben. Nur eine hat die erwähnte Adresse mitgeliefert. Die anderen scheinen sie behalten zu wollen, weil sie vorhaben, Fragen zu stellen, die Angriffe oder Abwehrmaßnahmen ermöglichen."

„Armageddon", sagte Ahmed.

„George", sagte Oslow, „warum setzen Sie Ihren Hintern nicht in Bewegung und schaffen uns Carl Hodges heran? Wenn wir ihn wieder zurückhaben, können diese Irren sein Köpfchen nicht mehr feilbieten."

„Sie haben George den Auftrag erst gestern abend gegeben", sagte Ahmed. „Heute morgen hätte er ihn fast gehabt, aber dann, als die Brooklyn-Kuppel hochging, mußten wir die Suche nach ihm abbrechen und zur Jersey-Kuppel rüberfahren."

„Na, der Tag ist ja auch noch nicht zu Ende. George hat mich mit Erfolgen verwöhnt. Jetzt erwarte ich natürlich immer schnell gelöste Fälle. Na los, George, schaffen Sie Hodges in mein Büro; am besten zu einem handlichen Päckchen verschnürt."

Ich versuchte etwas zu sagen, aber plötzlich war ich es satt, ich selbst zu sein und immerzu etwas zu versuchen. „Immer wenn ich versuche,

Carl Hodges zu helfen, passiert irgendwas Schlimmes. Dabei kann ja auch nichts Rechtes herauskommen", murmelte ich. Meine Stimme hörte sich ganz komisch an. „Ihr laßt mich ja gar nicht richtig zum Zuge kommen."

„Ach, hören Sie doch auf, George. Jetzt ist nicht die richtige Zeit für pessimistische Philosophiererein. Tun Sie sich mit Ahmed zusammen, hypnotisieren Sie sich und sagen Sie mir, wo Carl Hodges steckt." Der Chef sah nun ganz anders aus.

„Und wozu soll das noch gut sein?" Ich fuhr mir mit der Hand über den Kopf und hatte das komische Gefühl, an etwas Üblem schuld zu sein. „Die Leute aus der Brooklyn-Kuppel sind doch schon tot. Und auch die aus der Jersey-Kuppel zum größten Teil auch. Alle, die je gestorben sind, sind noch immer tot. Milliarden Menschen, seit dem Anfang der Zeit. Wie wollt ihr die alle retten? Warum sollen nicht noch ein paar Leute mehr sterben? Welchen Unterschied macht das?" Meine Stimme sprach ganz von allein.

„Kommen Sie uns jetzt bloß nicht mit einem Vortrag über die Ewigkeit, George. Die Ewigkeit interessiert uns nicht. Wir leben nicht in der Ewigkeit, sondern im Heute. Wir brauchen Carl Hodges jetzt."

„Was soll das nützen? Mein Rat macht nur noch mehr Schwierigkeiten. Ich habe die Leute in der Jersey-Kuppel nicht gerettet. Ich war nicht gerissen genug, um zu erkennen, daß sie dabei waren, ihre eigenen Schleusen zu knacken. Nein, es war nicht die Panik, es war der Druck. Die Luft hatte ihren Gehalt verändert. Versuchstiere handeln irrational, wenn man die Statik des Boden-Luft-Gefälles umkehrt. Ich hätte ..."

„George", rief der Chef, „Ihr schlechtes Gewissen interessiert mich nicht! Wenn Sie den Leuten helfen wollen, beantworten Sie nur die Fragen."

Die Lautstärke ließ mich zusammenfahren. Da war ein Fremder, der einen fremden Namen rief. „George?"

„Ha!" Ahmed machte einen Schritt nach vorn. „Einen Moment. Er hat es schon getan. Das war Hodges, der Ihnen geantwortet hat. Das war genau sein Stil."

Judd Oslow hielt inmitten seiner Schaukelbewegungen inne. Er machte eine Geste und unterbrach sie. Seine Verwirrung war jetzt offen ersichtlich. „Jetzt aber raus mit euch, ihr Ausgeflippten. Zieht euren Schwachsinn irgendwo anders ab. Und wenn ihr Hodges anschleppt, verschont mich mit der Erklärung, wie es euch gelungen ist."

„Zu Befehl", sagte Ahmed. „Laß uns gehen, Carl."

Verwirrt und schuldbewußt folgte ich ihm hinaus und fand mich auf dem Gehsteig wieder, wo wir unter einer Reihe Ahornbäume stehenblieben. Der Wind war in Aktion und ließ von den Bäumen ein paar Blüten auf mich herabfallen. Ich wußte, daß ich meinen Job irgendwie vermasselt hatte, und fragte mich, wie ich wieder in die Situation einsteigen konnte. Ich ging auf eine Bank zu und setzte mich hin.

„Hast du kapiert, was eben geschehen ist?" fragte Ahmed.

„Ja." Ich tastete mich zurück, fand aber nur noch Verwirrung vor. „Nein."

„Mach die Augen zu. Du scheinst auf einer Bank in einem Park zu sitzen. Aber das ist nur eine Illusion. Du bist gar nicht hier. Wo steckst du wirklich?"

Ich hielt die Augen geschlossen. Die Stimme drang tief in meinen Geist ein, in einen Raum, in dem ich gefangen war. Ich hatte es selbst verschuldet. Dies zu wissen, behagte mir nicht. Besser, ich verstellte mich. Ich machte die Augen wieder auf. „Ich will aber hier im Park sein. Ich stelle mir vor, du bist echt." Ich beugte mich vor, berührte ein vor meinen Füßen sprießendes Unkraut und betastete winzigen Farn. „Die Geschichte ist unwichtig", sagte ich ernsthaft. „Auf das Empfinden kommt es an. Selbst diese Illusionen sind real, denn sie passieren jetzt. Wir leben im Jetzt. Erinnerungen sind unwirklich. Die Vergangenheit existiert gar nicht. Warum sollten wir ihr gegenüber etwas empfinden oder uns um sie kümmern?"

Ich hatte in diesem Moment überhaupt keine seltsamen Gefühle mehr. Ich fühlte mich nur von meinem Leib und dem, was er sagte, getrennt.

Ahmed schaute mit funkelnden Augen zu.

„Carl Hodges – möchten Sie von dort, wo Sie jetzt sind, fortgehen und sich in diesem Park auf den Rasen legen?"

„Sie verhören mich", hörte ich meine Stimme sagen.

„Was ist falsch daran, Antworten zu geben?"

„Es ist falsch. Antworten töten. Die Menschen sind tot. Sie sind alle tot, wie Susanne. Bringt es andere Menschen um, wenn man einen beklagt? Auch sie sind ertrunken ... flogen durch die Luft. Sah ein Mädchen im Wasser ... Zusammenhang ...?"

Ein Mädchen im Wasser. Das war meine Erinnerung, nicht seine. Plötzlich waren wir eins. Ich war er. Jeder meiner Gesichtsmuskeln, mein ganzer Körper verengte sich in einem krampfhaften Schmerz. Ich rutschte von der Bank und fiel inmitten des Unkrauts auf die Knie. „Holt mich hier raus. Macht es ungeschehen. Dreht die Zeit zurück. Bringt mich um, bevor es passiert." Betete ich zu Ahmed oder zu Gott? Ich schämte mich so sehr, daß es schmerzte. Konnten Ahmed oder Gott die Vergangenheit ungeschehen machen?

Das intelligent aussehende Gesicht beugte sich mit leuchtenden Augen über mich. Ich sah nach unten, schloß die Augen, hielt meinen Kopf und hoffte.

In dem Raum, der mich gefangenhielt, hörte ich Ahmeds Stimme. „In zwei Stunden werden Sie gerettet und frei sein. Sie werden keine Schuldgefühle mehr haben. Sie werden sich entspannen und sich daran erfreuen, wieder draußen zu sein. Wir sind von der Polizei; wir nehmen ein Lufttaxi und holen Sie ab. In welche Richtung sollen wir gehen?"

Plötzlich war wieder Hoffnung da. Meine Stimme sagte: „Amsterdam Avenue und 53. Straße, Richtung Columbus Avenue; die zerfallenen Häuserblocks, in einem der noch erhaltenen Keller in der Nähe des Mittelpunkts des flacheren Ruinenteils. Zweimal hupen. Danke. Ich glaube, ich kann einen der Burschen zusammenhauen, wenn ich euch höre, dann komme ich raus und winke. Kommt dann schnell runter und nehmt mich an Bord." Carl Hodges fühlte sich nun besser.

„Okay", sagte Ahmed, und seine Stimme entfernte sich. „Okay."

Ich nahm die Hände vom Kopf. „Was ist okay?" Ich fühlte mich ausgezeichnet. Ich stand auf und wischte mir das Grünzeug von den Hosenbeinen.

„Okay, machen wir wieder mal einen Vorstoß in ein Jugendbandengebiet", sagte Ahmed.

„Wo ist Biggy?" Ich sah mich und erwartete unsere Bande aus den Kindertagen zu sehen. Dann erinnerte ich mich wieder. Biggy war nach Mauretanien gegangen. Und die anderen in die Sahara. Sie waren alle irgendwo hingegangen. Ich schüttelte den Kopf, um wach zu werden. „Was soll das heißen, Ahmed: Wir wollen in ein Jugendbandengebiet vorstoßen? Das haben wir doch hinter uns. Wir sind doch jetzt erwachsen."

„Wir werden diesen entführten Computermann herausholen. Eine Bande von Halbwüchsigen hält ihn in den Ruinen an der 53. Straße West gefangen. Wir werden doch wohl noch mit einer Halbstarkenbande fertig werden."

Ich war nicht bereit, den gesunden Menschenverstand zu vergessen.

Ich setzte mich wieder auf die Bank, sah mir die grüne Behaglichkeit und Wärme des Parks an und strich über die Schrammen, die meine Arme verzierten. „Laß uns die Polizei anrufen", sagte ich. „Die soll das machen."

„Wir sind doch die Polizei, du Triefnase." Ahmed stand immer noch. Er lächelte und verließ sich ganz auf die Kraft seiner Persönlichkeit und seine Befehlsgewalt, der ich zu gehorchen hatte. Ich sah zu ihm auf und blinzelte ins Tageslicht hinein. Er sah immer noch groß und befehlsgewaltig aus, aber das Denken konnte mir ja niemand verbieten.

„Ahmed, sei kein Narr. Mit logischem Denken kannst du weder Fahrradketten noch Knüppel bekämpfen. Ich meine, du hast ja wirklich Köpfchen, aber gegen eine Halbstarkenbande brauchen wir Muskeln. Die wissen nämlich nicht, wie man denkt, und die werden dir auch nicht zuhören."

„Und was ist, wenn sie jetzt alle in diesem Keller stecken und wir sie schnappen müssen, bevor sie sich noch tiefer darin verkriechen und Carl Hodges an einen anderen Ort verschleppen? Was könnte sie anderes an die Oberfläche treiben als ein Helikopter, der sie von oben mit Tränengas bepflastert?"

Geistesabwesend rieb ich über das dunkle Muttermal auf meiner Wange. „Sie kommen raus, sobald jemand sich in ihrem Gebiet rumtreibt, Ahmed. Aber eine Bullenarmee oder ein Hubschrauber lockt sie nicht raus. Verstehst du, was ich meine? Wenn irgendein blöder Tölpel in ihrem Gebiet rumläuft, weil er eine Abkürzung sucht – dann kommen sie raus und hauen ihn zusammen."

„Ein Job für dich."

„Wie bist du darauf ... Oh, yeah, du bist nicht von gestern. Du hast so was wie 'ne Strategie im Kopf. Wenn sie wieder rauskommen, um mich zu verdreschen, geht der Kopter runter und verpaßt ihnen 'ne Gasladung. Und wenn wir Glück haben, ist niemand mehr unten, der Carl Hodges umbringen oder verschleppen kann." Ich stand auf. „Okay, das machen wir."

An der 53. Straße verließen wir die Subway und gingen zusammen über den Bürgersteig, der den ausgebombten Hüllen der alten Häuser gegenüberlag. In der Ferne summte ein Hubschrauber durch die Luft. Ahmed gab mir einen Sender, der an einer Halskette hing. Alles, was ich nun sagte, wurde geradewegs in den Hubschrauber übertragen. Ich hängte ihn mir um.

„Du kannst reden, was du willst", sagte Ahmed, „aber sobald du das Wort ‚Hilfe‘ aussprichst, legt der Kopter los. Wenn du Hodges siehst, schrei los. Der Pilot wird dich hören. Ich gehe um den Block und schaue nach, ob sich in den Einfahrten was zusammenbraut. Du gehst einfach rüber. Wir tun beide so, als hätten wir einen Grund, hierzusein. Ich suche nach einer Adresse."

„Okay", sagte ich. „Ich werd' ihnen schon was erzählen. Mach dir keine Sorgen um mich." Ich wandte mich ab und marschierte sorglos um die Ecke. Ich ging über die Straße und kam an ein paar Ruinen vorbei. Dahinter war das Gelände flacher, weil es hier mal mit Platten ausgelegte Hinterhöfe gegeben hatte. Hier gab es auch Kellertüren, durch die man in die entschwundenen Häuser hineingehen konnte. Das herumliegende Geröll und die Mauerreste zeigten, wo einst die Häuser gestanden hatten.

Ich stand mitten auf einem Hinterhof und in der Nähe zweier Treppenfluchten, die nach unten führten und vor alten Türen endeten. Ich ging langsam weiter und tat so, als würde ich mich nicht auskennen. Dabei studierte ich den Boden und stellte mich verwirrt und schwerfällig. Genauso wie ich beim letztenmal hier aufgetreten war.

Die untergehende Sonne warf lange Schatten über den zerbrochenen weißen Plattenbelag. Ich drehte mich um, musterte meinen eigenen Schatten und zuckte zusammen, als neben mir der eines anderen sichtbar wurde. Als ich seitwärts schaute, sah ich einen großen, stämmigen Halbstarken. Er stand neben mir, hatte komische Klamotten an und einen dicken Prügel in der Hand. Er sah mich nicht mal an, sondern schaute anderswohin und spitzte die Lippen, als würde er einen lautlosen Pfiff ausstoßen.

Als ein kleinerer Halbstarker mit glattem, blondem Haar hinter einem Mauerrest auftauchte, zuckte ich erneut zusammen.

„Wieder da, was?" fragte der blonde Bursche.

Ich spürte, daß sich jetzt auch die Schatten der anderen um mich versammelten.

„Ich such nach meiner Taschenuhr", sagte ich. „Ich hab sie verloren, als ihr mich damals verhauen habt. Hört mal, es ist wirklich 'n altes Stück, und sie ist ein Andenken. Ich muß sie einfach wiederfinden."

Ich sah zu Boden und drehte mich im Kreis. Wo ich auch hinsah, überall waren Beine. Die Burschen standen in den Eingängen der Ruinen, auf den Geröllhaufen und lehnten sich auf ihre Knüppel. Die Fahrradketten klirrten leise.

„Du scheinst wirklich ein Trottel zu sein", sagte der Anführer und entblößte seine Zähne zu einem Lächeln, in dem es nicht eine Spur Freundlichkeit gab.

Wo steckte Carl Hodges? Das Gebiet, in dem ich mich aufhielt, war sauber. Möglicherweise hingen hier immer viele Leute rum. Die Treppen, die zu einer Kellertür runterführten, waren ebenfalls sauber; sogar die Türklinke glänzte. Schien oft benutzt zu werden. Der Anführer war als letzter gekommen, aus einer ganz anderen Richtung. Er stand auf staubigem, geröllbedecktem Untergrund, den offenbar noch nicht allzu viele Füße betreten hatten. Er war offenbar nicht den üblichen Weg gegangen, um mir entgegenzutreten. Der übliche Weg lag möglicherweise in der Richtung, in die ich jetzt schaute: Hinter der Tür, die so aussah, als würde sie oft benutzt.

Es war, als suchte ich mit der „Heiß und kalt"-Methode nach einem versteckten Gegenstand. Wenn Carl Hodges sich hinter dieser Tür befand, würden die Halbstarken verhindern, daß ich darauf zuging. Ich stellte mich ein bißchen blöd und verwirrt und machte zögernd zwei Schritte in diese Richtung. Wie ein Mann rückten sie zusammen. Kleider raschelten. Ihre Umzingelung wurde enger. Ich hielt an. Sie blieben auch stehen.

Ein Kreis bewaffneter Halbstarker hatte sich nun eng um mich geschlossen. Zwei von ihnen standen beinahe zwischen mir und den Treppenstufen. In der Ferne summte der Hubschrauber herum und umkreiste die Häuserblocks. Ich wußte, daß ich nur zu rufen brauchte – selbst ein leises Wort hätte genügt –, um die Maschine in ein paar Sekunden in der Nähe zu haben.

Der blonde Bursche bewegte sich nicht. Er lümmelte sich immer noch da herum, ließ seine Zähne blitzen und musterte mich von oben bis unten, wie ein Wissenschaftler in einem Zoo, der eine seltene Gorillaart studiert.

„Ich muß euch 'ne wichtige Sache erzählen", sagte ich zu ihm. Aber sie hörten mir nicht zu.

„Es ist wirklich fast 'ne Schande", sagte der blonde Bursche zu den anderen, „wie blöd er jetzt schon ist. Wenn wir ihm jetzt noch eins auf seine Gehirnwindungen geben, wird er gar nicht mehr merken, daß er je welche hatte."

Ich sah den Anführer an und machte schnell einen weiteren Schritt in Richtung auf die Treppe und die Tür zu. Am Füßescharren der anderen merkte ich, daß hinter mir der Kreis noch enger wurde. Als ich anhielt, blieben sie auch stehen. Mir war jetzt klar, daß die Tür etwas verbarg. Sie wollten Fremde von ihr fernhalten! „Hört mal", sagte ich, „wenn ihr die Uhr gefunden habt und sie mir gebt, erzähl ich euch 'ne Sache, die ihr wissen solltet."

Wenn ich lange genug Unsinn redete, würde vielleicht auch das letzte Bandenmitglied an die Oberfläche kommen, um zuzuhören, was ich zu sagen versuchte. Wenn sie erst mal alle draußen waren, konnte der Hubschrauber zuschlagen. Er war auf Unruhen eingerichtet; er konnte Schlafgas versprühen und jeden einzelnen damit kriegen.

Ich spürte den Schlag nicht mal. Plötzlich hockte ich auf den Knien und hatte purpurnen Nebel vor den Augen. Als ich aufzustehen versuchte, fiel ich zur Seite und war wie gelähmt.

Ich atmete nicht.

Konnte ein Karatekämpfer einem die Atmungsorgane lähmen? Was hatte der Ausbilder gesagt? Meine Lungen zogen sich zusammen, versuchten mehr Luft zu bekommen, aber sie nahmen nichts auf. Sie mußten mich mit einem Knüppel auf den Solar plexus getroffen haben. Aber wieso hatte ich den Knüppel nicht gesehen? Aus dem purpurnen Nebel wurden kleine, schwarze Punkte. Ich konnte nichts sehen.

„Was hat er uns denn sagen wollen?" sagte die Stimme eines Burschen.

„Frag ihn doch."

„Er kann jetzt nicht antworten, du Depp. Er kann nicht mal mehr grunzen. Wir müssen abwarten."

„Ich kann warten", sagte die Stimme eines Jungen, der eine Fahrradkette in der Hand hielt. Ich hörte die Kette klirren und gegen etwas schlagen und fragte mich, ob sie mich getroffen hatte. Mein Körper registrierte gar nichts. Ihn verlangte nur verzweifelt nach Luft.

„Du wirst nicht noch mal in unserem Gebiet rumlaufen", sagte jemand. „Wir bemühen uns nur, dir Respekt einzubläuen. Von nun an wirst du auf den öffentlichen Gehwegen bleiben, anstatt in die Territorien anderer Leute einzudringen. Es sei denn, man hat dich eingeladen." Wieder klirrte die Kette und traf etwas.

Ich versuchte zu atmen, aber diese Anstrengung führte nur dazu, daß sich mein Brustkorb noch mehr verengte.

Es ist eine schreckliche Sache, wenn die eigene Lunge gegen einen arbeitet. Der Knoten, der sie umfangen hielt, löste sich aber kurz darauf wieder auf. Rasselnd schnappte ich nach der kühlen Luft, atmete wieder und wieder ein. Mit der Luft kamen Wellen von Licht, vertrieben die Blindheit und ließen mich wieder Arme und Beine fühlen. Ich gab meine zusammengekrümmte Position auf, legte mich auf den Rücken, schnappte nach Luft und lauschte den Geräuschen, die rings um mich zu hören waren.

In der Ferne summte der Helikoptermotor. *Der Pilot hört zu,* dachte ich, *aber er hat keine Ahnung, daß ich in Schwierigkeiten stecke.* Ich vernahm ein Klicken und hörte ein Zischen, als strenge sich jemand ungeheuer an. Ich rollte mich abrupt zur Seite und verdeckte mein Gesicht. Die Kette traf dort auf den Boden auf, wo ich eben noch gelegen hatte. Ich hockte mich hin und sah mir zum ersten Mal die Gesichter der Halbwüchsigen an, die mich damals zusammengeschlagen und verhöhnt hatten, als ich bei dem Versuch, mich in den berauschten Carl Hodges zu versetzen, in ihrem Gebiet herumgestolpert war. Ich hatte Hodges' Handlungen nachvollzogen, war mir dessen aber nicht bewußt gewesen. Ich war nicht einmal auf die Idee gekommen, daß sie einen besonderen Grund gehabt hatten, als sie mich verprügelten. Die Gesichter waren die gleichen. Sie waren jung und kalt. Einige von ihnen fragten sich zwar, ob es richtig war, einen Erwachsenen zu verprügeln, aber die Entschlossenheit der anderen gab ihnen Mut. Es waren Halbstarke jeglichen Alters aus allen möglichen Kommunen, aber Kameradschaft und Gutmütigkeit waren ihnen fremd.

„Ich war auch mal in so 'ner Bande", sagte ich rasch, um den Helikopter-Piloten auf dem laufenden zu halten. „Ich hab nicht geglaubt, daß ihr mich zusammenschlagen würdet. Ich bin doch nicht hergekommen, um mich verdreschen zu lassen. Ich will nur meine alte Uhr – und euch was erzählen."

Ich beendete diesen Satz mit einem schnellen Seitwärtssprung, aber die schwingende Kette folgte mir, traf mich und verpaßte mir ein paar Blutergüsse auf der Brust, den Rippen und den Armen. Der Magnet, der am Ende der Kette hing, traf klirrend auf eins der Kettenglieder. Der Bursche, der die Kette hielt, zog sie fest. Die Metallglieder verwandelten sich in zupackende Zähne, und die Kette verengte sich wie ein Lasso. Ich taumelte, richtete mich auf und stand, gefangen von einer beißenden Eisenkette.

Ich mußte an mich halten, um nicht die Nerven zu verlieren. „He", sagte ich, „das ist aber nicht nett."

„Sag, was du uns zu sagen hast", sagte der Blonde.

„Als ein Freund von mir die Schrammen sah, die ihr mir beim

letzten Mal verpaßt habt", sagte ich, „meinte er, daß ihr wohl was Wichtiges hier versteckt, von dem ihr mich fernhalten wolltet. Er meint, ihr habt den verschwundenen Computermann. Den, der die Brooklyn-Kuppel in die Luft gejagt hat. Auf den hat man 'ne Belohnung ausgesetzt."

Eine Schockwelle durchlief die Reihen der mich umstehenden Burschen, aber der Blonde war fix. Ohne seinen Gesichtsausdruck zu verändern, machte er eine befehlende Handbewegung. „Drei Mann überprüfen die Straßen. Vielleicht ist er nicht allein gekommen." Die drei verschwanden lautlos in verschiedenen Richtungen.

„Ich tue euch doch nur einen Gefallen, wenn ich euch sage, was die Leute so reden", sagte ich in naivem Tonfall. „Und jetzt tut mir 'n Gefallen und helft mir, daß ich meine Uhr wiederkriege."

„Einen Gefallen?" schrie der Häßliche mit der Fahrradkette. „Wir sollen dir 'n Gefallen tun? Du hättest besser dein dreckiges Maul gehalten!" Und er riß an der Kette, so daß sie mich noch fester zwickte.

Mehr konnte ich nicht aushalten. Ich blieb still stehen, glotzte wie ein Blöder, tat so, als wäre ich völlig durcheinander, dann beugte ich mich vor, knallte dem Typen mit der Kette eins vor die Rübe, daß er über den Betonboden rollte, warf mich die Stufen der Treppe hinunter und löste die Kette. Ich kam auf die Knie und packte nach der Kette, um sie als Waffe einzusetzen. Sie war zwei Meter lang und hatte an jedem Ende einen Griff. In den Händen eines starken Mannes kann eine solche Kette eine tödliche Waffe sein. Hätte ich sie im rechten Moment zu fassen gekriegt, hätte ich sie kreisen lassen und die Burschen niedergemäht wie Grashalme. Ich nahm sie zusammengerollt in die Hand, beugte mich vor und ließ sie durch die Luft sausen, weil ich ungeheuer wütend war. Die Bande zerstreute sich und floh; die kreisende Kette raste ins Leere.

„Blöde Punks", keuchte ich. „Können einfach nicht hören ... "

Ich hielt inne und ließ die kreisende Kette über den Boden wirbeln, wo sie sich verlangsamte. Ich rollte sie zusammen und hängte sie mir über den Arm. Ein Stück davon behielt ich in der Hand, für alle Fälle. Die Sonne war jetzt untergegangen. In den Ecken war nun alles dunkler und schwerer zu erkennen. Ich wehrte einen Knüppel mit dem Kettenende ab und schnappte mir einen anderen mit der Hand. Etwas pfiff an mir vorbei und schepperte gegen die Wand – ein Messer. Offenbar war der Anführer der Bande zu der Erkenntnis gelangt, daß ich zuviel wußte und deswegen umgebracht werden mußte.

„Carl Hodges!" brüllte ich. „Lassen Sie mich rein! Ich bin ein Freund! Ich brauche Hilfe! Computermann Carl Hodges, kommen Sie raus!" Auf diese Weise würde der Helikopterpilot wenigstens erfahren, daß ich in Not war und rasche Hilfe brauchte. Er würde schnell kommen. Auch wenn die Halbstarken mich um Hilfe schreien hörten – daß ich damit die Polizei heranholte, konnten sie nicht einmal ahnen.

Hinter der Kellertür krachte es zweimal, dann gaben die rostigen Scharniere nach, und sie donnerte auf die Stufen. Auf ihr lag ein Mann, der sich aufrappelte und die Stufen auf allen vieren hinaufkroch.

Als er oben war, stand er auf. Er war mager, hatte schütteres Haar, war drahtig, etwas kleiner als der Durchschnitt und sah mir weder körperlich noch im Gesicht ähnlich. Dennoch war er ich. Aus seinem Gesicht sahen mich meine eigenen Augen an.

Ich hob einen Knüppel auf und gab ihn ihm. „Deck' mir den Rücken. Ich glaube, sie wollen dich lebend haben, aber mich wohl nicht." Ich wandte mich langsam um, schaute und lauschte, aber es war alles still. Sie würden an jedem Weg lauern, den ich zu nehmen versuchte. Und sie gedachten mich zu töten.

Ich sah zu Carl Hodges zurück und stellte fest, daß der magere Computermann mich anstarrte. Er war ich – wie ein Spiegel.

„Hallo, ich ... da drüben", sagte ich.

„Hallo, ich ... da drüben", sagte er. „Bist du ein Computermann? Hast du Lust, mit mir eine Partie Stadtschach zu spielen, wenn ich wieder arbeiten gehe? Vielleicht könntest du einen Job in meiner Abteilung bekommen."

„Nein, Kumpel. Wir sind zwar wir, aber Stadtschach spiele ich nicht. Ich bin nicht wie du."

„Aber warum ... " Hodges duckte sich vor einem heranfliegenden Knüppel, so daß er auf dem Beton landete. *Aber warum habe ich dann den Eindruck, daß wir ein und dieselbe Person sind?* hatte er fragen wollen.

„Ein gefühlsmäßiges Bindeglied ist zwischen uns", sagte ich. „Ich denke nicht wie du. Ich fühle nur das, was du fühlst."

„Dann möge Gott jedem beistehen, der im Moment die gleichen Gefühle hat wie ich", sagte Hodges. „Auf meiner Seite nähern sich ein paar Burschen."

„Halt sie dir vom Leib. Wir bleiben Rücken an Rücken. Alles, was wir brauchen, ist ein bißchen Aufschub." Ich drehte mich wieder um und suchte die Umgebung mit den Augen ab. Ich war auf alles vorbereitet. „Was übrigens deine Gefühle angeht: So schlimm ist es nun auch wieder nicht. Ich werde darüber hinwegkommen."

„Aber ich war derjenige, der es getan hat", sagte Carl Hodges. „Wie kann ich je damit fertig werden? Ich glaube … Ich meine, ich habe einen guten Grund zu glauben … daß ich betrunken war. Sie haben mich glatt eingemacht. Wie soll ich bloß darüber wegkommen?" Seine Stimme brach vor Anstrengung. Gegenstände flogen auf uns zu, verpaßten uns und krachten gegen die Mauern und den Boden.

Wir standen Rücken an Rücken und wehrten Ziegelsteine, Knüppel und eine Reihe aufblitzender Dinge ab, von denen ich hoffte, daß sie keine Messer waren. „Wenn wir nicht aufpassen, bringen sie uns um", sagte ich. „Das ist die eine Möglichkeit." Ein Knüppel flog durch die Luft und traf mich am Ohr. Die Angreifer rückten näher vor; ich sah ihre Umrisse vor den dunkler werdenden Steinmauern. Ein einzelner Schatten bückte sich, hob einen zu Boden gefallenen Knüppel auf und warf ihn uns während des Näherkommens entgegen.

„Autsch", sagte Carl Hodges. „Duck dich." Wir duckten uns. Ein Netz zischte an uns vorbei. „Wir bringen es ganz gut zusammen. Wir sollten uns mal wieder treffen und uns irgendeine andere Halbstarkenbande vornehmen, was meinst du?" sagte er mit heiserer Stimme. „Autsch, verdammt."

Der größte der Bande ging gegen mich vor, aber ich jagte ihn zurück. Als er wegtaumelte, versuchte ich ihm eins zu verpassen, aber ich haute daneben und sah, wie Carl ihm sauber seine Keule zwischen die Beine warf. Der Junge fiel mit dem Gesicht zuerst auf den Boden, rollte sich weg und entkam aus unserer Reichweite.

„Nicht übel!" Mehrere Schläge, die meinen Kopf trafen, erinnerten mich daran, daß auf meiner Seite auch allerhand los war. Etwas benebelt fuhr ich herum, faltete die Hände und schlug zweimal auf die verschwommenen Umrisse ein. Dann holte ich nochmals aus und drosch einen der Angreifer mit einem gezielten Schwinger nieder.

Mit einem tiefen Brummen und eine ziemliche Ladung Luft vor sich herschiebend, kam jetzt der Hubschrauber über eine Mauer geflogen und stürzte sich herab wie eine Eule, die ein Mäusenest ausgemacht hat. Er versprühte eine weiße Gaswolke.

Bevor die Wolke mich erreichen konnte, holte ich noch einmal tief Luft. Der neben mir stehende Carl Hodges sog einen Teil der weißen Wolke ein und fiel zu Boden, wie von einem Keulenschlag gefällt.

Immer noch die Luft anhaltend, spreizte ich seine Beine und peilte wachsam durch den Nebel, um nach Gestalten Ausschau zu halten, die noch standen oder sich bewegten. Die meisten der Halbstarken waren geflohen oder lagen flach auf dem Boden. Aber was waren das für Umrisse? Achtzehn Sekunden des Luftanhaltens. Es war nicht schwer. In der Regel schaffte ich zwei Minuten. Ich hielt also den Atem an und versuchte durch die weiße Wolken zu sehen, die mich umgaben. An den Geräuschen, die der Hubschrauber machte, merkte ich, daß er hin und her flog, immer größere Spiralen zog und überall Gas versprühte, um all jene Mäuse zu erwischen, die vom Zentrum des Geschehens zu dessen Rändern flohen.

Plötzlich waren die Umrisse neben mir. Ich fing mir einen doppelten Schlag ein und flog drei Meter zurück, bis ich mit dem Rücken auf dem sandigen Betonboden landete. Nachdem ich ein überraschtes Schnaufen ausgestoßen hatte, fiel mir ein, daß ich die Luft anhalten mußte. Ich kam schweigend wieder auf die Beine und machte einen Satz zurück.

Carl Hodges' bewußtloser Körper war verschwunden. Vor mir im weißen Nebel sah ich eine Bewegung, hörte Füße über den harten Beton und trockenes Holz schleifen und machte mich an die Verfolgung der Geräusche. Halb fallend, halb die Zementstufen hinunterrutschend, kam ich über die Holztür nach unten und in einen Korridor. Vor mir nahm ich eine Bewegung wahr, dann hörte ich, wie jemand eine Schranktür schloß. Mit angehaltenem Atem tastete ich mich weiter, öffnete eine Tür und sah eine geborstene Mauer. Ich roch den feuchten Geruch von Zement und unterirdischer Gänge und war mit einem Satz über einen Haufen alter Kehrbesen hinweg an der Maueröffnung. Hier konnte man beruhigt atmen. Ich nahm einen tiefen Luftzug.

Plötzlich flammte ein ziemlich heller Scheinwerfer auf und leuchtete mir aus einer Entfernung von einem halben Meter mitten ins Gesicht. „Meine Kanone zielt genau auf dich", sagte die Stimme des kleinen Blonden. „Dreh dich nach links um und geh in die Richtung, die ich dir angebe. Ich könnte dich auf der Stelle umlegen, und niemand würde dich je finden. Gib dir also Mühe, daß ich meine gute Laune behalte."

„Wo ist Carl Hodges?" fragte ich und setzte mich mit erhobenen Händen in Bewegung. Die Taschenlampe warf meinen Schatten voraus, bis er über enger werdende Mauern fiel.

„Wir gehen jetzt alle da runter. Ab nach links." Die Stimme kam mir irgendwie komisch vor.

Als ich mich umdrehte, sah ich, daß der kleine Bursche eine Gasmaske trug. Als ich ihn fragen wollte, wie er an sie herangekommen war, drang durch einen nachtschwarzen Spalt an der Decke weißer Nebel zu uns herab. Er roch feucht und schmeckte leicht nach Alkohol. Das richtige Mittel, um Aufrührer mattzusetzen.

„Bewegung", sagte der Junge und fuchtelte mit seiner Kanone herum. Ich bog nach links ab und fragte mich, was eigentlich in einem Menschen vorging, der das Zeug eingeatmet hatte. Ein ereignisreicher Tag und eine ebensolche Nacht. Leute, die schon mal was von dem Gas abbekommen hatten, sagten, sie hätten allerlei symbolträchtige Erfahrungen gemacht. Welche Bedeutung hatte dieser Tag? Warum passieren solche Dinge?

Ich schwebte inmitten des weißen Nebels, verließ meinen Körper, war plötzlich über der Stadt und erblickte ein Bewußtsein, das höchst vielfältig und von bitterer Logik war. Es brütete über den Häusern und erstreckte sich in Vergangenheit und Zukunft. Ich sprach zu ihm, aber in Gedanken, nicht mit Worten. „Ahmed hat die Weltsicht seiner Großmutter, der Zigeunerin. Er hält dich für das Schicksal. Er glaubt, du verfolgst Absichten und hast Pläne."

Das Bewußtsein lachte und dachte: *Die Räder der Zeit und der Ursachen mahlen gründlich. Wenn man den Gang eingelegt hat, ist zwischen ihnen kein Platz mehr für Freiheit. Die Stadt ist eine Notwendigkeit. Die Zukunft ist schon gebaut. Wenn der Gang eingelegt ist, bewegen wir uns auf sie zu. Ich bin das Schicksal.*

Auf geistigem Wege warf ich ein: *Wir wissen nicht mehr, wie die Vergangenheit war. Wir wissen es nicht genau. Wir haben unsere Ansichten geändert. Damit ändert sich auch die Vergangenheit – und alles, was in der Gegenwart auf ihr aufgebaut hat. Und die Zukunft.*

Mit einem Heulen taumelte das über der Stadt brütende Bewußtsein ins Nichts hinein, wurde nie erschaffen, hatte nie existiert, wie die Böse Hexe aus dem Westen, als Dorothy einen Eimer Wasser über ihr ausgeleert hatte. Es verging mit dem gleichen heulenden Gejammer.

„Aber all meine herrlichen Katastrophen, meine tragische Logik … "

„Nicht nötig", sagte ich ernst. „Wenn man die Zukunft sehen kann, kann man sie auch verändern. Wenn man die Vergangenheit nicht sehen kann, ändert sie sich in jeder Hinsicht. Nichts ereignet sich zweimal auf die gleiche Weise."

Die Stadt der Zukunft zerfiel und verwandelte sich in weißen Nebel. Es war ein schöpferischer Nebel, den die reine Vorstellungskraft in jede gewünschte Form bringen konnte. Ich stand mitten in ihm drin und kam mir ziemlich stur vor. Da war wieder jemand, der mich in Versuchung führen wollte. Man wollte mich dazu kriegen, das bürokratische Spiel der Vorschriften und Unfreiheit mitzumachen. Ich sollte dabei mitmachen, Leute in kleine Schachteln zu sperren, damit man sie mit Vordrucken erfassen konnte.

„Nein", sagte ich. „Ich werde mit meiner Meinung niemanden beeinflussen. Sollen sie sich doch ihre eigene Vergangenheit auswählen."

Der Nebel wich.

In der Nähe einiger knorriger Pinien saßen sieben Leute in weißen Roben an einem Berghang und beobachteten das Glitzern des in der Ferne liegenden Pazifischen Ozeans. „In gewisser Weise suchen wir uns wirklich unsere eigene Vergangenheit aus."

„Eine interessante Traumvorstellung."

„Beinahe die absolute Wahrheit."

„Einverstanden, ein brillanter Gedanke."

„Wenn wir aus den Erinnerungen der ganzen Welt das zusammentragen könnten, was man noch weiß und was man vergessen hat, könnte man die Richtung, die die Welt nimmt, beeinflussen. Die Menschen treffen ihre Entscheidungen teilweise aufgrund von Traditionen und teilweise nach dem, was die anderen tun."

Sie sahen mich an und sagten „Danke", wie liebe, alte Freunde.

Ein nettes Mädchen in weißer Robe und mit nackten Füßen sagte: „Wie schade, daß er immer schläft. Ich würde gerne seinen Namen und seine Adresse wissen."

„Hat keinen Zweck, danach zu fragen Der Alptraum mit dem abstürzenden Flugzeug wird dich zerschmettern."

Sie kam so nahe an mein Bewußtsein heran, daß ihre Stimme Echos warf und ich meinte, es sei meine eigene. „Aber er schläft gar nicht. Er steht unter irgendeiner Droge Droge Droge Droge … "

Ihre Stimmen schienen mein Gehör plötzlich zu zerfetzen. „Paß auf, George! Er zielt mit einer Pistole auf dich! Übernimm seinen Körper! Du kannst ihn kontrollieren! Du kannst es! Sorg' dafür, daß er sich die Kanone gegen den Kopf hält und sich das Gehirn rausbläst!"

„Sachte, sachte", sagte ich. „Für sieben Engel habt ihr aber brutale Gedanken."

„Das ist Selbstschutz!" kreischten sie. „Wach auf! Er will dich umbringen, bevor du wieder zu dir kommst!"

Ich wurde wach und lag in einem kleinen Zimmer auf dem Boden. Der kleine Junge saß auf einem Bett und richtete seine Waffe auf mich. Der Raum war vollgestopft mit Büchern, Stereokassetten, zwei alten Fernsehern und einer Leselampe.

„Sie haben Carl Hodges zurückgeholt", sagte der Junge. „Du hast alles kaputtgemacht. Vielleicht bist du ein Bulle. Ich weiß nicht. Vielleicht sollte ich dich umbringen."

„Ich hatte gerade einen irren Traum", sagte ich zu ihm, ohne mich zu rühren, denn ich wollte nicht, daß er mich aus lauter Angst erschoß. „Ich habe geträumt, daß ich mit dem Schicksal von New York City sprach. Ich erzählte ihm, daß die Zukunft sich jederzeit ändern kann, und auch die Vergangenheit. Am Anfang war die Mitte, sagte ich. Da fing das Schicksal an zu heulen, machte buh und haute ab." Zum ersten Mal fiel mir auf, wie einfach und blöde ich mich beim Reden ausdrückte. Wenn ich über das nachdachte, was ich gesehen hatte, war alles viel klarer. Ich versuchte es noch mal. „Ich meine, es verschwand; es gibt kein Schicksal mehr. Wir sind es los."

Eine ziemlich lange Pause entstand, während der kleine blonde Bursche mit der Pistole auf mein Gesicht zielte und mich über den Lauf hinweg anstarrte. Der Bursche versuchte mehrmals ein brutales Gesicht aufzusetzen, aber dann gewann doch seine Neugier. Auch wenn er noch jung war, er schien etwas auf dem Kasten zu haben – und Neugier bedeutete ihm mehr als Liebe oder Haß. „Was meinst du damit? Ist die Vergangenheit veränderbar? Kann man sie verändern?"

„Ich meine ... Wir wissen nicht genau, was in der Vergangenheit los war. Irgendwie ist sie weg. Sie ist nicht mehr wirklich. Also können wir uns unter ihr vorstellen, was wir wollen. Wenn uns irgendeine Vergangenheit Schwierigkeiten macht, verändern wir sie dadurch, indem wir uns einfach stur stellen, dann kommt alles wieder ins Lot. Nimm zum Beispiel uns beide. Wir sind jetzt einfach hier und haben uns eben erst getroffen. Sonst ist nichts weiter passiert."

„Oh." Der Junge legte die Knarre weg und dachte darüber nach. „Freut mich, dich kennenzulernen. Ich heiße Larry."

„Und ich George." Ich nahm eine etwas bequemere Stellung ein, bemühte mich aber, keine plötzlichen Bewegungen zu machen.

Während Larry darauf wartete, daß die Polizei draußen die Suche abbrach und sich wieder zurückzog, hatten wir ein langes, philosophisches Gespräch. Hin und wieder nahm Larry seine Kanone in die Hand und richtete sie auf mich, aber meistens sprachen wir über irgendwelche Sachen oder erzählten uns Geschichten, ohne uns gegenseitig was übelzunehmen.

Bei seinen Versuchen, mich davon zu überzeugen, daß es auf der Welt zu viele Techniker gäbe, gab Larry sich alle Mühe. „Sie wissen nicht, wie ein menschliches Wesen sich verhält. Sie gehen ganz darin auf, sich vorzustellen, Tarzan zu sein. Sie schauen sich alte Filme an und stellen sich vor, sie seien Humphrey Bogart oder James Bond. Aber in Wirklichkeit haben sie nicht den Mumm, etwas zu tun, was über das reine Lesen und Studieren hinausgeht. Sie machen Geld damit und denken sich immer neue Spielereien aus. Und sie spielen mit Computern, die für sie das Denken erledigen. Sie nehmen einem alle Herausforderungen und vergällen einem alle Eroberungen, die das Leben bietet. Und den Leuten, die mit ihren eigenen Händen arbeiten wollen, geben sie eine Rente, damit sie in die Wälder oder zum Surfen gehen, wenn sie nicht drinnen bleiben und Knöpfe drücken wollen. Die Leute, die in die Wälder oder zum Surfen gehen, nennen sie dann Nassauer und sorgen dafür, daß sie sterilisiert werden, damit sie keine Kinder haben können. Das ist Völkermord. Sie rotten die wirklichen Menschen aus. Die Nachkommen der Menschen werden nur noch von diesen zwanghaften Knopfdrückern abstammen. Sie werden völlig vergessen, was das Leben ist."

Er drückte das gut aus. Ich fühlte mich unbehaglich, weil das, was er sagte, so wahr klang. Obwohl ich wußte, daß selbst der gerissenste Bursche einem Killer nicht widersprechen würde, versuchte ich es.

„Könnte ein Bursche, der wirklich Kinder haben will, sich denn nicht genug Geld verdienen, um für sich eine Zuchterlaubnis und für seine Frau eine Operation zu bekommen?"

„Es gibt ja nicht mehr viele Jobs. Die, die noch übriggeblieben sind, sind Knopfdrücker-Jobs, und da muß man schon zwanzig Jahre studieren, damit man lernt, auf die richtigen Knöpfe zu drücken. Sie haben vor, jeden zu sterilisieren, bis auf die Knopfdrücker."

Dazu wußte ich nichts zu sagen. Was er sagte, ergab schon einen Sinn, deckte sich aber nicht mit meinen Erfahrungen. „Mich hat man nicht sterilisiert, Larry. Und ich hab wirklich nichts auf dem Kasten. Ich hab nicht mal 'ne richtige Schulbildung."

„Wann haben sie dir die Schülerbeihilfe gestrichen?"

„Vor fast 'nem Jahr. Diese Woche werde ich zwanzig."

„Also nix zu essen und kein Dach über dem Kopf. Was ist mit deiner Familie? Unterstützt sie dich?"

„Hab' keine Familie. Bin 'n Waisenkind. Ich hatte 'ne Masse Freunde, aber die haben alle auf Rente gemacht und sind weggebracht worden. Außer einem. Der hat 'n Job bekommen."

„Du hast also noch keine Arbeitslosenunterstützung für Jugendliche beantragt?"

„Nein. Ich wollte in der Stadt bleiben. Wollte nicht, daß sie mich wegbringen. Ich dachte, ich könnte 'n Job kriegen."

„Ich lach' mich schief. Viel Glück dabei, George. Und was willst du als nächstes essen?"

„Manchmal helfe ich in Kommunen aus. Da krieg ich dann was. Im allgemeinen bin ich in den Kommunen der Bruderschaften gern gesehen."

Ich wechselte unbehaglich meine Stellung und setzte mich hin. Was ich eben gesagt hatte, war fast eine Lüge. Ich hatte ja jetzt einen Job, aber über die Rettungsbrigade konnte ich nichts sagen. Möglicherweise hätte Larry mich für einen Cop gehalten und umgenietet. „Ich geh' aber nicht schnorren."

„Wie lange hast du's mal ohne Essen ausgehalten?"

„Ungefähr zwei Wochen. Ich hab aber nicht viel Hunger. Ich war unheimlich fett. Ich bin aber gesund. Und arbeiten tu ich gern."

Der Junge saß im Schneidersitz auf seinem Bett und lachte. „Gesund ist gut! Du bestehst doch nur aus Muskeln! Deine Muskeln reichen von einem Ohr zum anderen. Du versuchst also, das System zu schlagen! Und dabei hat man es geschafft, um Muskelprotze wie dich auszurotten. Wenn du beim Sozialamt einen Antrag stellst, sterilisieren sie dich. Wenn du Arbeitslosengeld beantragst, sterilisieren sie dich. Wenn sie dich beim Betteln erwischen, sterilisieren sie dich auch. Früher oder später wird jeder Muskelprotz durch Geld korrumpiert. Dich wird es auch erwischen. Ich gehe jede Wette ein: Wenn du Hunger hast, dann denkst du an die Flasche Wein und das großartige Essen, das es gratis in der Sterilisationsklinik gibt. Und du glaubst vielleicht noch, daß du eine Million Dollar gewinnst, wenn die Operationstätowierung dir die richtige Nummer verpaßt, stimmt's?"

Ich antwortete nicht.

„Vielleicht weißt du es gar nicht, aber deine Arbeitslosenunterstützung geht auf ein Sperrkonto, und für jede Woche, in der du es nicht beanspruchst, ziehen sie dir die Hälfte ab. Du hast also seit fast einem

Jahr nichts beantragt? Wenn genug auf einem Haufen ist, solltest du hingehen, den Zaster beanspruchen und dich sterilisieren und an den Arsch der Welt ins Exil schicken lassen, wie all die anderen."

„Mach ich nicht."

„Warum nicht?"

Ich antwortete nicht. Nach einer Weile sagte ich dann: „Würdest du dich sterilisieren lassen?"

Larry lachte wieder. Er hatte ein Fuchsgesicht und große Ohren. „Wohl kaum. Ein schlauer Bursche hat viele Möglichkeiten, gegen das System vorzugehen. Meine Nachkommen werden noch hier sein, wenn die Sonne erkaltet und die Menschen die Erde mit einem Antrieb versehen, um sich eine neue zu suchen. Meine Nachkommen werden auf Lichtwellen durch den Weltraum reiten. Niemand wird sie ausrotten, und niemand wird Knopfdrücker aus ihnen machen."

„Okay, ich verstehe." Ich stand auf und machte zwei Schritte nach da und nach dort. Der Raum war klein. „Für wen arbeitest du, Larry? Wen beweinst du? Menschen, die man besticht, damit sie sich die Eier abschneiden lassen? Die sind doch ganz anders als du. Haben sie genug Mumm, um sich dagegen zu wehren? Sind sie es wert, daß du dir für sie per Gerichtsbeschluß eine Gehirnwäsche verpassen läßt? Ich nehme an, daß du was von Geschichte verstehst. Ich bin einer von den Burschen, die die Techniker sich gerne vom Halse schaffen würden. Aber irgendwie bist du doch selber so 'ne Art Techniker-Typ. Warum wirst du nicht wirklich einer und hörst auf, Schwierigkeiten zu machen?"

Am Ende des Zimmers blieb ich mit dem Gesicht zur Wand stehen, ballte die Fäuste und sagte: „Junge, weißt du überhaupt, was du für Schwierigkeiten hervorrufst?"

„Ich seh's im Fernsehen", sagte Larry.

„Das waren echte Menschen, die du umgebracht hast." Ich starrte immer noch die Wand an. „Heute nachmittag habe ich versucht, mit künstlicher Beatmung ein Mädchen zu retten. Es blutete aus den Augen." Ich würgte und wäre fast erstickt. Als ich weiterzusprechen versuchte, ballten sich meine Fäuste fester. „Man sagte mir, sie sei tot. Und dabei sah sie ganz in Ordnung aus. Bis auf die Augen. Ich glaube, ich versuchte ihr zu helfen, weil ich blöd bin und glaubte, sie wäre noch am Leben." Ihr helfen! Ja, indem ich Larry tötete. Wie durch einen roten Nebel sehend schaute ich mich in seinem Zimmer um und suchte nach einer Waffe.

Larry hob die Kanone wieder hoch, richtete sie auf mich und sprang hastig von seinem Bett. „Oho – die Vergangenheit ist wieder da! Es wird wohl Zeit, daß ich gehe!" Er hielt die Kanone mit der einen Hand auf mich gerichtet, setzte sich mit der anderen eine dunkle Brille auf und hängte sich die Gasmaske um den Hals. „Rühr dich nicht, George, du möchtest doch sicher kein Loch im Kopf haben. Wenn du mich bekämpfst – für wen arbeitest du dann? Auf keinen Fall für Leute wie dich. Denk doch mal nach, Mensch." Er näherte sich rückwärts der Tür. Ich beobachtete ihn, sah ihm ins Gesicht. Ich stand geduckt da und war auf alles vorbereitet.

Larry zog sich in einen dunklen Gang zurück. „Komm mir nicht nach. Aber das willst du ja auch gar nicht. Dieser Kracher ist mit Infrasicht ausgerüstet und trifft auch im Dunkeln. Sobald du den Kopf aus der Tür steckst, schieße ich ihn dir vielleicht ab. Bleib noch zehn Minuten hier stehen und mach keinen Ärger. Meine Kanone schweigt, aber wenn ich dich erschießen muß, kriegst du nicht mal einen Orden dafür, daß du den Helden gespielt hast. Keiner würde es je erfahren."

Der untersetzte Junge zog sich in den dunklen Korridor zurück und verschwand.

Ich stand noch immer geduckt da. Dann wurde es wieder klar um mich, und meine Hände entkrampften sich. Irgendwo am Ende des Korridors hörte ich, wie Larry über einen Besen stolperte. Es klapperte, dann fiel etwas um. Larry krachte gegen eine Mauer, dann verschwand er aus meiner Hörweite. Ich hätte ihm folgen können, aber dann fiel mir ein, daß ich ihn gemocht hatte. Die Sachen, die er dachte, hatten mir gefallen. Er dachte irgendwie mit einem warmen Leuchten, und wenn er redete, kam mir die Welt plötzlich viel klarer und leichter zu bewegen vor.

Ich hätte hinter dem Killer herlaufen sollen, aber ich stand einfach nur da …

„Ausgezeichnete Selbstkontrolle, George. Herzlichen Glückwunsch", sagte Ahmeds Stimme gelassen von der Decke her. Er ließ sich durch ein großes Loch zu mir hinab, hing an seinen langen Armen und ließ sich dann katzenhaft und lautlos fallen. Er war groß und drahtig und überall schmutzig und mit Spinnweben bedeckt. Als er grinste, leuchteten seine Zähne hell in der Dunkelheit seines Gesichts. „Du hast gerade einen Orden verspielt", sagte er, „und zwar den, der an tote Helden verliehen wird. Ich hatte schon gedacht, du würdest versuchen ihn umzubringen."

Er betätigte den Rufer seines Armbandsenders, steckte sich einen Stöpsel ins Ohr und meldete sich. „Einer ist abgehauen. Er ist vom Zentrum aus durch einen Kellergang nach Westen unterwegs, trägt eine Gasmaske und eine Infrabrille. Er ist bewaffnet und gefährlich. Und er ist der Obermotz; also gebt euch Mühe, Jungs."

Ich nahm auf dem Rand der Liege Platz und schwitzte. „Manchmal werde ich einfach zu wütend. Ich hätte beinahe versucht, ihn umzubringen. Dabei ist vielleicht richtig, was er sagte."

Ahmed zog den Stöpsel aus seinem Ohr. „Ich habe hauptsächlich dir zugehört, alter Junge. Es war 'ne ziemlich interessante philosophische Diskussion, die du da angeleiert hast. Und dabei mußte ich fortwährend niesen. Wieso führst du heute die philosophischen Gespräche, und ich werde zusammengeschlagen? Heute läuft wirklich alles verkehrt rum."

„Du bist der Gescheite, Ahmed", sagte ich langsam und nahm hin, daß ich die ganze Zeit unter seinem Schutz gestanden hatte. „Danke, daß du aufgepaßt hast." Ich sah auf meine Hände und war immer noch unentschieden. „Wieso klang alles nur so richtig, was der Bursche sagte?"

„Finde ich nicht." Ahmed unternahm den Versuch, sich die Spinnweben von den Ärmeln zu streifen. „Was du sagtest, hatte einen Sinn."

„Aber Larry sagte, daß die Techs alle anderen auslöschen."

„Vielleicht tun sie das, aber sie bringen keinen um. Das tut dieser Bursche."

Ich legte die Handflächen gegeneinander, spürte, daß sie schweißnaß waren und trocknete sie an meinem Hemd ab. „Ich hätte den Jungen beinahe umgebracht. Aber das, was er sagte, hörte sich richtig an. Er sprach über die Sachen, wie sie sind und wie sie noch kommen werden, wie das Schicksal auch. Es ist legal, Leute zu sterilisieren, aber sie töten ... "

„Töten ist unphilosophisch", sagte Ahmed. „Du bist übermüdet, George. Nimm's nicht so schwer. Wir hatten einen langen Tag."

Ich hörte das Heulen einer Polizeisirene und einen entfernten Schuß. Ahmed steckte sich wieder den Stöpsel ins Ohr. „Sie haben gerade jemanden mit einer Brille erwischt. Das Gas wirkte bei ihm nicht. Sie mußten ihn mit einem Nadler anhalten. Vielleicht war's Larry. Laß uns versuchen hier rauszukommen."

Wir warfen einen dicken Haufen Decken in den Korridor hinaus. Als niemand schoß, gingen wir vorsichtig hinaus, tasteten uns durch den langen, finsteren Gang und suchten nach einem Ausgang.

„Du glaubst also", sagte Ahmed, „daß Larry ein launischer Finger an der tastenden Hand der Zukunft war? Irgend jemand hat mal gesagt, daß keine Macht der Welt der Kraft einer Idee widerstehen kann, deren Zeit gekommen ist. Als ich allerdings da oben lag, die Spinnen auf mir herumkrabbelten und ich dir zuhörte, hatte ich den Eindruck, du seist dabei, eine neue Metaphysik zu erfinden. Hattest du nicht noch eben vor, das Schicksal außer Kraft zu setzen?"

Der Korridor wurde breiter. Ich spürte einen staubfreien, frischen Luftzug und sah einen Lichtschimmer, der durch irgendein Loch drang. Wir brachten es hinter uns und landeten an einem Ausgang, deren Tür eingeschlagen war. „Ich weiß nicht, Ahmed", sagte ich geistesabwesend. Er meinte wohl, ich hätte über was nachgedacht. Ich versuchte mich daran zu erinnern.

Aber ich erinnerte mich nur an Halluzinationen. Sieben komische Philosophen, die am Rande des Pazifiks saßen und mir schlechte Ratschläge erteilten. Aber sie waren meine Freunde und versuchten nur, hilfreich zu sein. Sie waren so real, daß ich riechen konnte, wie sie schwitzten. Sie konzentrierten sich und versuchten mich mit ESP zu erreichen. Aber ich blockte sie ab. Wenn man anfängt, Halluzinationen ernst zu nehmen, stecken sie einen nämlich in eine Zwangsjacke und holen einen ab. Solange man weiß, daß es nur um Einbildungen geht, ist man noch in Ordnung.

Wir stiegen über die eingeschlagene Tür, gingen ein paar Treppenstufen hoch und fanden uns in einem verwüsteten Hinterhof wieder, der sich im Mittelpunkt der Ruinen befand. Es war sehr still. In der Ferne umkreisten Polizeihubschrauber die Häuserblocks und landeten brummend auf den Straßen.

„Klar wolltest du das", sagte Ahmed. „Du hast das Schicksal außer Kraft gesetzt. Ich hab's doch gehört."

Ich schaute zum Mond hinauf. Er war hell und beschien die ganze Stadt, wie das böse Schicksal in meinem Traum. Aber es war nur der Mond, und die Stadt war ruhig. Ich hatte das Schicksal mit Argumenten vernichtet; mit einem guten, von hoher Intelligenz zeugenden Syllogismus. Ich machte plötzlich einen Luftsprung und knallte die Hacken zusammen. „Das habe ich auch. Das habe ich auch." Und da mir niemand zuhörte, schrie ich: „He, ich hab es getan! Ich habe das Schicksal abgeschafft!" Ich landete wieder auf dem Boden und lauschte in die Stille hinein. Der Mond sah friedlich aus; von Unheil war an ihm nichts zu bemerken. Aber trotzdem war an dieser großen, dunklen

Stadt und ihren seltsamen, riesigen Gebäuden etwas, das sich wie ein schlafender Tiger anfühlte. Das rote Licht am Himmel über New York ging an und aus, an und aus, wie eine unsichtbare Leuchtreklame. DENK NACH, DENK NACH, DENK NACH.

„Herzlichen Glückwunsch", sagte Ahmed und legte mir kurz einen Arm um die Schulter. „Darf ich dir 'n Tranquilizer anbieten?"

„Nein", sagte ich. „Kein Bedarf. Judd hat mir Geld gegeben. Jetzt komm ich alleine durch." Ich mußte nachdenken, und zwar ohne die Hilfe von Beruhigungsmitteln. Und Ahmeds Humor half mir auch nicht weiter.

Geld, eine heiße Dusche, ein Steak – ich wollte mich an der Stadt erfreuen, die zu retten wir beide helfen wollten. Und nachdenken. Über wichtige Dinge.

Ich marschierte los. Und als ich mich einmal umdrehte, stand Ahmed da, so groß wie er war. Er war voller Schmutz und Spinnweben und sah hinter mir her.

Er wirkte ganz schön verdattert.

5

Es war einsam und still auf dem Bürgersteig, der an den Mauern eines Kommunenblocks vorbeiführte. Da wächst man auf und glaubt, daß die Leute, die die Welt in Bewegung halten, aus ihren Jobs das Beste zu machen versuchen – und dann sagt einer was, und man sieht alles in einem anderen Licht. Ich blieb stehen und sah mir die Mauer an. Sie hatte keine Fenster und sah aus, als würde sie der Welt den Rücken zukehren. Die Abkapselung der Kommunen trug dazu bei, ihren Bewohnern zu helfen, nach ihren eigenen Sitten und Gesetzen selig zu werden. Sie lebten nur nach ihren eigenen Vorstellungen. Für die Leute, die innerhalb dieser Mauern lebten, bedeuteten die fensterlosen Wände Obdach und Schutz. Als ich mir die nackten, hohen Wände so ansah, wurde ich unsicher. Sie sahen so aus, als würden sie sagen: *Betreten verboten.* Aus Haß?

Wenn ein Volk Außenseiter haßte, konnte man dann von ihm erwarten, daß es einer ganzen Stadt voller Außenseiter zutraute, dieselbe gut in Schuß zu halten? Techniker, Computerprogrammierer, Systemanalytiker und Kontrollexperten – alle Leute, die die Denkmaschinen überwachten – stellten eine Gruppe dar. Sie machten die Politik und sorgten für die städtischen Dienstleistungsbetriebe.

„Die Techs bereiten Gesetze vor, um jeden auszulöschen, der nicht zu ihnen gehört. Besonders Muskelprotze wie dich, George." Das hatte der Junge nicht bloß so hingesagt. Und seine Vibrationen waren freundlich gewesen. Ich ging zu einer Telefonzelle. Wen sollte ich anrufen? Ich ging wieder hinaus und peilte den grünen Randstreifen entlang in beide Richtungen. Ich wollte mit jemandem reden und ihm diese wichtige Sache, die mir Schwierigkeiten machte, erklären.

Zwei stupide aussehende Männer gingen vorbei und strahlten das Gefühl nervöser Langeweile ab. Dann kam einer vorbei, der ziemlich glücklich aussah, aber er zog den Kopf zwischen die Schultern und ging schneller, weil es ihm nicht paßte, von einem stark aussehenden Kerl angestarrt zu werden, der im Dunkeln stand. Entschuldigend sah ich weg. Starr die Leute nicht an, George. Ich erinnerte mich an den Taschensender, den die Rettungsbrigade mir geliehen hatte, und schaltete ihn ein. „Statistik, bitte."

„Am Apparat."

„Wie spät ist es?"

„Zwei Minuten vor halb zehn", erwiderte eine dünne Stimme und stellte eine Gegenfrage. Ich schob mir den Stöpsel tiefer ins Ohr und stellte den Kasten lauter. „Vor einer halben Stunde etwa ist jemand festgenommen worden", sagte ich. „Ich möchte ihn gerne besuchen und mit ihm reden, kenne aber nur seinen Vornamen."

Die Stimme war jetzt laut und deutlich. Sie hörte sich an, als würde jemand neben mir stehen und direkt in mein linkes Ohr sprechen. „Nur eine Formalität. Sie müssen sich zuerst identifizieren."

„George Sanford. Rettungsbrigade. Berater, Kategorie J. Ich habe keine Dienstmarkennummer."

„In Ordnung. Jetzt zu dem Verdächtigen. Wann? Wo? Wie? Was? Alles, was Sie wissen. Ich füttere den Computer damit."

„Larry Soundso. Vielleicht vierzehn oder fünfzehn; mit 'nem hellen Köpfchen, fast wie ein Student. Blond, klein und untergewichtig. Man hat ihn eingelocht wegen Kidnapping, Vandalismus, Sabotage und möglicherweise mehrfachen Mordes."

„Ach, *den* Larry meinen Sie. Der die Brooklyn-Kuppel auf dem Kerbholz hat. Sie sind der Sanford, der die Bande mit Hilfe von ESP ausfindig machte. Herzlichen Glückwunsch, Sanford! Die Sache kam gerade mit den allgemeinen Bekanntmachungen rein. Moment. Ich hab jetzt alles eingegeben, aber der Computer spuckt nichts aus." Die Stimme klang jetzt wach und interessiert. „Können Sie in einer halben Stunde noch mal anrufen? Bis dahin wird er sicher registriert sein. Vielleicht hat man ihn bis dahin verhört, und er hat ein Geständnis abgelegt. Dann kann er mit jedem reden – bis die Verhandlung wegen der Gehirnwäsche anberaumt wird."

„Okay, danke." Ich schaltete ab. Ich stand immer noch da und musterte die nahen Wände der Kommune. Ein Mann in einem Zaubererkostüm kam an mir vorbei, machte einen Buckel, sah auf den Boden vor seinen Füßen und strahlte dermaßen furchtsame Vibrationen ab, daß mir die umliegenden Gebäude riesig, finster und bedrohlich erschienen. Wenn er sich vor etwas ängstigt, das groß, finster und bedrohlich ist, dachte ich, fürchtet er sich vielleicht vor dir. Ich sollte wirklich niemanden so ansehen.

Ich bürstete mir die Staubflecken von den Ärmeln und roch das tierische Aroma meines eigenen Schweißes. Schweiß vom Kampf und vom Ärger. Beschämt ging ich schnell und lautlos zum nächsten Subway-Eingang und fuhr mit einem Gleitsessel in ein öffentliches Schwimmbad, dem auch eine Wäscherei angeschlossen war.

Eine Stunde später, nachdem ich eine Dusche genommen, mich abgetrocknet und wieder saubere Kleider hatte, die noch warm vom Trockner waren, versuchte ich es noch einmal mit dem Armbandsender.

Diesmal antwortete mir eine andere Stimme.

„Nicht registriert. Bezüglich dieses Falls wurden sechs Personen festgenommen und eingeliefert, aber kein Larry Soundso. Meinen Sie damit den Anführer der Bande?"

„Ja."

„Bezüglich dieses Mannes wurde Alarmstufe eins ausgerufen. Das bedeutet, daß auch alle Flughäfen und sogar die Mondfähre überprüft werden. Im Hauptquartier scheint man anzunehmen, daß dieser Bursche wirklich schnell ist. Etwa fünfzehn Jahre alt, ein Meter sechzig groß, untergewichtig, blond, bartlos, hohe Stimme, ja? Das Fernsehen hat ein paar Skizzen seines Gesichts gezeigt. Niemand weiß, wo er ist."

„Danke." Ich schaltete den Sender ab. Ich wollte mit Larry reden. Ich stellte mir vor, ein magerer Junge zu sein, hinter dem sie mit Alarmstufe eins her waren. Ich kriegte Angst, kam mir aber auch gerissen vor. Ich entschied, daß ich mich in einem Park verstecken würde. In einem großen Park.

„Du mußt verrückt sein", sagte Larry, der unter den Bäumen des Van-Cortland-Parks im Dunkeln stand. „Du scheinst wirklich den Verstand verloren zu haben." Das Fuchsgesicht des Jungen war schmutzig, und seine Stimme hörte sich wie ein müdes, aufbegehrendes Winseln an. „Weißt du, daß ich gerade mit bloßen Händen zwei Jungs davon abhalten mußte, dich umzubringen? Gerade eben, mit den bloßen Händen." Er schien es selbst kaum zu glauben. „Sie wollten keine Befehle mehr annehmen. Wie heißt du noch mal? George? Du wirst von Stunde zu Stunde verrückter – und dümmer. Als meine Jungs dich wiedersahen, wurden sie richtig heiß. Du hast ihnen eine Menge Schrammen verpaßt. Ich hatte keine andere Wahl, als ihnen zu erzählen, daß du möglicherweise von einer unsichtbaren Bullenarmee mit Nachtsichtgeräten beschützt wirst, um an Weenys Kanone ranzukommen. Aber ..." – die Spur eines Lächelns machte sich auf seinen Zügen breit – „... du bist allein, stimmt's?"

Im Schein der Subway-Einstieglampe, der einzigen Lichtquelle in diesem dunklen Waldabschnitt, kniff ich die Augen zusammen und sah ihn an. „Du hast da was gesagt", sagte ich, „über die Techniker, die alle anderen Leute auslöschen ... Du hast es gesagt, als wir miteinander sprachen ..."

„Wie hast du mich bloß gefunden? Woher wußtest du, wo ich bin?" wollte Larry wissen. „Hat uns jemand gesehen?"

„Niemand hat euch gesehen. Ich bin einfach gut im Aufspüren von Leuten."

„Hast du jemandem was erzählt?"

Ich hatte plötzlich eine leichte Gänsehaut auf dem Rücken und wurde das Gefühl nicht los, daß jemand hinter mir stand, um mich anzugreifen. „Ein Freund von mir weiß Bescheid", log ich.

„Wird er der Polizei was erzählen?" fragte der Junge.

„Nein." Ich hoffte, daß es sich wie eine der üblichen Drohungen anhörte: Jedenfalls nicht dann, wenn ich unversehrt zurückkomme.

„Wie machst du das?" Der Junge legte eine Hand auf meinen Arm. „Ich meine, wie findest du die Leute?"

„Ich muß mich darauf konzentrieren", murmelte ich als Antwort und schämte mich, weil es dazu keinen Grund gab. „Ich krieg dann so ein Gefühl, wo jemand ist."

„Okay", sagte Larry, „und jetzt stellen wir die alles entscheidende Frage." Er drehte mich so, daß er in dem matten Licht mein Gesicht sehen konnte, behielt seine leichte Hand auf meinem Arm und fragte mit heller Stimme: „Bist du ein Bulle? Die Bande will es wissen, damit sie sich darüber klar wird, ob wir dich töten müssen."

Ich beugte mich ein Stück runter, um direkt in Larrys Ohr sprechen zu können, und machte dabei eine entschuldigende Geste. „Äh, ich bin so was Ähnliches, aber ich bin bei der Rettungsbrigade. Ich bin nicht hinter dir her, weil ich dir was antun will, Larry. Mein Job besteht darin, daß ich Katzen von den Bäumen, Kinder von rostigen Feuertreppen und alte Damen aus dem Keller hole. Ich bin so 'ne Art Sucher für die Ambulanz-Einheiten. Ich lokalisiere Leute, die in Schwierigkeiten stecken. Ich bin ein Aufspürer, kein Cop."

„Hau ab, du Trottel. Natürlich bist du eine Art Bulle. Sie werden dich umlegen. Sobald ich halbwegs zwischen dir und den anderen bin, sage ich ‚Verschwinde'. Dann rennst du in den Subway-Tunnel und siehst zu, daß du die nächste Biegung hinter dich kriegst. Ich werde ihnen auf der Treppe ein Bein stellen. Komm in zwei Tagen wieder. So lange werde ich brauchen, um sie davon zu überzeugen, daß du von ihnen nichts willst. Sag bloß nicht den Bullen, wo ich stecke. Du willst dich meiner Bande anschließen. Verschwinde!"

Ich zögerte. Er verstand mich nicht. Ich wollte es ihm erklären.

„Ich habe Weenys Kanone zwar versteckt", sagte Larry, „aber möglicherweise hat er sie schon wiedergefunden. Sie verschießt vergiftete Nadeln. Nun hau schon ab, Dummkopf. Ich will dich lebend in meiner Bande."

Ich rannte zu den Stufen zurück, brachte die Treppe in ein paar langen Sprüngen hinter mich und eilte mit lauten Schritten durch den leeren, unbenutzten Tunnel zu der hellerleuchteten Station zurück, an deren Haltestation genügend freie Sessel standen, um mich weg von den Jungs mit den Nadlern nach Downtown zu bringen.

Als ich auf den Rollwegen war, suchte ich mir eine langsame Spur für meinen Sessel, setzte mich so, daß ich nach hinten sehen konnte und pfiff all den einfach aussehenden Mädchen nach, die auf den anderen Spuren an mir vorbei kamen. Ich zwinkerte auch den alternden Schönheiten zu und machte so einen Haufen Frauen glücklich. Zwischen den einzelnen Pfiffen lehnte ich mich zurück und genoß die Welle freundlicher Vibrationen.

Es war eine herrliche Sommernacht. Am Midtown-Bahnhof holte ich meinen Schlafsack aus einem Schließfach und überlegte, wo ich schlafen sollte.

Gegenüber dem Hauptquartier der Rettungsbrigade lag ein kleiner

Zierpark mit einer ungemähten Wiese, wilden Blumen, Gebüschen und Pflanzen, die die Ökologie der Wildnis in der Stadt bewahrten und Luft für die Menschen erzeugten.

Das Gras war hoch und weich. Irgendwelche kleinen weißen Blumen, die auf ein paar von den Büschen wuchsen, strömten ein starkes Aroma aus und zogen Glühwürmchen an. Ich lag eine Weile wach, schaute zu, wie die winzigen Geschöpfe ihre Lichter an- und abschalteten, und stellte mir vor, sie seien Passagierflugzeuge, die nach einem verschwundenen Flughafen Ausschau hielten.

Ich war sofort hellwach, als ich in dem tiefen Gras das Geräusch von Schritten hörte. Ich machte die Augen auf. Die Sonne schien. Eine hochgewachsene Gestalt schob einen Zweig beiseite und beugte sich über mich.

„Warum pennst du da auf der Erde?" fragte Ahmed. Seine Stimme zitterte vor kaum verhaltenem Erstaunen. „Warum übernachtest du nicht bei dir zu Hause? Hast du überhaupt eine Wohnung?" Er stand da, war sauber gekleidet und rasiert. Er war zur Arbeit bereit und würde sicher auch bald befördert werden.

Es ist nicht gerade ein tolles Erwachen, wenn sich gleich jemand über einen beschwert.

Ich setzte mich hin und versuchte es ihm zu erklären, wie einem Doofen. „Ich kann schon wo pennen. Ich kann bei meinem Mädchen in der Karmischen Bruderschaft schlafen", erklärte ich. „Aber sie ist jetzt mit dem Raja-Yoga fertig und muß fasten und meditieren und so was, da macht sie nichts mehr mit Jungs. Außerdem wollte ich allein sein und über die Geschichte nachdenken."

Ahmed sagte verärgert: „Penn' doch, wo du willst. Reduzier' die Bevölkerung!"

Ich stand auf, reckte mich und sah ihm genau in die Augen. Wir hatten jetzt die gleiche Größe. Ich wollte nicht mit ihm kämpfen, also schaute ich weg und rollte meinen Schlafsack zusammen. „Kann ich was für dich tun, Ahmed?"

„Ja, ich habe dir eine Menge Glückwünsche zu übermitteln. Du kriegst eine Prämie; vielleicht bekommst du sogar einen Orden, weil du die Entführerbande gestern nacht aufgespürt hast. Jetzt, wo alle Welt weiß, daß du wirklich Leute aufspüren kannst, will jeder, daß du hilfst. Die Küstenwache will dich ausborgen, und die Statistik möchte, daß du bei der Forschungsarbeit bei den Zentralvorhersagen mitarbeitest."

„Schätze, ich würde lieber mit dir arbeiten", sagte ich. „Aber du bist 'n bißchen früh. Man sollte 'nem Burschen wenigstens die Chance geben, erst mal wach zu werden." Ich packte die Schlafsackrolle und rutschte in meine Sandalen. Ich war immer noch sauer, daß er mich so früh wach gemacht hatte. „Ich hab weder geduscht noch ein Frühstück gehabt. Komm später noch mal vorbei."

Ahmed kam schließlich in das Restaurant, das in der Nähe des Hauptquartiers liegt. Ich aß Rühreier mit Toast und Würstchen und saß an einem Tisch in Fensternähe. Er kam rein und setzte sich zu mir.

„Larry hat man letzte Nacht nicht geschnappt."

„Ich weiß", murmelte ich mit vollem Mund.

„Glaubst du, daß du ihn aufspüren kannst?"

„Hab' ich schon." Ich schluckte, schnitt den Toast und das Würstchen klein und stapelte alles in Schichten auf meine Gabel.

Ahmed wartete darauf, daß ich mehr sagte.

Ich schaufelte mir zwei Gabeln voll in den Mund, kaute und sah ihn nachdenklich an.

„Gestern nacht", sagte ich, „wollte ich mit Larry reden. Er war weder im Knast noch im Krankenhaus." Ich nahm einen Schluck Kaffee und sah aus dem Fenster.

„Wo ist er?"

„Ich fragte mich, wo ich hingehen würde, wenn ich Larry wäre. Und da bin ich dann hingegangen."

„Red' nicht um den heißen Brei herum, George. Wo steckt er?"

„Und er war da", sagte ich. „Wir haben uns unterhalten."

„Du bist hingegangen und hast mit ihm geredet? Nachdem du seine Bande zerschlagen und eingeknastet hast? Und du warst allein da?"

„Ja. Man kann sich gut mit ihm unterhalten. Er glaubt, ich will seiner Bande beitreten." Ich piekte ein weiteres Stückchen Wurst auf und tunkte es in den Ketchup auf meinem Teller. „Ich werde noch mal mit ihm reden. Er wird erklären, warum er all diese Sachen macht. Ich glaube, ich kann ihn dazu kriegen, damit aufzuhören. Er wird dann keine Schwierigkeiten mehr machen."

„Der wird erst aufhören, uns Schwierigkeiten zu machen, wenn man ihn eingesperrt oder ihm 'ne Gehirnwäsche verpaßt hat! Sag mir, wo er ist!" Ahmed schaltete seinen Armbandsender ein und bereitete sich darauf vor, jede Information weiterzugeben, die er von mir bekam.

Ich schlürfte meinen Kaffee und sah ihn ohne irgendeinen bestimmten Ausdruck an. Ich wartete darauf, daß er aufgab. Hinter uns lagen zahlreiche Jahre, in denen ich alles getan hatte, was er wollte, und zwar auf der Stelle. Ich hatte mich sogar immer geehrt gefühlt, wenn er mir etwas auftrug. Aber nun war mir das völlig egal.

Ahmed ließ seine Hand mit dem Armbandsender sinken und schaltete ihn mit einem Seufzen ab.

Wenn Ahmed wirklich mehr auf dem Kasten hatte als Larry, dann sollte er mir lieber Erklärungen geben statt Befehle.

„Ahmed, hast du Larry wirklich für einen Irren gehalten, als du zuhörtest, was er sagte?"

„Nein."

„Warum tust du dann so, als sei er verrückt?"

Ahmed wollte mir eine wütende Antwort geben, aber dann hielt er sich zurück und sagte die Wahrheit. „Die Sachen, über die er spricht, sind gefährlich. Sie können die größten Schwierigkeiten hervorrufen."

„Und warum?" Ich versuchte ihn zum Weiterreden zu bringen. Ich wollte was von den Gedanken mitbekommen, die in seinem Langschädel abliefen.

„Weil es so etwas wie eine natürliche Kampfansage ist, wenn jemand behauptet, irgendeine Gruppe wolle der deinen ans Leder. Wer so was sagt, sucht nach einem Alibi, um sich mit seinesgleichen zusammenzutun und andere umzubringen."

„Ich habe nicht vor, jemanden umzubringen."

Ich wurde plötzlich wütend, wischte mir die Finger mit einer Serviette ab und stand auf. Es war vielleicht nicht Ahmeds Schuld, aber in letzter Zeit machte mich alles wütend, was er sagte. „Ich will nur ein paar Tatsachen."

Ahmed klopfte mit einer Gabel auf den Tisch.

„Setz dich hin, George. Ich glaube, ich kann es dir erklären. Da sie per Computer ausgesucht werden, sind die Leute daran gewöhnt. Freunde und Nachbarn zu haben, die gleiche Interessen und Ansichten vertreten. Über das, was richtig ist, sind sie einer Meinung. Sie sind nicht daran gewöhnt zu differenzieren. Andere Lebenseinstellungen sind für sie falsch."

Ich stand immer noch neben dem Tisch. „Die Filme über die Geschichte der Demokratie sagen aus, daß die Gesetze, die das Recht auf Andersartigkeit und das Recht auf Intimsphäre schützen, erst in modernen Zeiten eingeführt wurden. Damit es besser und nicht schlechter wird."

„Würdest du bitte zuhören? Daß die Dinge schlechter werden, habe ich nicht gesagt. Ausgewählte sind glücklicher. Noch vor kurzem hing man der Idee an, man müsse alles vermischen. Die Leute sollten zusammenleben und nach außen hin alle gleich erscheinen: Geschäftsleute, Künstler, Puritaner, Tänzerinnen, Schwarze und andere ethnische Gruppen. Leute, von denen jeder andere Ansichten über das hat, was Vergnügen macht. Sie waren einsam, denn sie mußten so tun, als gehörten sie dem Durchschnitt an – und lebten dabei inmitten von Leuten, die sich nicht verstanden."

„In unserer UN-Bruderschaft waren wir auch alle durcheinandergemischt", wandte ich ein. „Wir hatten 'ne gute Freundschaft unter uns. Es war eine prima Bande."

Daß ich Widerworte gab, war Ahmed neu. Er blickte einen Moment auf seine Hand, die die Gabel hielt, preßte die Lippen aufeinander und runzelte finster seine schwarzen Brauen. Dann holte er tief Luft und riß sich zusammen. Als er weiterredete, tat er so, als würde er zu einem völlig Fremden sprechen.

„George, wie würdest du einen schüchternen Burschen nennen, der Interesse an Philosophie und Religion entwickelt, behauptet, Jesus Christus befinde sich in jedem Menschen, und dann sagt, alle Sünder der Welt hätten eine solche Sündenlast aufgetürmt, daß die, die jetzt leben, so schwer daran zu schleppen haben, daß sie neurotisch geworden sind, deswegen nicht mehr umkehren und freundlich sein können und zu einem Leben in der Hölle verdammt sind? Und dann geht er hin und sagt, er würde die armen Schweine dadurch retten, indem er für sie leiden und von ihrer Schuld befreien will. Und er setzt sich hin und meditiert zwei Wochen oder ein Jahr und redet kein Wort. Wenn du ihn dann nach seinem Namen fragst, wird er vielleicht sagen: Jesus Christus. Was habe ich da gerade beschrieben?"

„Einen der nettesten kleinen Burschen aus der Karmischen Bruderschaft." Ich erinnerte mich an ein rundes, bärtiges Gesicht mit kindlichen Augen, einer schüchtern stotternden Stimme und lieben Vibrationen. Er strahlte die Freundlichkeit regelrecht aus, war aber zu schüchtern, um zu sprechen.

Ahmed schaute zu mir auf. Seine Augen verengten sich, und sein Gesicht wurde härter. „Was würde man mit so einem tun?" fragte er.

„Was meinst du damit, mit ihm tun?" Ich war verwirrt. „Man würde ihm seine Mahlzeiten bringen. Und selbst wenn er die Welt nicht rettet: daß er es versucht, ist anerkennenswert."

„Kann man ihn zum Arbeiten bewegen?"

„Er arbeitet doch." Ich stellte fest, daß meine Stimme lauter geworden war. Ich zwang mich zum Hinsetzen und redete leise weiter. „Ich weiß nicht, auf was du hinauswillst. Er gibt doch sein Bestes und tut, was er kann. Er versucht es. Und er ist ihr Bruder. Er gehört zu ihnen."

„George, in den vierziger und fünfziger Jahren hätte man einen solchen Burschen als partiell katatonischen Schizophrenen mit religiöser Besessenheit und Größenwahn eingestuft. Die Ärzte hätten ihn in einen fensterlosen Raum gesperrt, wären jeden Tag zu ihm gekommen und hätten ihn in eine Zwangsjacke gesteckt. Sie hätten ihn in ein anderes Zimmer gebracht und ihm Elektroschocks ins Gehirn gegeben. Diese Schocks sind sehr schmerzhaft; sie lassen einen zusammenzucken und können Knochen brechen. Wenn man keine Vorsichtsmaßnahmen ergriffen hätte, hätte er sich die Zunge abgebissen. Er hätte gebrüllt, uriniert, unter sich gemacht und einen hohen Blutdruck bekommen. Und nachdem man ihn weggebracht und wieder aufgeweckt hätte, hätte er sich zwar nicht mehr an die Behandlung erinnern können, aber das Grauen wäre sofort wiedergekommen, wenn er auch nur in die Nähe der Tür gekommen wäre, die in diesen Raum hineinführt. Die Krankenhausärzte hätten ihm zwanzig Behandlungen dieser Art verpaßt – und pro Behandlung fünf Schocks verabreicht. Und dann hätte man ihn gefragt, ob er immer noch glaube, Jesus Christus zu sein. Sollte er dann immer noch sagen: Ja, ich leide für die Menschheit – wäre alles wieder von vorn losgegangen. Uns so weiter. Es kam vor, daß Menschen mit einem schwachen Herzen in diesen Schocktherapieräumen starben."

Ich hörte ein Brausen in meinen Ohren und sah weiß. Ich schlug nervös die Fäuste gegeneinander, aber so kann man die Pflicht auch nicht abschütteln. Man möchte zuschlagen, obwohl man weiß, daß das gar nichts bewirkt.

Meine Stimme war plötzlich kaum noch zu hören, nur noch ein Flüstern: „Und wer hat solche Krankenhäuser geführt? Azteken? Sadisten?"

„Nun ja." Ahmed lehnte sich zurück. „Als die Zeit dann kam und man die Persönlichkeitstypen aussortierte, fand man heraus, daß die meisten Menschen, die in solchen Krankenhäusern tätig waren, zur Gruppe der Sadomasochisten gehörten. Jetzt haben die Computersysteme alle Sadisten und Sadomasochisten aussortiert, und sie können in allen Städten in eigenen Kommunen leben. Jetzt bleiben sie aus dem Krankenhausdienst raus. Du siehst also, George, das Auswahlsystem hilft."

Ich schaute auf den Tisch. „Yeah. Okay, red nicht mehr darüber. Es sind wirklich nette Burschen in den Bruderschaften. Ich würde jeden umbringen, der ..." Ich schwitzte und fürchtete mich bei dem Gedanken, daß ich diese mir unbekannten Leute aus den vierziger Jahren, die Sanatorien betrieben hatten, ermorden könnte.

Ahmed musterte mich durchdringend. „Umbringen. Du hast es ausgesprochen, George. Das Zusammenleben von Gleichgesinnten hat den Hordengedanken wieder aufleben lassen. Die Horde beschützt ihresgleichen mit einem selbstmörderischen Tötungsdrang. Ein Löwe würde einen Pavian schon deswegen nicht angreifen, weil er weiß, daß zwanzig andere liebend gern bereit sind, sich selbst zu opfern, bloß um ihm zu zeigen, daß er die Krallen von ihnen zu lassen hat. Wir leben wieder in primitiven Stammesgemeinschaften. Nach zwanzig Millionen Jahren tierischer und menschlicher Evolution und des Jagens und Tötens in Rudeln haben wir den Kreis geschlossen. Es macht Spaß, Instinkten zu folgen. Und dem Spaß können die Leute nicht widerstehen." Ahmed stand auf. Er war am Ende seiner Erklärung angelangt. „Deswegen müssen wir äußerst auf der Hut sein, wenn irgendwelche Leute versuchen, zwischen den Kommunen Krieg zu entfachen. Es kann sehr schnell Wirklichkeit werden, zu schnell. Und ein Kampf würde ihnen Spaß machen."

Wir gingen raus und marschierten auf das Hauptquartier der Rettungsbrigade zu.

„Aber warum geschieht es dann nicht?" fragte ich. „Ich habe noch kein Wort davon gehört, daß die Kommunen einander bekämpfen."

„Es geschieht. Man bringt es bloß nicht in den Nachrichten. Die Regierung stoppt alle Lebensmittellieferungen, wenn solche Kämpfe ausbrechen. Sie schneidet diese Kommunen von der Wasser- und Energieversorgung ab, bis ihre Ratsversammlungen jeden festnehmen und bestrafen, der sich an Auseinandersetzungen beteiligt hat. Wenn solche Fälle in den Zeitungen stehen, sind sie in der ödesten Bürokratensprache abgefaßt und nur an Stellen zu finden, wo man sie nicht erwartet. Leute, die sich von solchen Meldungen aufreizen lassen könnten, finden sie meist gar nicht. Deswegen können sie sich an solchen Kriegen auch kaum beteiligen."

„In Ordnung, ich kann ja verstehen, warum du nicht willst, daß Larry auf diese Weise über die Techniker redet. Aber was ist, wenn er die Wahrheit sagt? Was ist, wenn die Techs wirklich versuchen, die ... die ..."

Ahmed zuckte die Achseln. „Einiges von dem, was er sagte, ergibt schon Sinn."

„Und warum tust du dann so, als wäre er verrückt, wenn du in seinem Gerede einen Sinn erkennst?"

„Bei Psychotikern achtet man nicht auf das, was sie sagen, sondern auf das, was sie tun." Ahmed reckte sich. „Aber laß uns jetzt an die Arbeit gehen und später darüber reden."

Wir fuhren mit dem Lift in den achten Stock.

„Ahmed, hat Larry was auf dem Kasten?"

„Sein Gerede ist nichts als Kriegsgeschrei. Er benutzt es als Entschuldigung, damit er in einem Krieg General spielen kann."

„Aber hat er was auf dem Kasten?" Nachdem wir an der Rezeption unsere Namen genannt hatten und die Empfangsdame auf unsere getippten Befehle wartete, blieben wir stehen.

„Er ist gerissener als ich. Aber er irrt sich."

Unsere Formulare trafen ein. Ahmed las meinen Befehl zuerst. „Die Rettungsbrigade hat einen Auftrag für dich, der sich vernünftig anhört. Man hat ein Zwei-Mann-Unterseeboot bereitgestellt, um die beiden zerstörten Untersee-Kuppeln abzusuchen. Du sollst dich aufmachen und nach Vibrationen eventueller Überlebender suchen. Vielleicht wartet noch jemand in irgendwelchen Luftlöchern unter der Kuppelspitze auf Rettung. Wenn du damit fertig bist, sollst du was für die Statistik machen."

Ahmed reichte mir das maschinengeschriebene Formular. „In zehn Minuten legt das Unterseeboot an Pier achtzehn an, um dich an Bord zu nehmen. Du hast Zeit genug, um hinüberzugehen."

Über die grünen Bürgersteige ging ich an den grasbewachsenen Mittelstreifen unter den Baumreihen entlang nach Westen und bewegte mich im Schatten großer, gläserner Gebäude. Die vorbeikommenden Leute waren aufgekratzt, guten Mutes und gingen mit erhöhter Energie zur Arbeit. Das erinnerte mich an etwas: In der Geschichtsstunde hatte man wiederholt darauf hingewiesen, daß die Menschen nach großen Katastrophen immer glücklicher und optimistischer waren. Überlebende scheinen alle das gleiche Gefühl von Optimismus zu teilen.

Obwohl ich mich wunderte, teilte ich ihr Gefühl, als ich unter der gigantischen Hochstraße dahinging und über eine Treppe zu den Landungsbrücken des Hudson River hinaufstieg. An einem Fischereianlegeplatz dümpelte ein kleines U-Boot auf den Wellen. Ein Mann von der Küstenwache steckte seinen Kopf heraus, erwiderte mein Winken und gab mir mit einer Handbewegung zu verstehen, ich solle an Bord kommen.

Es wurde ein erfolgreicher Arbeitstag. Während wir mit dem U-Boot über der zusammengesackten Hülle der unterseeischen Kuppel kreuzten, fanden und retteten wir zwei eingeschlossene Menschen und eine Katze. Sie waren alle drei gut in Form, überglücklich über ihre Rettung und überschütteten uns mit Dank und guten Wünschen. Sie waren völlig aus dem Häuschen, umarmten sich und uns, und auch die Katze zeigte ihren Dank, als sie sich schnurrend an uns rieb. Auf dem Weg zum Ufer sangen die Geretteten aus lauter Kehle.

Nachdem wir die Leute bei einem Ambulanzwagen abgeliefert hatten, der sie zur medizinischen Untersuchung bringen würde, sah ich mir den Einsatzbefehl näher an. „Ende der Arbeitszeit eintragen", stand da, und: „Unterschrift des Konsultationseinholenden." Dann waren da drei gestrichelte Linien.

„Was soll das bedeuten?" Ich zeigte dem Mann von der Küstenwache das Formular.

Der Steuermann des U-Bootes sah es sich an, trug eine Zeit ein, unterschrieb mit seinem Namen und deutete auf die oberste Linie. „Unterschreiben Sie hier."

Ich tat es. „Und warum?"

„Sie müssen wissen, wieviel Stunden Sie gearbeitet haben. Hier steht, daß man Ihnen fünfundzwanzig Dollar pro Konsultationsstunde zahlt."

„Was von dem, was wir getan haben, war denn eine Konsultation?" fragte ich und wunderte mich über den hohen Tarif.

„Na, alles. Vier bis fünf Stunden, wenn sie uns auch noch die Mittagspause mitberechnen. Das macht einhundertfünfundzwanzig Dollar."

„Scheiiiße!"

„Spezialist zu sein zahlt sich aus; und ein Spezialist sind Sie."

Wir standen auf dem höchsten Punkt der Betonmauer des Hudson River und sahen auf die städtischen Straßen hinab. Der salzige Wind peitschte unser Haar und zerrte an unseren Kleidern.

„Das ist eine Menge Geld", sagte ich. „Und was tue ich jetzt?"

Der Mann von der Küstenwache gab mir meine Anweisungen zurück. „Gehen Sie jetzt zur Computeranlage für allgemeine Statistik und melden Sie sich bei Ben Russo oder Joe Levinsky."

Ich sah auf die kleinen, salzigen Wellen des Hudson, die – vom Wind getrieben – ununterbrochen gegen den feuchten Zement der Flußmauer klatschten. Der Wasserspiegel war drei Meter höher als die Ebene der Straße.

„Steigt er?" fragte ich den Mann von der Küstenwache.

„Kaum drei Zentimeter in den letzten fünf Jahren", sagte der Mann lächelnd. „Kein Problem. Ich wünsche Ihnen noch einen schönen Tag, Sanford." Dann ging er zu seinem U-Boot zurück.

Die Sonne glitzerte auf dem Wasser. Ich lief die Betontreppe hinunter, entfernte mich vom Fluß und machte mich an den nächsten Auftrag.

Der Wächter am Computer-Komplex untersuchte meinen Paß, sah sich meinen Ausweis an, telefonierte mit einem seiner Vorgesetzten und führte mich dann durch ein Labyrinth von Korridoren an Büros, Bildschirmen und Fernschreibern zu einer Etage.

Vor einer Tür blieben wir stehen.

„Hier hinein", sagte der Wächter.

Ich ging rein. Zwei zwergenähnliche Männer mit dicken Brillen schrien da herum.

„Ungeheuerlich, aber großartig!"

„Mach mal schnell einen Wahrscheinlichkeitstest."

„Hallo", sagte ich unsicher.

Einer eilte an die Tastatur eines kleinen Computers, tippte Zahlen ein, gab der Maschine ein paar Anweisungen und ließ sie laufen.

Der andere sah ihm gespannt zu.

„Hallo?" wiederholte ich und fragte mich, ob ich ihnen auch einfach zusehen sollte.

Die Maschine spuckte einen Bogen Papier aus.

„Null Komma acht", sagte der jüngere der beiden und schwenkte das Blatt hin und her. Er wirkte wie ein kleiner Troll, der einen Ziegenbock imitiert.

„Hopst ihr Burschen immer so rum, wenn ihr nachdenkt?" fragte ich grinsend. Ich dachte an Ann und ihre kleine Studentenbude. Sie drehte sich immer im Kreis; wahrscheinlich deswegen, weil ihre Bude zu klein war, um darin herumzulaufen oder zu hopsen.

„Warum nicht?" fragte der Ältere abwehrbereit. „Was wünschen Sie?"

„Ich bin George Sanford. Man hat mich geschickt, damit ich euch helfe." Ich griff in die Tasche, suchte nach meinem Einsatzbefehl.

„Was tun Sie denn?" Die beiden kamen auf mich zu und peilten mich durch ihre dicken Brillengläser neugierig an.

„Ich ... äh ... spüre Leute auf."

„Oh, der Telepath? Ja, wir brauchen Ihre Hilfe, um Trends im Bevölkerungsfluß vorhersagen zu können. Die Überlebenden der Kuppelkatastrophen haben unsere ganze Arbeit über den Haufen geworfen. Die Leute vom Verkehr sagen, daß ihre Fahrpläne völlig im Eimer sind und sie bessere Vorhersagen brauchen."

„Ja", sagte der Jüngere mit dem schütteren Haar. „Können Sie uns helfen?"

„Helfen? Wobei?"

„Dabei vorherzusagen, was der Durchschnittsmensch so den ganzen Tag über in seiner Freizeit treibt", sagte der Ältere. Er war schon kahl. „Ich heiße Ben." Er reichte mir steif die Hand und schüttelte die meine.

„Ich heiße Joe." Auch der Jüngere schüttelte mir die Hand. Er war nervös und ließ sie schnell wieder los. „Sind Sie ein Durchschnittsmensch?" „Keine Ahnung."

„Ich meine, machen Sie dasselbe wie die anderen Leute? Wenn Sie an den Strand gehen wollen, stellen Sie dann fest, daß alle anderen sich auch dort aufhalten? Wenn Sie mit der Subway fahren – ist dann immer alles gerammelt voll, egal wohin Sie fahren wollen?"

„Nein, meistens ist sie leer. Ich treffe nicht viele Leute."

Joe sagte zu Ben: „Wie kann er das Verhalten von Durchschnittsmenschen vorhersagen, wenn er selbst keiner von ihnen ist?"

„Wir haben nicht um die Hilfe eines Durchschnittsmenschen gebeten", sagte Ben, „sondern um einen Telepathen, der weiß, wo die Leute stecken."

„Wenn wir einen Durchschnittsmenschen hätten", sagte Joe, „bräuchten wir nur aufzupassen, wohin er geht – und da müßten dann auch die anderen sein."

„Aber wir brauchen jemanden", sagte Ben, „der Bevölkerungsströme vorhersagen kann."

„Dann brauchen wir erst recht einen Durchschnittsmenschen; jemanden, der als erster losgeht. Wir könnten ihn mit einem Sender ausstatten und Verkehrsvorbereitungen treffen, bevor die Masse seinem Beispiel folgt", sagte Joe.

Ben sagte: „Einspruch. Er könnte sich ein Bein brechen. In Wirklichkeit brauchen wir eine ganze Gruppe, einen repräsentativen Bevölkerungsquerschnitt: Männer, Frauen und Kinder." Er ging auf und ab und warf dabei kleine, gelbe Pillen in seinen Mund. „Wie kommen wir an die heran?"

Ein bißchen von dem, was sie zu tun versuchten, verstand ich. „Ich kenne da ein Mädchen", sagte ich. „Immer, wenn sich irgendwo eine große Menschenmenge ansammelt, sagt sie, ist sie die erste, die sieht, wie es losgeht. Sie mag Menschenmengen und Lärm und sieht sich gern wichtige Leute an."

„Wo ist sie jetzt?"

„Abgereist. Hat ihre Jugendrente bekommen."

„War sie eine Führernatur? Sind die Leute ihr hinterhergelaufen?"

„Nein. Sie war ein bißchen daneben; lief nur hinter anderen Leuten her."

Joe fing wieder mit seinem Gehopse an. „Eine Mitläuferin, eine Empathin wie Sie, aber ohne etwas zu tun. Sie hat die Gedanken und Pläne der Leute aufgefangen, die irgendwo hingehen wollten, und war deswegen immer als erste da, weil sie keinen Job hatte, der sie aufhielt. Ein Schaf, wenn auch ein schnelles. Stimmt's, George?"

„Kann sein." Es gefiel mir nicht, daß er jemanden als Schaf bezeichnete.

„Wo kriegen wir ein schnelles Schaf her, Ben?" fragte Joe.

„Wer war der erste bei großen Menschenansammlungen? Fragen wir den Computer."

„Der wird's auch nicht wissen. Keiner hat's ihm eingegeben. Kein Input, kein Output."

„Versuchen wir ... äh ... versuchen wir ..." Auch Ben fing an zu hopsen. „Ich glaube, ich hab's! Ich hab's wirklich!"

„Braucht ihr Burschen mich überhaupt?" fragte ich. Ich bekam keine Antwort. Die beiden krakeelten nur herum und hopsten. Ich verdünnisierte mich leise.

Draußen in der Sonne war es zu heiß, aber zum Glück blies ein guter Wind. Die Windrichtung wechselte an jeder Ecke. Ich ging zur Kommune der Karmischen Bruderschaft zurück und traf zwei Mädchen, die mit der Raga-Yoga-Sache angefangen hatten; das ist so ein Ding, bei dem man sein gewöhnliches Bewußtsein ablegt, indem man es mit Extremen auffüllt.

Wir gingen nach Coney Island, fuhren mit der Achterbahn und dem Himmelsspringer, sprangen ins Wasser, stellten uns wagemutig den großen Wellen entgegen, ließen uns umwerfen und wieder an den

164

Strand spülen. Später fuhren wir dann sandig und kichernd mit der Subway zurück.

Ich nahm eine Dusche, wechselte die Kleider und hörte plötzlich auf zu lachen. Ich war besorgt und setzte mich im Geist mit Larry auseinander. Die Mädchen hatten sich wie ganz gewöhnliche Mädchen benommen, und es war gut, einfach zu sein; es machte Spaß. War die Welt wirklich im Begriff, die gewöhnlichen Menschen auszulöschen? Sind die Techs wirklich feindselig?

Mit einem unguten Gefühl im Magen rief ich die Rettungsbrigade an, um nach Aufträgen zu fragen.

„Nein, Sanford. Wir haben zwar keine Einsatzbefehle für Sie, aber eine Botschaft. Sie sollen um Punkt sechs Uhr folgende Nummer anrufen." Es war genau sechs.

Ich wählte die Nummer. Larrys Stimme meldete sich. „Hast du darüber nachgedacht, ob du meiner Bande beitreten willst, George?" Es war eine Tonbandstimme, deswegen antwortete ich nicht.

Als ich einhängte, hörte ich das rasche Klicken, das mir sagte, daß die Polizei einen automatischen Stimmenabdruck gemacht hatte. Das Abhörsystem hatte die Stimme als die eines Gesuchten identifiziert und würde nun ein Kommando zu diesem Telefon schicken. Man würde ihn dort nicht finden. Dazu war Larry zu gerissen.

Ich rief Ahmed an. „Hat Larrys Bande in letzter Zeit irgendwas angestellt?"

„Es wurden ein paar Sachen gemaust; vielleicht war es seine Bande. Ein Spruch macht die Runde: ‚Wenn du einen Computer sabotierst, verbannen sie dich aus der Zivilisation und schicken dich auf eine Insel, wo du mit den Fischen leben kannst. Ich wette, das macht dir Angst.'"

„Hört sich nach Larry an." Ich grinste vor mich hin. „Er weiß, wie man die Leute anspricht."

„Bist du bereit, ihn für die Polizei aufzuspüren, George?"

„Nein."

„Man wird ihn auch so kriegen. Er ist bereits identifiziert worden. Sein Nachname ist Rubaschow. Larry Rubaschow. Er ist fünfzehn Jahre alt und kommt aus dem Automationskomplex von Nevada."

„Woran hat man ihn erkannt? An den Fingerabdrücken?"

„Nein, am Vokabular. Der Stil seiner Erpresserbriefe an die Kommunen war der gleiche wie der eines Larry Rubaschow, der im Dezember einen nationalen Preis für einen Band mit Gedichten und Essays bekommen hat. Willst du noch mehr wissen?"

„Gerne." Ich wollte mehr über Larry erfahren. „Wieviel von einem Genie hat er?"

„Er hat ausgezeichnete Schulnoten in Englisch, Symbolismus und der Geschichte sozialer Dynamik. Hat eine Therapie gegen einen Emotionalblock in Mathe und Elektronik hinter sich. Sein Vater arbeitet im Nevada-Computer-Komplex im Bereich der Datenwiederherstellung; seine Mutter lehrt das gleiche in einer Programmiererschule. Beide verdienen vierstellige Summen. Larry ist ihr ältestes Kind. Zwei jüngere Geschwister leiden an diversen emotionalen Schwächen und müssen sporadisch ins Krankenhaus. Die Eltern wurden als pathogen eingestuft und dürfen keine Kinder mehr bekommen."

„Was heißt das, pathogen?"

„Krankheitserzeugend. Sie sollten keine Kinder haben, weil sie sie nur verkorksen. Willst du noch mehr wissen?"

„Nein, danke, Ahmed."

Karneval. Zusammen mit der warmen Sommerluft kam das rhythmische Trommeln marschierender Spielmannszüge durch das Fenster herein. Obwohl ich noch schlief, fing ich an, die Erinnerungsbilder kostümierter Menschenmengen zu sehen. Es war eine Parade prächtiger Karren, Spiele und Schaukämpfe im Stadion und abendlicher Feste und seltsamer Verkleidungen. Um Mitternacht übertrug das städtische Lautsprechersystem das Ticken der Uhren, und die, die sich auf den Partys noch fremd waren, wandten sich einander zu, waren blind von sinnlichkeiterzeugenden Sprays und tanzten zum Klang der Trommeln. Schlafen. Ich drehte mich herum.

Eine Stimme aus der Erinnerung sagte deutlich: „Jedes System wird zu einem System, indem es seine oppositionellen Kräfte ausschließt. Die menschliche Natur verdrängt jedoch ihre unterdrückten oppositionellen Impulse nicht. Sie akkumulieren und verlagern sich in Phantasien. Alle alten und beständigen Zivilisationen stabilisierten sich, indem sie periodisch Zeremonien abhielten, um die angewachsenen oppositionellen Impulse freizusetzen." Es war die klare Stimme unserer Anthropologie-Lehrerin aus der fünften Klasse. Als ich wach wurde, fiel mir ein, daß sie uns ein paar irre Filme über den Karneval in aller Welt – und welche aus der tiefsten Vergangenheit – gezeigt hatte. Sonnenwendopfer, Orgien, Frühlingsrituale und so weiter. Höhlenmenschen, alte Griechen und Mardi Gras in New Orleans.

Unter dem Fenster erklangen dumpfe Trommelwirbel. Bum, bum, bumbumbum – bum, bum, bumbumbum. Ich legte mich auf die Seite, stand unbekleidet auf, blinzelte in das helle Sonnenlicht hinein und befürchtete, daß ein Teil der karnevalistischen Sehenswürdigkeiten bereits vorbeigegangen war.

Der Besucherschlafraum war fast leer. Die anderen waren auf die Straße gegangen, um sich den Sommerkarneval anzusehen. Ich stieg in meine Shorts und die Sandalen, stopfte meine Sachen in die Schlafsackrolle und lief hinunter. Die an den Wänden hängenden Plakate gaben bekannt, wo Veranstaltungen liefen. Auf einem stand HOL DIR EIN KOSTÜM IN DER TURNHALLE. Ich beeilte mich.

In der Turnhalle waren fünf Mädchen, die sich Kostüme von einem Stapel genommen hatten und sie anprobierten. Zwei von ihnen halfen einem dritten in eine Verkleidung mit großen, purpurnen Schwingen und setzten ihm eine orangefarbene Vogelmaske auf. Ein anderes Mädchen zog gerade eine goldene Haut aus, weil ihm ein besseres Kostüm ins Auge gefallen war. Zwei Mädchen, die mit einem Pelz und Goldfischschuppen bekleidet waren, standen vor dem Spiegel und probierten kichernd ein paar aufreizende Posen aus. In der Regel waren die Mädchen der Karmischen Bruderschaft entweder monogam veranlagt oder sehr wählerisch. Sie hielten allgemein wenig von dem Gedanken, Männer aufzureizen und in ihnen Lustgefühle zu erzeugen, indem sie attraktiv wirken wollten, denn das war unethisch.

Aber heute war der Tag der Gegensätze! Heute sollten sie sich vor ihnen in acht nehmen!

Ich schaute in den Spiegel und sah in mir einen großen, breit gebauten Burschen, dessen Knochen sich unter der Haut abzeichneten. Ich war zwar nicht mehr so fett wie früher, aber ich hatte immer noch dicke, muskelbepackte Arme, riesige Hände und ein rundliches, unschuldig aussehendes Gesicht. Ich sah beinahe aus wie ein großes Kind.

Was war nun mein Gegenteil? Etwas Finsteres, Bösartiges und Grimmiges. Ich untersuchte den Kostümstapel.

Das Mädchen mit der gestreiften Katzenmaske kuschelte sich an mich, rieb ihr rosafarbenes, gestreiftes Fell gegen meine Brust und schnurrte. Sie war vollständig mit einem weichen, seidigen Pelz bekleidet und duftete nach einem aphrodisischen Parfüm. Ich hatte das Verlangen, nach ihr zu greifen, aber dann atmete ich ruhiger, entspannte meine Muskeln und langte statt dessen nach einem Kostüm.

Das Mädchen umkreiste mich und kam schon wieder auf mich zu. Ich duckte mich. „Nun mach mal halblang", sagte ich. „Vergewaltigt wird erst um Mitternacht."

„Miiiaaauuu." Sie streckte ihre Finger, die wie Katzenkrallen aussahen, aus, als wolle sie mich anspringen. Ihr Schnauzbart sträubte sich in einem rosabepelzten Katzengesicht.

Ich stand auf einem Bein und schob das andere in eine dunkle Strumpfhose, als das Katzenmädchen einen seidigen Arm um meinen Hals legte und mich aus dem Gleichgewicht zog. Ich bekam ihre Schulter zu fassen und stützte mich auf sie. Mit der anderen Hand versuchte ich gleichzeitig in das enge Beinkleid zu schlüpfen. Sie krümmte sich und schnurrte und benahm sich wie eine überheiße Katze, die jemanden aufreizen wollte.

Auf der Straße waren die Pfeifen- und Trommelklänge einer vorbeimarschierenden Kapelle zu hören.

„Nun laß mich endlich in Ruhe", sagte ich. „Bitte!" Das Mädchen mit der Goldfischhaut kam mit wiegenden Schritten zu uns hinüber und zerrte das Katzenmädchen von mir weg. Hysterisch kichernd standen die beiden dann vor den Spiegeln, machten irgendwelche Gesten und lachten über ihr eigenes Ebenbild.

Ich kriegte die schwarze Hose schließlich an und staffierte mich mit gleichfarbenen Handschuhen und einer Kapuze mit Umhang aus.

Ich wollte unheimlich aussehen, aber mein Gesicht war noch immer rosafarben und rund. Von Bösartigkeit war da keine Spur. Ich steckte die Finger in Gesichtsfarbe, machte einen schwarz und einen silbern, und damit malte ich dann schwarzsilberne Streifen auf meine Wangen und das Kinn. Im Spiegel war ich nun eine schwarze Gestalt mit gestreiftem Gesicht. Ich sah ziemlich grimmig und abstrakt aus, wie ein Henker, der Könige richtet. Ich legte noch eine silberne Augenmaske an, die die obere Hälfte meines Gesichts verdeckte und es wie ein abstraktes Muster aussehen ließ – wie das Visier eines Ritters. Es erinnerte mich daran, daß es nicht ungefährlich war, für die Rettungsbrigade zu arbeiten. Ich sah in dem Rüstungsstapel nach und nahm mir ein schweres, aus festen Eisengliedern bestehendes Kettenhemd, denn auch im Karneval kann einem allerhand passieren. Es war aus dunklem, echtem Metall und stellte einen guten Schutz dar. Dann stülpte ich mir einen silbernen Stirnreif mit Nasenschutz über den schwarzen, kapuzenbewehrten Kopf. Er sah aus wie ein Helm, und die schwarze Gestalt im Spiegel war plötzlich König Richard Löwenherz, der sich als sarazenischer Ritter verkleidet hatte. Ich schnappte mir ein silbernes Schwert und wirbelte es durch die Luft, aber es war zu leicht und bestand nur aus Plastik.

Niemand wurde dazu ermutigt, in der Karnevalszeit bewaffnet herumzulaufen. Morde kamen regelmäßig vor, und in der Regel konnten maskierte Mörder unter Millionen maskierter anderer Menschen leicht entkommen. Das Kettenhemd würde mich zwar beschützen, aber ich war nicht bewaffnet.

In seiner Verkleidung marschierte König Richard Löwenherz in den Postraum und nahm George Sanfords Post an sich. In einem versiegelten, offiziell aussehenden Päckchen, das an mich adressiert war, befand sich ein Armbandsender der Polizei. Ich freute mich, ihn zu sehen. Es war genau das, was ich brauchte. Ich befestigte den Sender auf meinem schwarzen Handgelenk, und er sah aus wie ein eisernes Stichblatt mit ein paar roten und schwarzen Zierknöpfen. Einen davon drückte ich. Der Sender strahlte einen Ruf mit meiner Identitätsnummer an die Abteilung Statistik ab. Ich hielt ihn ans Ohr.

Eine dünne, aber deutliche Stimme sagte: „Nachrichten für George Sanford vom Polizeipräsidium. Informanten haben ausgesagt, daß der Name George Sanford auf der arabischen Racheliste steht. Ebenso die Namen Ahmed Kosvakatats von der Rettungsbrigade und Erick Torenson von der Industrial Tunnel Design Construction Company. Die arabische Beschwerde beinhaltet, daß diese Leute identifiziert worden sind, in der vergangenen Woche den arabischen König Akbar Hisham beleidigt und mißhandelt zu haben. Akbar Hisham wird momentan vermißt. Wenn er zurückgebracht wird und man sich entschuldigt, werden die Namen von der Liste gestrichen. Diese Liste wurde der Polizei mit der Bemerkung übergeben, sie beinhalte eine Aufforderung zum Duell unter der Aufsicht von Schiedsrichtern, was legal ist. Wir wissen jedoch, daß wir es hier mit einer ernsthaften Bedrohung zu tun haben. Diejenigen Personen, die hier angesprochen sind, werden gebeten, äußerste Vorsichtsmaßnahmen gegen eventuelle Attentate zu ergreifen. Ende der Durchsage."

Und dann: „Nachricht für George Sanford. Von Judd Oslow, Chef der Rettungsbrigade. Ihr üblicher Tarif wird für jeden Tag verdoppelt, falls Sie während der drei Karnevalstage vom 21. bis 24. Juli für die Rettungsbrigade arbeiten. Wenn Sie einverstanden sind, halten Sie bitte diese Leitung für eine Kommunikation mit der Rettungsbrigade offen."

Sofort danach: „Nachricht für George Sanford. Bitte treffen Sie sich mit Ahmed und Ann auf dem Helikopter-Landeplatz von Macy's Plaza um zehn Uhr. Nur zurückrufen, falls Ihnen dies nicht möglich ist. Ende der Durchsagen." Der Sender piepste, klickte und verfiel in Schweigen. Ich dachte über die erste Botschaft nach. Ich hatte keine Ahnung, warum Akbar Hisham vermißt wurde, aber vor einigen Tagen hatte ich ihn – und zwar aus gutem Grund – ziemlich rauh behandelt. Ich war froh, daß mein Kostüm mich unkenntlich machte und ich keine feste Adresse hatte. Heute würden sie mich jedenfalls nicht ausfindig machen können.

„George Sanford", sagte eine Stimme. Ich wirbelte herum und war sofort kampfbereit.

„Du öffnest George Sanfords Päckchen", sagte ein harmloser Guru, der in seiner eigenen Post wühlte. „Ergo muß dieses zwei Meter große, schwarze Monster George Sanford sein, selbst wenn ich ihn in meiner Erinnerung immer noch als einen fetten jungen Burschen sehe, der für uns Botengänge gemacht hat. George, ich mag dich. Du schläfst sehr oft hier. Warum schließt du dich nicht unserer Kommune an? Wir nehmen auch Erwachsene auf."

Bei dem Gedanken, daß er mich trotz meiner Verkleidung erkannt hatte – immerhin lauerten irgendwo ein paar Araber mit gezückten Dolchen auf mich –, lief es mir eiskalt den Rücken herunter. „Guru", sagte ich aufrichtig, „ich entbiete dir tiefsten Respekt und Dankbarkeit für dieses großzügige Angebot, aber heute bin ich König Löwe mit dem Schwarzen Herzen. Alle Erwachsenengeschäfte sind bis auf weiteres verschoben. Und sag niemandem, wer in diesem Kostüm steckt, in Ordnung?"

Die Leute in der Karmischen Bruderschaft strahlen zwar gute Vibrationen aus und sind auch sonst ganz in Ordnung, aber ich hatte in diesem Monat meinen ersten Job angenommen, deswegen hatte ich bisher nur ganz kurz darüber nachgedacht, in einer Kommune seßhaft zu werden. Ich fühlte mich noch nicht bereit dazu, all den unterschiedlichen Lebensweisen und Beschäftigungsmöglichkeiten der anderen Gemeinschaften zu entsagen. Der Guru lachte, nickte und öffnete eines der Päckchen, die er mit der Post bekommen hatte.

Ich kehrte in die Turnhalle zurück und überredete den Verwalter dazu, den Ständer aufzuschließen, in dem sich die Fechtwaffen befanden. Ich wählte einen Übungssäbel aus. Er war zwar nicht scharf, aber schwer genug, um ordentliche Schrammen zu erzeugen. Im Spiegel sah der geheimnisvolle Ritter jetzt wie eine große, maskierte Gestalt mit einem riesigen, gefährlichen Silberschwert aus.

Ich ging in das helle Sonnenlicht hinaus und mischte mich unter die quirlende Menge in ihren farbenprächtigen Kostümen, die ineinander übergehenden Melodien und das Getrommel marschierender Kapellen und zwischen die Karren, auf den Bürgersteigen abgehaltenen Spiele und die Gerüche der in den Kommunen gebackenen Leckereien. Ich kam an einem Stand vorbei, an dem man sich die Zukunft weissagen lassen konnte, und zwischen den antiken Hinweisschildern und Symbolen war auch ein moderneres: DU BIST NICHT ALLEIN! TU DICH MIT DENEN ZUSAMMEN, DIE SO LEBEN WOLLEN WIE DU! SUCH DIR EINE KOMMUNE UND EINEN GEFÄHRTEN! KONSULTIERE DEN COMPUTER-PARTNERSCHAFTSDIENST! Ich lachte und ging weiter. Ich brauchte eine Kommune, aber nicht gerade während der Karnevalstage. In dieser Zeit versucht jeder ein anderer zu sein und sucht in dem Gewimmel nach seinem Gegenstück. Man sucht Abenteuer und überläßt es ganz dem Zufall, welcher maskierten Gestalt man begegnet.

Das freudige Gefühl der Karnevalsatmosphäre trieb mich weiter. Ich marschierte im Rhythmus der Trommelschläge, ohne mich darum zu kümmern, wohin ich ging. An der ersten Kreuzung zeigte der öffentliche TV-Schirm über den Bäumen Szenen des karnevalistischen Treibens aus allen Teilen der Stadt: Paraden, Umzüge und Artisten. Dann übertrug er die Bekanntmachung einer Show, die im Colosseum stattfand: ein realistischer Kampf, Wikinger gegen Indianer! Eine Welle von Menschen setzte sich in Richtung Oberstadt in Bewegung.

Ich ließ mich von der Menge mitziehen. Als ich sah, daß wir uns in der Nähe der Kommune befanden, die dem Kreativen Anachronismus frönte, ging ich durch das offene Tor hinein. Wie üblich donnerten auch diesmal die mechanischen Übungspferde auf ihren Schienen talwärts, aber heute saßen Außenseiter auf dem „Rücken" der künstlichen Reittiere und versuchten einander aus dem Sattel zu heben. Sie hielten Lanzen mit Boxhandschuhen in den Händen und zahlten pro Ritt einen Dollar.

Ein kleiner Stand verkündete, daß es hier ein MITTELALTERLICHES FRÜHSTÜCK gab. In der Hoffnung, daß es eine anständige Fleischration gab, zahlte ich fünfzig Cent. Die kostümierte Dame hinter der Theke nahm mein Geld und gab mir eine Schale mit irgendeinem halbflüssigen, braunen Zeug. „Was ist das denn?" Ich probierte es, aber das Zeug schmeckte beinahe nach gar nichts.

„Gesottener Weizen, Hafer und Gerste mit Wasser; es heißt Schleimsuppe", sagte sie und reichte mir freundlicherweise noch etwas Honig und Sahne, damit ich überhaupt einen Geschmack auf die Zunge bekam. Mit der Frühstücksschale in der Hand nahm ich im Park der Kommune auf einer Bank Platz.

Während ich da saß, kam Adolf Hitler mit seinem kleinen Schnurrbart zusammen mit einem Sultan in Turban und Pluderhosen auf mich zu. Die beiden hatten das gleiche Frühstück erstanden und setzten sich neben mich. Als wir fertig waren, forderte Adolf Hitler mich zum Kampf heraus. Wir zahlten beide einen Dollar und kletterten auf die imitierten Pferde.

Mein Gaul ratterte den Hügel hinauf und schaukelte dabei auf seinen unregelmäßig geformten Beinen wie ein alter Klepper. Am Ende der Schiene machte er eine Wendung, dann jagte er mit Volldampf den Berg hinab. Ich stieß einen lauten Kampfschrei aus. Das andere Pferd kam auf mich zu, aber der Mann, der sich als Hitler verkleidet hatte, senkte schon die Lanze und sah ziemlich grimmig aus. Mein Gaul schwankte und bockte, weswegen es mir schwerfiel, richtig auf ihn zu zielen. Der Handschuh am Ende meiner Lanze traf ihn genau vor die Brust und warf ihn nach hinten weg vom Pferd. Seine Lanze traf meine Schulter, verfing sich in dem Kettenhemd und riß mich ebenfalls zu Boden. Er hatte Glück gehabt, denn ich brachte sicherlich fünfzig Pfund mehr auf die Waage als der andere.

Wir trafen zu gleicher Zeit am Boden auf. Wir erhoben uns, rieben unsere Schrammen und gaben die Lanzen an die nächsten Wettkämpfer weiter. Am Rande des Parks fing eine Reihe von Mönchen in grünen Kutten an, einen Kreis zu bilden. Sie sangen und trugen Kerzen mit sich herum, und ein paar Leute in braunen Beinkleidern und Leinenhemden spritzten auseinander und arrangierten auf dem Gras rote Plastikdeckchen, die fast wie kleine Läufer aussahen. Sie verbanden die Dinger mit irgendwelchen Schnüren, die über den Grasboden liefen. Dann leuchteten die runden Deckchen auf, und rote und gelbe Plastikbänder stiegen wie Flammen wellenförmig in die Luft. Kostümierte junge Leute begannen nach einem Lied zu singen, nahmen sich bei den Händen, bildeten einen Kreis und tanzten.

Ich kenne einige Angehörige dieser Kommune, aber an diesem Tag erkannte ich niemanden wieder. „Komm, tanz mit", rief mir ein grünes Mädchen zu. Sie ließ das neben ihr stehende Mädchen los, öffnete den Kreis für mich und winkte mir zu.

Ich schüttelte den Kopf. „Kann nicht. Ich bin kein Mitglied." Sie tanzte weiter, nahm die Hand der anderen und schloß den Kreis wieder.

Ein bärtiger Mann mit einer grünen Kapuze legte seine Hand auf meinen Arm. „Der Mitternachtsritus des Grünen Wolfs steht jedem Freiwilligen offen", sagte er. „Du kannst ruhig kommen."

„Um was geht es bei diesem Tanz?" fragte ich.

Er erklärte es mir. „Der Tanz ehrt die Sonne für ihren längsten Tag. Mit den Feuern zögern wir das Tageslicht hinaus. Die kürzeste dunkle Nacht des Jahres. Um Mitternacht huldigen wir der Dunkelheit. Wir reichen Wein, schalten alle Lichter aus und veranstalten eine mitternächtliche Fruchtbarkeitsparty. Es lohnt sich, darauf zu warten."

Der Kreis der Tänzer bildete nun ein S zwischen den imitierten Feuern und stimmte einen druidischen Gesang an. „Tot, tot, speise das Licht, halte die Dunkelheit der Nacht von uns fern." Sie erreichten das Ende und kehrten wieder an ihren Ausgangspunkt zurück, wo sie sich wieder in alle Richtungen ergossen. „Tot, tot, tot, speise das Licht."

„Hört sich großartig an", sagte ich, „aber ich bin kein echter Mediaevalist."

„Das bist du doch", sagte der Mann und schob mich den anderen entgegen. „Du bist der Größte Finstere Ritter des Jahres."

Ich nahm die Hand einer grünen Nymphe und einer mittelalterlichen Dame und spürte augenblicklich ein Ziehen, das meine Arme ausbreitete und mich mit den anderen seitwärts laufen ließ. „Speise das Licht. Halte die Dunkelheit der Nacht von uns fern." Ich versuchte, um eines der großen imitierten Feuer, dessen hellrote und orangene Flammenbänder wellig tanzten, herumzulaufen. Man zog mich jedoch genau darauf zu, und als ich ausweichen wollte, zerrte ich ein paar Leute hinter mir her. Die beiden, die mir am nächsten waren, landeten inmitten des künstlichen Feuers und kreischten vor Aufregung und Anstrengung; schließlich rutschten sie aus und wateten bis zu den Knien in den aufragenden Bändern. „Tot, tot, tot." Sie ließen meine Hand los und verließen den Kreis. Die Übriggebliebenen liefen schneller, schlossen auf. Dann ging das Spiel von neuem los. Wer in die künstlichen Flammen trat, mußte ausscheiden. Der Kreis wurde immer kleiner, der Tanz wurde schneller und schneller. Wir schwitzten und sangen, sprangen hin und her und versuchten alles, um über die kleinen und großen Feuer, deren flackernde Bänder tanzten und wie Flammen funkelten, hinwegzuspringen.

TOT TOT TOT – SPEISE DAS LICHT, HALTE DIE DUNKELHEIT DER NACHT VON UNS FERN. Nur noch drei Paare sind übrig. Wir verkürzen die Linie zu einem S; ein Sprung über die beiden größten Feuer – und ziehen, tanzen, seitwärts hüpfen. Ein Sprung über die Flammen, dann die Landung auf dem kühlen Grün der anderen Seite. Mit einem Aufschrei landeten zwei der Tänzer in den Feuerbändern, badeten kreischend in den unechten Flammen und schieden aus, um sich zu den singenden Zuschauern zu gesellen. Jetzt war außer mir und meiner kleinen, grünen Nymphe nur noch ein anderes Pärchen übrig. Wir sprangen hin und her über eines der kleineren Lagerfeuer und machten gewaltige Sätze und hielten uns fest. Die anderen klatschten rhythmisch und sangen. Meine grüne Nymphe steckte von oben bis unten in grünen Seidenblättern, die bei jedem Sprung raschelten. Sie blieb in meiner Nähe und ließ meine Hand nicht los. Das letzte Paar, das mit uns sprang, begab sich an ein größeres Lagerfeuer. Jubel und Kreischen zeigte an, daß sie es nicht geschafft hatten. „Tot, tot, speise das Licht." Wir wirbelten herum, um uns das letzte Feuer anzusehen, hohe, helle Plastikbänder in Rosa und Orange, Gelb und Rot. Wir liefen darauf zu. Meine Begleiterin zögerte. Ich sprang, hielt ihre Hand. Ich traf auf der anderen Seite auf dem Boden auf und zog sie von den Flammen weg in meine Arme.

Sie war zierlich, weich, seidig und wohlgeformt und hatte ein ebenmäßiges, grünes Gesicht und trug einen frechen Ausdruck zur Schau. Ihre Augenbrauen unter der grünen Farbe waren blond, und sie hatte blaue Augen und eine kurze Nase wie ich. Ihr Haar wurde von einer seidigen, grünen Blätterkappe bedeckt. Ich setzte sie langsam ab, und die Zuschauer stimmten ein Lied über den König des Sommerkorns an. Wir waren über das größte Feuer gesprungen, nun war der Tanz vorbei. Leute in Kostümen schwärmten an den Imbißstand oder reihten sich für einen Ritt mit den Turnierpferden auf.

„Komm heute abend um elf zurück, Schwarzer Ritter", sagte ein kapuzenbewehrter, grüngekleideter Mönch. „Dann tanzen wir fürs Fernsehen." Die grüne Nymphe nahm meine Hand und zog mich auf den Bürgersteig hinaus. Auf den Straßen donnerte ein wilder Trommelwirbel, den ich von einer Schallplatte her kannte, die *Sommersonnenwende, eine Begleitmusik für Orgien* hieß. Meine grüne Nymphe sagte: „Wer bist du?"

„Ich bin König Löwe mit dem Schwarzen Herzen. Und wer bist du?" Ich küßte sie auf die Nase, ohne anzuhalten.

„Ich bin eine Dryade aus den geheiligten Wäldern, Hügeln und Grotten", sagte sie. „Betrete meine Höhle, und du glaubst, daß zehn Jahre vergangen sind, wenn du in eine veränderte Welt hinausgehst."

„'s ist ein Zauber", sagte ich. „Ich habe ihn schon ausprobiert."

Sie schaute zu mir auf, ganz Dreistigkeit und Keckheit. „Wenn du der verzauberte Ritter bist, der einsam durch die Welt bummelt, dann kann ich dir sagen, daß die Belle Dame Sans Merci meine Mutter war und ich noch ein paar Tricks kenne, die dich noch mehr verschüchtern werden." Sie betastete meinen Arm. „Du fällst ja bald vom Fleische. Laß uns in meine Höhle gehen." Es waren allerlei Gerüche in der Luft: von heißem Kuchen, Curry, Zimt und Muskat.

Vor uns war Macy's Plaza; wir ließen uns von der Menge mitziehen. Hinter uns tauchte eine Parade römischer Soldaten auf, die schmutzige Lieder in Latein und Englisch schmetterten und die Leute in einer großen Woge vor sich herschoben. Der TV-Schirm, der über Macy's Plaza hing, meldete, daß man um 10:15 Uhr ein römisches Militärmanöver abhalten würde. Da mußte sich die Armee aber beeilen! Im Gleichschritt marschierte sie hinter uns her. Die Menge wurde nun dichter, die Leute standen enger zusammen. Wir lösten uns aus dem Gewirr, und ich lief – das Mädchen an der Hand – an einer Baumgruppe und einem Grüngürtel vorbei, um die Helikopterplattform zu erklimmen und mich umzusehen. Über der Plattform schwebte eine Polizeimaschine. Mein Armbandsender summte und versetzte mir leichte elektrische Schläge, um meine Aufmerksamkeit zu erregen. Ich hielt mir das Ding ans Ohr und drückte einen Knopf.

„Wer von denen da unten bist du, George? Wir empfangen deinen Summer. Wink dem Kopter zu." Es war die Stimme von Ann, Ahmeds Freundin. Da ich keine Lust hatte, an einem solchen Tag für die Rettungsbrigade zu arbeiten, machte ich im ersten Augenblick keine Bewegung, sondern sah mir nur die beiden Gesichter an, die vom Helikopter aus heruntersahen. Ahmed arbeitete heute. Er würde darauf bestehen, daß ich ihm half. Er würde mich dazu kriegen, daß ich mich auf irgendwelche Leute in der Menge einstimmte, die in Schwierigkeiten waren. Aber wenn das Unterbewußtsein etwas arrangiert, kann man sich schwerlich dagegen wehren. Ich war hier, ohne es geplant zu haben. Das schien mir etwas zu bedeuten.

„In dem Kopter da sind ein paar Freunde von mir", sagte ich zu der grünen Nymphe. Ich befreite meine Hand aus ihrem Griff und winkte mit beiden Armen zu ihnen hinauf.

Der Kopter ließ eine Leiter hinunter. „Komm an Bord, George!" rief der magere, rote Satan. „Bring deine Freundin mit!" Hinter ihm winkte Ann. Wie meine Nymphe war auch sie ganz in Grün gekleidet, aber das sonnengebräunte Gesicht war ihr eigenes.

Während das Brüllen des lateinischen Gesangs immer näher kam, zerrte ich am Arm meines Mädchens. Die Armee winkte mit Plastikschwertern und war mit ledernen Brustpanzern und Sandalen bekleidet. Ich kletterte die Leiter hinauf, aber meine Nymphe wich zurück.

Es war mir ein leichtes, aufgrund meiner ESP-Fähigkeiten die freundliche Urlaubsstimmung der ganzen Stadt aufzufangen, aber da ihr grünes Gesicht undurchdringlich war, stimmte ich mich in ihre Gefühle ein. Sie hatte zwar ein freundliches Gemüt, schien aber unter keinen Umständen bereit zu sein, den Erdboden zu verlassen. Ich mußte also ohne sie gehen. Ich packte sie, gab ihr einen schnellen, festen Kuß und klopfte ihr auf den Rücken. Unter den grünen, raschelnden Seidenblättern fühlte sie sich weich an. „Dann bis um elf bei der Mitternachtsorgie des Grünen Wolfs", flüsterte König Löwe mit dem Schwarzen Herzen ihr ins Ohr, ließ sie los und eilte zum Kopter. Ich schnappte mir die Leiter; der Hubschrauber stieg höher, und man zog mich in die Kabine.

Die Maschine gewann rasch an Höhe, so daß ich mehr und mehr von den sonnenbeschienenen Straßen und den in bunten Kostümen herumflitzenden Menschen sehen konnte. Überall wurden Paraden abgehalten, spielten Kapellen, wurden Karren vorbeigefahren.

Ich wandte mich um. Ann und Ahmed hielten Händchen. Ich habe Ann immer gemocht. Als wir noch Kinder gewesen sind, war sie meistens die Königin oder Prinzessin, die wir retten mußten. Wenn wir irgendein Geschichtsspiel spielten, war Ahmed immer ein König oder General und ich der Leibwächter oder Spaßmacher Robin Hoods. Aber jetzt war Ann die erwachsene Jungfer Marian; sie hatte lange, grüne, hübsche Beine und trug ein grünes Spitzenhemd. Ihr Gesicht war auch sehr hübsch, sie hatte große Augen. Ann hatte immer sehr ernst gewirkt, wenn wir unsere Spiele planten. Sie hatte sich die größte Mühe gegeben, und wenn sie mit uns loszog, lachte sie. Heute studierte sie äußerst ernsthaft die Jurisprudenz – wie ihr Vater – und gab eine Menge besorgter Vibrationen ab. Ich hatte immer das Gefühl, daß ich sie vor etwas retten mußte, aber ich wußte nie, vor was. Vielleicht vor dem Erwachsenwerden.

Diesmal war ich König Löwe mit dem Schwarzen Herzen. Ich

schaute den roten Dämon an, der Anns Hand hielt und spürte Eifersucht. Ich musterte Ann in ihrem grünen Kostüm, ihre langen, hübschen Beine und ihre schüchternen Augen und dachte Dinge, die zu erwähnen König Richard Löwenherz sich geschämt hätte.

„Ist das wirklich George?" fragte Ann und sah woanders hin.

„Nein, ich bin König Löwe mit dem Schwarzen Herzen." Ich lachte einen Ton tiefer als üblich, damit es zu der gefährlich aussehenden, schwarzen Gestalt paßte, die sie zu sehen bekamen. Als ich eine Hand auf ihre Schulter legte, wich sie zurück und lachte nervös.

„Angst?" fragte ich.

Sie versuchte ihre Furcht zu verstecken. „Du siehst gräßlich aus mit diesen Streifen, wie ein Metallgesicht. So ausdruckslos."

Ahmed nahm seine Hörner und die rote Teufelsmaske ab. Sein echtes Gesicht mit den dichten Augenbrauen sah nicht viel anders aus. „Wir können den Kopter den ganzen Tag über haben und uns alles ansehen, George. Schau!" Er deutete mit der Hand auf die Kontrollkabine. Sie war in Kniehöhe von TV-Schirmen umgeben, und man konnte sich sogar bestimmte Punkte heraussuchen und vergrößern. Wir sahen nicht nur die kommerziellen Sendungen, sondern auch das, was jene Kameras zeigten, die dort standen, wo sich die meisten Menschen aufhielten. Überall wimmelte und marschierte es; wir sahen Menschen, die über irgendwelche Vorstellungen lachten, und eine Menge, die darum kämpfte, durch die Tore des Colosseums zu kommen, um sich den Kampf zwischen den Wikingern und den Indianern anzusehen, der gerade anfing. „Der Kopter gehört Judd; in ihm sind die Augen der Stadt. Wir brauchen nichts anderes zu tun, als nach Leuten Ausschau zu halten, die in Schwierigkeiten sind, und dem einen oder anderen zu helfen. Wir können ihn den ganzen Tag behalten." Auf einem der Schirme war das Programm eines kommerziellen Senders mit Nahaufnahmen axtschwingender Wikinger zu sehen. Die Stimme eines Sprechers murmelte irgendwelche Erklärungen.

„Ich fliege ein Stück mit", sagte ich, „aber unten gefällt es mir besser. Am liebsten gehe ich mit der Menge."

„Na gut, bleib eine Weile", sagte Ahmed. Er streckte den Arm aus und drückte einen Knopf. Einer der Bildschirme zeigte plötzlich Judd, der in seinem Büro saß, von Bildschirmen umgeben war, eintreffenden Berichten zuhörte und die Menschenmassen musterte.

„George ist bei uns, Chef", sagte Ahmed. „Er kann Hilferufe aufnehmen."

„Gut!" sagte Judd. „Wir haben darauf gehofft, daß wir ihn heute einsetzen können. Fangen Sie alles auf, was Sie reinkriegen können, George. Und verschwenden Sie keine Aufmerksamkeit an Kinder, die sich verlaufen haben. Selbst dann nicht, wenn sie größte Angstwellen ausstrahlen. Es sind genug Leute auf den Straßen, die sie wahrnehmen und ihnen helfen können, zu ihrer Mammi zurückzufinden. Während der Karnevalstage haben wir die größten Probleme mit Gruppen, die plötzlich in Panik geraten. George, ich habe keine Ahnung, was Sie tun können, aber achten Sie auf Gefühle aus der Menge, die darauf hindeuten, daß jemand eingeschlossen oder untergebuttert wird. Achten Sie auf Leute, die keine Luft mehr bekommen und melden Sie, wenn plötzlich alle das Verlangen entwickeln, in die gleiche Richtung zu gehen. Wenn Sie uns zehn Minuten bevor es zu einem Massenauflauf kommt warnen, können wir Leben retten."

„Ich werd's versuchen", sagte ich.

Auf den Bildschirmen des kommerziellen Fernsehens hatten die Wikinger gewonnen, aber die meisten ihrer Leute taten dennoch so, als seien sie tot. Sie lagen auf dem Boden, und Saugpfeile ragten aus ihren Hälsen. Die Beobachtungskameras zeigten springende und jubelnde Menschenmassen, aber Aufruhr gab es nirgendwo.

Summend umkreiste unser Kopter das Aztec-Building, eine Pyramide aus Quadern, die man auf dem Dach eines Bürohauses errichtet hatte. Einer unserer TV-Schirme zeigte die gleiche Pyramide und eine Reihe von Aztekenpriestern, die die äußerst steilen Stufen zur Spitze hinaufkletterten. Hinter den Priestern kamen sonnengebräunte Männer, die irgendwelche Puppen trugen, um sie der Sonne zu opfern. Auf den steilen Pyramidenstufen reihten sie sich auf. Dann wurde langsam und mit großer Sorgfalt ein Thron herangeschleppt, auf dem ebenfalls eine Puppe saß. Die Pyramide war so steil, daß man meinen konnte, jeder der hier strauchelte, würde die Stufen hinunter in die Tiefe fallen. Es war ein langer Weg bis zum Boden.

Der Kommentator gab ein paar Informationen über die alten aztekischen Sonnenopfer. „Genau zur Mittagsstunde oder um elf Uhr örtlicher Zeit – das ist in acht Minuten – wird in symbolischer Form ein König der Sonne geopfert."

In einem schnellen Szenenwechsel zeigte der Bildschirm nun das große Rad des aztekischen Kalendersteins, den Tempel und dann beide Bilder. Das große Rad mit den fremdartigen Symbolen hing hinter der Pyramide schwach erkennbar am Himmel.

Die TV-Kamera holte das Bild näher heran. Himmelskameras, die in verankerten Ballons befestigt waren, wandten sich den Vorbereitungen des aztekischen Ritualopfers zu. Die meisten Schirme zeigten nun die Reihe der farbenprächtig gekleideten Menschen, die auf den Pyramidenstufen standen und sich als Priester ausgaben. An einer Seite führten die Stufen auf ein winziges Steingebäude zu: eine säulenförmige Hütte mit einem Altar. Diese Stufen waren umringt von „Azteken", die beobachteten, wie der „König" an ihnen vorbeigetragen wurde.

Die farbenprächtigen Federn, die den Kopfschmuck der Priester ausmachten, wiegten sich im Wind, als die Puppe, die einen gefangenen König darstellte, vom Thron gehoben wurde. Ahmed streckte den Arm aus, stellet die Kamera auf die Puppe ein und betätigte das Zoom. Einen Moment lang füllte das glatte, leere Gesicht der Puppe den ganzen Bildschirm aus. Dann verdeckten die Priester die Szene, und wir sahen nur noch vier tragende Hände und ein paar Arme und Beine, als sie die letzten Schritte auf den Altar zu machten.

Vier linke Hände? Das gefiel mir nicht! Ich versuchte mir vorzustellen, einer dieser Priester zu sein. Kraftaufwand, Gewicht, die Gefahr des Abstürzens, die Aufregung, in der etwas schiefgehen konnte. Plötzlich erschien mir der Kalenderstein am Himmel wie ein großes Uhrengesicht, aber das war kein Kameratrick. Ich sah weg, schaute aus dem Fenster, sah über uns die Sonne scheinen und erblickte in dem Kalenderstein vage ein großes Zeit- und Schicksalsrad. Ich halluzinierte.

„Warum hat die Puppe denn ein solches Kostüm an?" fragte Ann.

Ahmed sagte: „Manchmal kleiden sie ihre Opfer an wie den Gott selbst, damit sie auch sichergehen, daß die Seele beim Richtigen landet." Er drehte den Ton lauter.

Die gelehrt klingende Stimme des Kommentators sagte: „Nachdem man in ganz Europa die Opferungsrituale gemäßigt hatte, Puppen einsetzte oder nur symbolische Opfer brachte, fuhren im Jahr 1500 nur noch die Azteken damit fort, ihre Pyramiden mit dem Blut Tausender menschlicher Opfer zu benetzen. Die Gefangenen, die an solchen besonderen Tagen wie dem heutigen geopfert wurden, waren die reinsten und hübschesten Jungfrauen und Kinder, aber auch Häuptlinge oder deren Söhne. Die Azteken glaubten, große Seelen würden sich mit der Sonne vereinen und zu ihrem Glanz beitragen. Gefangengenommene Könige wurden gehegt und gepflegt und dann geopfert."

Es waren herrliche Farben, rote und purpurne Federn, und auf dem Kopf der Puppe befand sich eine Federkrone. Der Kopfschmuck der Priester besaß eine phantastische, symbolische Form. Die Priester trugen die Puppe zum Altar und legten sie rücklings, mit dem ausdruckslosen Gesicht nach oben, auf die Platte. Zwei starke Priester bewegten die Arme, und die Brust des Opfers wölbte sich wie bei einem richtigen Menschen. Vier Männer waren nötig gewesen, um die Puppe zu tragen. Je eine Hand. Vier linke Hände. Wie schwer mochte sie sein? Wenn die Puppe mit Stroh gefüllt war, hätte auch einer genügt.

Jeder wußte, daß die Azteken-Kommune nur Sadomasochisten aufnahm, aber das war ihre eigene Sache, solange sie in den eigenen vier Wänden blieben und keine Fremden in das miteinbezogen, was sie miteinander taten.

Ich musterte das neben uns stehende Aztec-Building durch die Windschutzscheibe. Es war ein riesiger Turm, der nicht nur Geld repräsentierte, sondern auch das Recht auf den Wahnsinn, in der eigenen Privatsphäre nach den eigenen Gesetzen zu leben. Der Motor des Kopters änderte seinen Ton. Offensichtlich paßte die Maschine sich den wechselnden Windverhältnissen an, die zwischen den Türmen draußen herrschten. „Woher weißt du eigentlich, daß das eine Puppe ist?" fragte ich.

Ahmed gab keine Antwort, aber gehört hatte er mich. In mir kroch so was wie Angst hoch. Ich betätigte den Interkom-Knopf unter dem Bildschirm, der das Büro der Rettungsbrigade zeigte. Judd dre¹.te sich um und sah uns an.

„Woher wissen Sie, daß das eine Puppe ist?" sagte ich zu Judd Oslow. „Das ist keine Puppe, sondern ein Mensch! Und sie werden ihn opfern!"

Judd schnappte sich ein kleines Mikrofon und sprach etwas hinein. Zwischen den Anweisungen sagte er zu mir: „Ich schicke euch eine fliegende Ambulanz rüber, aber mehr können wir nicht tun. Der Tip eines Espers reicht leider nicht aus, um dort einzudringen."

Der Hohepriester stand jetzt über der auf dem Altar liegenden Gestalt, blickte zum Himmel hinauf und hob ein Messer in die Luft. Er bewegte sich nicht. Der Schatten eines hohen Masts lag auf der Brust der Puppe wie der Zeiger einer Sonnenuhr.

„Warum tragen sie diese Schürzen über ihren Kostümen?" fragte Ann. „Sie sehen aus wie Hausfrauen."

„Um das Blut aufzufangen", antwortete Ahmed.

„Sind die blöd", sagte Ann. „Sie haben doch ganze Stapel von Puppen da drüben. Es sind doch nur Puppen."

Ich hatte darauf geachtet, daß sie nichts von meiner Idee über die vermeintliche Puppe mitbekam. Ich wollte ihr die Stimmung nicht verderben. Der Hohepriester stand immer noch da, hielt das gebogene Messer in die Luft. Er schaute in die Sonne und hatte den Kopf weit in den Nacken gelegt.

Der Kommentator zählte die Sekunden. „Zwanzig, neunzehn ... Sehen Sie, wie der Schatten über die Brust des Opfers fällt. Wenn die Sonne den Mittelpunkt berührt ... Elf, zehn, neun ... Die anderen Priester singen und zählen die Sekunden. Zu schade, daß wir sie aufgrund der großen Entfernung nicht hören können."

Die Kamera zeigte einen Brustkorb, der aussah, als bestünde er aus Federn, Kornhalmen und grünem Haferstroh.

Das Bild schwankte, als die ferne Kamera auf ihrem verankerten Ballon von einem Aufwind erfaßt wurde. Die Zusatzeinrichtungen verkleinerten automatisch den visuellen Effekt des Schwankens, indem die Kamera zurückfuhr und ein Fischauge benutzte, durch das wir nicht nur die stufenförmige Pyramide auf dem Dach des zwanzigstöckigen Gebäudes sahen, sondern auch die umliegenden Teile von New York. Die Perspektive war äußerst komisch. Wir sahen riesige, nach außen kippende Gebäude und die künstliche Rundung des Bodens.

„Drei, zwei, eins – und jetzt ist der Augenblick der Opferung gekommen", sagte die Stimme des Kommentators von den TV-Schirmen her. Wir sahen die kleinen Gestalten in der Ferne auf der großen Pyramide stehen. Ahmed steuerte unsere Bildschirmkontrollen aus, legte den Telerahmen über den Altar und vergrößerte. Mit einer sichtlichen Gebärde der Anstrengung, bei der beide Arme den Messergriff festhielten, säbelte sich der Hohepriester durch die grünen Korn- und Strohhalme und blieb in etwas hängen, das ihm offenbar Widerstand leistete. Die Priester, die die Arme hielten, packten fest zu. Der Hohepriester machte einen langen, geraden Schnitt und beschrieb dann mit der Klinge einen Kreis. Plötzlich war er rot, hell- und leuchtendrot, im Gesicht, an den Armen und auf der Schürze. Die Farbe eines Schlächters.

Hier war gerade ein Verbrechen begangen worden. Am liebsten wäre ich zu ihnen hinübergegangen und hätte das Opfer mitgenommen – solange man es noch ins Leben hätte zurückrufen können. Aber die Azteken befanden sich auf eigenem Grund und Boden. Kommunen haben ihre eigene Polizei, um die Ordnung aufrechtzuerhalten – aber sie besteht aus ihren eigenen Mitgliedern. Ohne eingeladen zu sein, durften wir ihr Haus nicht betreten. Und die Azteken luden niemals Fremde zu sich ein.

Ich stand abrupt auf, blickte durch das Fenster auf der Gegenseite, warf einen langen Blick auf den New Yorker Hafen und sah über den Atlantic Highlands den vertikalen Rauchstreifen eines startenden Raumschiffes. Es war weit von uns entfernt.

„Sie machen es sehr realistisch", sagte Ann mit ihrer weichen Stimme. „All dieses künstliche Blut ... Und auch das Ding, das sie da hochhalten. Es sieht aus wie ein Herz." Und dann verstummte sie, als sei ihr in einem Moment des Verstehens die Luft weggeblieben.

„Pssst", machte Ahmed. „Ich zeichne das auf, damit wir es uns noch einmal ansehen können. Wenn die glauben, sie kämen damit durch, haben sie sich aber heftig in den Finger geschnitten."

Ich drehte mich um und vermied es, mir die Szene ein zweites Mal anzusehen. Statt dessen versuchte ich zu ergründen, was momentan in Judd Oslows Büro vor sich ging. Der Chef der Rettungsbrigade stritt sich gerade mit einem Polizeichef, dessen Abbild auf einem vor ihm stehenden TV-Schirm sichtbar war. „Wir haben eine Notambulanz mit einem Ärzteteam in der Luft", sagte er gerade. „Wenn es um einen Menschen geht, der Hilfe und ärztlichen Beistand braucht, haben wir auch das allgemeine Recht, in die Kommune einzudringen. Der Experte sagt außerdem, daß es zu den Traditionen der Azteken gehört, Gefangene zu opfern – speziell gefangene Könige. Und wir vermissen Akbar Hisham, der doch so etwas wie der König der arabischen Enklave ist, stimmt's? Sie können uns ohne weiteres eine Vollmacht geben."

„Nein", widersprah der andere Mann. „Nein, das können wir nicht. Wir wissen nicht einmal, ob das Opfer ein Außenstehender ist. Die Azteken sind keine echten Indianer, sondern Psychopathen. Das Opfer könnte durchaus ein Freiwilliger gewesen sein. Fragen Sie Ihre ESP-Experten."

Ich ging näher an unseren Schirm heran und drückte den Signalgeber. Der Polizeichef sah mich durch den Bildschirm in Judds Büro an.

„Mein Name ist Sanford; ich bin für den Empathie-Empfang zuständig."

„Freut mich, Sie kennenzulernen, Sanford. Wenn ich Ihnen eine

Liste vermißter Personen vorlesen würde, könnten Sie mir dann sagen, welche davon gerade umgebracht worden ist?"

„Nein, Sir."

„Nun, was *können* Sie dann?"

„Ich kann Ihnen sagen, was die noch *lebenden* Vermißten fühlen – und wo sie sind", sagte ich. „Ich bin mir nicht sicher, ob Tote überhaupt Gefühle haben. Vielleicht könnte ich mich in einen Toten einstimmen, dem man gerade das Herz herausgeschnitten hat, aber ich habe nicht vor, so was zu versuchen."

„Okay", sagte der Polizeichef. „Aber damit sind uns die Hände gebunden. Ehe wir die Leiche nicht als die eines unserer Rechtsprechung unterliegenden Außenstehenden identifiziert haben, können wir nichts machen."

„Wenn wir den Mann kriegen und wiedererwecken könnten, könnte er sich selbst identifizieren. Ein Tod durch raschen Blutverlust ist nur ein Scheintod. Man könnte ihn in zwei Stunden zurückholen. Wir müßten ihn innerhalb von eineinhalb Stunden an ein künstliches Herz anschließen, und die Rettungsaktion dürfte nicht mehr als vierzig Minuten betragen", sagte Judd.

Der Polizeichef sagte: „Wäre jemand in der Nähe der Pyramide in der Luft und könnte mit einem Düsengürtel auf die Spitze springen, so könnte er sich eine Puppe schnappen. Strohpuppendiebstahl wird nicht besonders hoch bestraft. Aber wenn ein Polizeibeamter so was täte, würde die Hölle los sein. Es wäre ein Angriff auf die Rechte der Gemeinschaft. Ich muß dergleichen Aktionen also unter allen Umständen verbieten, haben Sie mich verstanden?"

„Schon aufgezeichnet", versicherte Judd ihm. „Für die Unterlagen." Er wandte sich zu unserem Schirm um und sah uns an. „Es wäre schon ein Drama, wenn einer von euch rein zufällig über der Aztekenpyramide aus dem Kopter fiele. Das wäre verbotenes Eindringen. Aber andererseits – was kann man dagegen tun?"

„Nichts, wenn man Schwierigkeiten mit seinem Kopter hat", sagte Ahmed. Er ging zu den Armaturen hinüber und setzte sich hinter die Kontrollen. Jede seiner Bewegungen war wohlüberlegt und vorausberechnet. Er las die Skalen der Instrumente ab.

Wir mußten den Körper des Opfers in unsere Gewalt bringen und ihn dem Ambulanzkopter der Rettungsbrigade zugänglich machen, der in der Ferne über der Stadt kreiste. Und dabei mußten wir uns so verhalten, als sei all dies ein unvorhergesehener Zwischenfall. Nicht nur unser Kopter, auch alle anderen Fahrzeuge würden jedes unserer Worte aufzeichnen. Und wenn es zu einer Verhandlung kam, würde man alle Bänder abspielen, die zwanzig Minuten vor dem Unfall (oder dem Verbrechen) bespielt worden waren.

Ahmed schob eine Hand unter das Armaturenbrett und löste ein Viereck-Modul.

Der Kopter schoß nach oben, dann fiel er wieder und kippte. Ahmed bearbeitete die Kontrollen und brachte die Maschine wieder ins Gleichgewicht. „Da haben wir den Salat!" rief er. Ein Aufwind blies uns schnell über die Dächer der Gebäude hinweg. „Mit den automatischen Kontrollen ist etwas nicht in Ordnung! Alle Mann die Düsengürtel anlegen. George – du nimmst zwei! Einen nach vorn, den anderen nach hinten. Für einen allein bist du zu groß."

Ich gehorchte, schob die Arme durch den Harnisch und befestigte die Unterleibsriemen. Ann tat es mir gleich und versorgte Ahmed mit einem Gürtel. Wie ein ausgeflippter Lift fiel der Kopter wirbelnd in ein Luftloch. Wir jagten nur ganz knapp am Rande des Aztec-Buildings vorbei. Das kleine Stabilisationsmodul hatte uns vorzüglich in der Balance gehalten, bevor Ahmed es herausgenommen hatte. Der Kopter brüllte, tanzte hin und her, und Ahmed saß mit blassen Lippen hinter den Armaturen und kämpfte mit den Kontrollen. Über hohen Gebäuden bläst der Wind eher auf und ab als seitwärts. Ahmed brach unser Schweigen mit einem Satz, den man vor Gericht ohne weiteres abspielen konnte: „George, die Radarantenne am unteren Rumpf könnte dafür verantwortlich sein, daß wir hier so herumwirbeln. Kannst du mal rausgehen und nachschauen, ob sie in Ordnung ist?" Er klang, als befänden wir uns wirklich in Gefahr. Das mußte er auch. Im Geiste hörten wir beide, wie dieser Satz vor Gericht wiederholt wurde. Man würde von uns verlangen, den Wahrheitsgehalt eines jeden Satzes vor einem Lügendetektor zu beschwören. Obwohl Ahmed log, mußte jedes Wort wahr sein.

Ich öffnete die Tür, und der Wind brüllte hinein. Obwohl es so aussah, als befände sich unter der Maschine nichts anderes als leerer Luftraum, wurde ich den Eindruck nicht los, daß dort die Winde miteinander balgten. Ich ging hinter das Sicherheitsgeländer und die aufgerollte Leiter und preßte meine Hände gegen den Türrahmen, als ich hinaus und nach unten sah. Der nächste Sprung, den der Kopter machte, warf mich beinahe hinaus, und ich packte Ann, als sie auf das Geländer zurutschte.

„Halt dich fest", sagte ich. Ich hielt mich am Türrahmen fest und ließ mich langsam hinab. Meine Füße tasteten nach festem Grund, aber da war nichts als Luft. Der Wind pfiff an mir vorbei und zog mich zur Seite. „Ich rutsche!" schrie ich, damit es mit auf das Band kam. Der Lügendetektor würde es bestätigen. Meine Hände rutschten wirklich ab.

„In ein paar Sekunden sind wir wieder über der Pyramide", rief Ahmed. „Wenn du über ihr herausfällst, zieh bloß schnell den Handring des Düsengürtels. Vielleicht braucht die Atuomatik zu lange." Der Wind war so laut in meinen Ohren, daß ich seine Stimme kaum hören konnte.

„Geh höher!" schrie ich in das Brüllen des Windes hinein. Und damit auf das Band noch was drauf kam: „Ich kann die Radarantenne nicht sehen!"

Als ich nach unten schaute, sah ich, wie die Pyramide groß und dicht unter uns dahinglitt. „Ich werde mal nachsehen", rief ich, ohne die Radarantenne damit zu meinen, und ließ los.

Von meinem Gewicht befreit, machte der Kopter sofort einen Sprung in die Höhe. Ich fiel rücklings durch das Nichts und suchte nach dem Brustring des Düsengürtels, der auf meinem Rücken befestigt war. Er steckte unter den Extradüsen auf meiner Vorderseite. Tastend schob ich meine Hand unter den Harnisch. In der Ferne sah ich den Ambulanzhubschrauber kreisen. Ich zog fest an dem Ring. Die Schulterdüsen stießen ein schrilles Zischen aus und brachten mich in eine aufrechte Lage. Ich hing in der Luft wie ein Stehender; Gurte unter den Armbeugen, um die Brust und den Oberschenkeln trugen mein Gewicht.

Eine große, steinerne Nadel neben mir – der gigantische Zeiger der Sonnenuhr. Ich knickte für die Landung die Knie ein und fiel auf einen Stapel von Strohpuppen. Eine von ihnen, die gerade enthauptet worden war, rollte an mir vorbei und fiel die steilen Stufen hinab.

Die Stufen gingen an einer Seite runter, aber die Seiten bestanden aus metertiefen Blöcken, wie Stufen für einen Riesen, und ich befand mich auf dem zweiten Block von der Spitze aus gerechnet, wo vier Priester standen. Weiße Augen in braun angemalten Gesichtern sahen mich an. Sie waren immer noch vom rotbraunen Blut des Menschen bespritzt, den sie gerade umgebracht hatten.

Die hemdenlosen, nachgemachten Indianer, die den Priestern halfen, sahen brutal und stark aus.

Damit ich mich schneller bewegen konnte, legte ich die überzählige Düsenausrüstung ab. Ich wollte sie lieber austricksen als mit ihnen kämpfen. Die Sonne brach sich auf den Steinen und den leuchtenden Kostümen. Der Wind wehte wärmer. Ich öffnete mich den Vibrationen und Gefühlen und schrie: „Wo ist der Körper des Königs?" Dann ließ ich alles in mich hineinströmen.

Einen Moment lang verspürte ich die Verwunderung und große Bedeutung, die man rätselhaften Ereignissen beimißt. Der Sonnengott schien auf uns herab, als wolle er uns seinen Segen geben. Er war die Quelle allen irdischen Lebens, das Symbol innerer Energie und des Daseins selbst. Das Licht am Himmel war das Licht des Bewußtseins.

Die hellen Farbmuster der Kostüme verwirrten meinen Blick, und in den Schatten der Verkleidungen erkannte ich die kleinen Umrisse einer schwarzen Gestalt. Ich sah in den Mustern symbolische Dinge.

Ich schloß die Augen, um das zu sehen, was die anderen sahen, und dann sah ich durch ihre zahlreichen Augen eine große, schwarze Dämonengestalt, die inmitten des Stapels der Geopferten stand und mit brüllender, tiefer Stimme Befehle erteilte. Die Gestalt war ich. In der Vorstellung der Azteken waren die Opfer lebendige Wesen, Seelen, die zur Sonne geschickt wurden. In ihrer Phantasie wucherte am Fuße der Pyramide ein gewaltiger Dschungel, in dem sich bis zum Horizont nur da und dort ähnliche Gebäude aus dem dichten Grün erhoben. Die Sadomasochisten der Azteken-Kommune versuchten ihre Zeremonie dahingehend absolut authentisch zu machen, indem sie die Zeitpillen irgendeines Historikers geschluckt, sich in autohypnotische Trance versetzt hatten und nun geistig in einer prä-christlichen Epoche lebten, als Menschenopfer noch eine auf Gesetz, Ordnung und religiöser Respektabilität fußende Tradition gewesen waren.

Nur der Hohepriester war sich der Tatsache bewußt, daß sie ein Verbrechen begangen. Nur er fürchtete mich als einen Störenfried, der seine Verhaftung einleiten konnte.

Als ich die Augen wieder aufmachte, konnte ich den grünen Dschungel am Fuß der Pyramide immer noch sehen. Ich kam mir wie ein Tolteke vor.

Von unten drang ein Gedanke auf mich ein. Er war so laut wie ein Schrei. „Du stehst auf meiner Hand, du Narr! Ich bin genau hier. Pack mich und bring uns hier raus!"

Emotionen sind die Antriebskräfte der außersinnlichen Wahrnehmung. Dieser Ausbruch war von der Furcht vor dem Tod und dem

Wunsch zu kämpfen ausgelöst worden. Leichen haben keine Emotionen, sie senden auch keine klaren Gedanken aus. Also war hier ein Lebender. Aber als ich sorgfältig unter der ersten Strohpuppenschicht nachsah, fand ich das rote, blutbespritzte Bündel, nach dem ich Ausschau hielt. Seit meiner Landung waren vielleicht acht Sekunden vergangen. Die Priester funkelten mich jetzt an, hoben ihre Messer, beugten sich über den Rand der oberen Plattform und versuchten mich mit den Klingen zu erreichen.

Ich zerrte die Leiche mit großer Kraftanstrengung aus dem Stapel heraus, schaltete den Ersatz-Düsengürtel auf AUFWÄRTS 4,5 KM/H, kniete mich hin und zog ihr den Harnisch an. Die Priester brüllten in einer Sprache, die mir bekannt vorkam, irgendwelche Befehle, und ihre Helfer versuchten über den schlüpfrigen Puppenstapel hinwegzuklettern, um auf mich loszugehen.

Die Strohpuppen gerieten unter ihren Füßen in Bewegung und ließen die Angreifer zurückrutschen. Im Norden der Pyramide sah ich den Ambulanzhubschrauber der Rettungsbrigade in der Luft kreisen. Er befand sich knapp außerhalb des Luftraums der Azteken-Kommune. Wenn sie den Toten rechtzeitig an Bord bekamen, konnte man sein Herz durch eine Pumpe ersetzen, ihm eine Vergessensdroge geben, die die letzten acht Stunden auslöschte und ihn ohne Gehirnschaden wieder zum Leben erwecken.

Ich hob die Leiche hoch, suchte mit den Füßen auf dem durcheinandergeratenden Puppenstapel Halt und warf sie mit aller Kraft auf den Kopter zu. Die Pyramidenseiten waren so steil, daß die Flugbahn des fallenden Körpers an den Steinstufen vorbei verlief und die Leiche beinahe gegen den Rand des Gebäudes geworfen hätte, ehe die Sicherheitsdüsen den Absturz registrierten und sich automatisch einschalteten. Die Gestalt fing sich, trieb in der Leere und stieg dann schnell auf. Die blutrote Strohpuppe jagte in den Himmel hinein, während der Ambulanzhubschrauber sich sofort eng an ihre Fersen heftete.

Als ich spürte, daß Hände nach meinen Beinen griffen, schaltete ich die Düsen ein. Ich trat mich frei und fing an aufzusteigen.

Irgendwo aus der Mitte der Strohpuppen kam der leise Ausbruch eines Fluchs und das Gefühl, in den Magen getreten worden zu sein. Er hatte sich schon früher, als ich auf seine Hand getreten war, beschwert. Er mußte gerettet werden.

Ich erhob mich über die Plattform des Altars und trieb mit einem starken Wind, der mich seitwärts trug. Ganz plötzlich schaltete ich den

Gürtel ab und fiel zwischen wütend schreiende Männer mit Krumm-dolchen auf den Boden. Ich landete geduckt, konnte aber mein Gleich-gewicht nicht bewahren. Um mich herum war Geschrei. Zwei linke Hände packten mein rechtes Gelenk und zwei rechte mein linkes; dann zogen sie fest daran. Die zu beiden Seiten stehenden Priester waren Fachleute. Sie verdrehten meine Arme so geschickt, daß sie steif wurden, ich mich nach vorn beugen mußte und meine Rippen beinahe ohne Zuhilfenahme von Messern splitterten. Ich trug zwar immer noch das meinen Oberkörper schützende Kettenhemd, aber dennoch kam der Hohepriester mit erhobener Klinge auf mich zu. Mir fiel die kopflose Puppe wieder ein, die unter mir weggerollt war, als ich den Boden berührt hatte. Das Kettenhemd schützte zwar meinen Brust-korb, aber nicht meine Kehle.

Schon als kleiner, fetter Bursche hatte ich mich vor wütenden Erwachsenen, die vorhatten, mich zu bestrafen, zu schützen gewußt. Ich stimmte mich auf ihn ein, drehte es so hoch wie möglich, fühlte wie er und sendete zurück.

Der Hohepriester kam auf mich zu und war ich. Ich ließ alles rein, jedes einzelne seiner Gefühle. Ich sah in seine Augen, stellte mir vor, ich sei er und gerade im Begriff, jemandem das Herz herauszuschnei-den. Er sah mich an, stellte sich vor, ich zu sein und daß man ihm das Herz herausschneiden würde.

Er erstarrte.

Die vier Priester schleiften mich immer noch rückwärts zum Altar. Meine Füße berührten ihn schon. Ich starrte weiter in die Augen des Hohepriesters.

Er gab den anderen ein Zeichen, daß sie aufhören sollten.

Sie gehorchten. Der Wind blies über uns hinweg, und die Sonne kam geradewegs von oben. Wir alle badeten in einem Licht, das keine Schatten warf. Die Unterpriester verdrehten meine Arme, bis ich mich nicht mehr rühren konnte. Dabei hielten sie mich so weit von sich entfernt, daß es mir unmöglich war, sie zu erreichen. Sie hatten keine Ahnung, worauf der Hohepriester wartete. Er schaute in den Himmel, um meinem Blick zu entkommen, und schloß die Augen vor der Helligkeit der Sonne.

Jetzt war zwar nicht die richtige Zeit für eine private Halluzination, aber plötzlich hatte ich wieder die meditierende Gruppe im Sinn, die vor dem gebirgigen Panorama unter den Pinien an der Pazifikküste gesessen hatte. „Wir haben einen großartigen Einfall, George."

„Haut ab", sagte ich im Geiste. „Ich habe zu tun. Ihr könnt ja zurückkommen und über Philosophie streiten, wenn ich schlafe." Ich versuchte rauszukriegen, was der Hohepriester vorhatte. Die sieben weißgekleideten Menschen vereinigten ihre ESP-Kräfte und fingen an zu rufen.

„Hier liegt deine Chance, George!"

„Kontrolliere ihren Geist!"

„Bring sie dazu, dich freizulassen und den Hohepriester auf dem Altar zu opfern!"

„Oder bring sie dazu, ihn festzuhalten, damit du ihn opfern kannst! Das macht dich automatisch zum Hohepriester. Du kannst den ganzen Aztekenkult an der Ostküste kontrollieren. Es geht um einen Haufen wichtiger Beamter, wichtiger Firmen, Spitzenpolitiker und Militärs. Die Mitgliederliste ist geheim, aber groß! Kontrolliere sie, George, kontrolliere sie!"

„Tu's auf der Stelle! Das Fernsehen würde eine Sondersendung machen, George!"

„Bring das Gesindel unter deine Kontrolle!"

Ich hatte Angst. Sie versuchten mir etwas einzureden, das mir falsch vorkam, sehr falsch.

„Ich habe so was schon mal versucht. Es war schlecht. Es tut den Leuten weh, wenn man sie kontrolliert." Ich versuchte sorgfältig, es ihnen auseinanderzulegen. Ich kam mir vor wie ein Kind, das Erwachsenen ein schwieriges Problem erklärt. „Sie wissen nur, wie man das eigene Flugzeug zum Fliegen bringt."

„Was könnte schon Schlimmes passieren, wenn du diese Sadisten kontrollierst? Du bist doch kein Sadist. Du kannst sie für uns kontrollieren. Wir haben tolle Pläne, um der Welt Frieden und Vernunft zu bringen", sagte der Stimmenchor. Ich sah bittende, freundliche, redegewandte Gesichter in Nahaufnahme.

Ich konnte mit dem Denken nicht aufhören, mir wurde schwindlig, und ich hörte, wie in der Nähe ein Flugzeugmotor donnerte. Ich fühlte Trauer. „Ahmed und Ann werden abstürzen", sagte ich. „Durch meine Schuld." Ich hätte heulen können.

Als sie die Furcht und die Schuldgefühle verspürten, wirbelten sie weg von mir. Sie waren so ängstlich und voller Schuldgefühle, als hätten sie mich umgebracht. „Das ergibt keinen Sinn. Er halluziniert. Da kommt schon wieder dieses verdammte silberne Alptraumflugzeug. Du halluzinierst. Wach auf! Wach auf!"

Ich öffnete die Augen. Ich stand immer noch und war nach hinten gebeugt. Das Messer war zwanzig Zentimeter von meiner Kehle entfernt. Ich sah, wie der Hohepriester mit geweitetem Blick meine Augen suchte. Seine Pupillen hatten sich vergrößert und wurden immer dunkler.

„Du trägst ein Kettenhemd, du Hundesohn", sagte er auf englisch und fügte dann in einer anderen Sprache hinzu: „Warum liebe ich dich? Bist du real? Du bist mein anderes Ich, mein Traum-Ich, das ich jeden Morgen, bevor ich aufstehe, besiegen und verstecken muß. Was wird mit mir geschehen, wenn ich meinen eigenen Traumkörper umbringe?"

Obwohl er nur wenig Drogen geschluckt hatte, unterlag auch er der Massenhalluzination, die die anderen die Welt als einen großen, grünen Dschungel, in dem es in der Ferne nur ein paar weiße Pyramiden gab, sehen ließ. Er redete in einer vergessenen Sprache und erwartete nicht, daß ich ihn verstand.

Aber da er zu einem Teil immer noch ein Angehöriger der modernen Welt war, brauchte er eine Entschuldigung, um sich erklären zu können, warum er innehielt.

„Ich bin nicht dein Traum-Ich, sondern ein Sonnenkurier, der deine Gestalt angenommen hat", sagte ich in der gleichen fremdartigen Sprache. Und dann, plötzlich auf englisch überwechselnd, fügte ich rauh hinzu: „Opfert mich nicht; täuscht es nur vor! Es wird auf dem Fernsehschirm gut aussehen und euch auch Ärger mit dem Gesetz ersparen."

Er war nicht fähig, mir etwas anzutun. Das Messer wäre in seine eigene Kehle gedrungen. Er akzeptierte diese Tatsache und mußte das Beste daraus machen. Mit einem aufgebrachten Gesichtsausdruck – denn er wußte, daß ich irgendwas mit seinem Bewußtsein angestellt hatte –, riß er das Messer in die Luft, warf einen dramatischen Blick auf die Sonne und ließ es dann in einem Bogen niedersausen, der an meinem Oberkörper vorbeiführte. Drei Zentimeter von mir entfernt machte er eine rituelle Geste, säbelte mit der Klinge überzeugend echt in der Luft herum, riß ein imaginäres Herz aus meiner Brust und hielt es der Sonne entgegen. Aber seine Hände waren leer.

Mit hocherhobenen Händen sah er mir ins Gesicht. Seine Verwirrung war deutlich zu sehen, als er wütend sagte: „Was soll das? Wie kannst du es wagen, in der heiligen Zunge zu sprechen?"

„Sie will dich bei sich haben", erwiderte ich in der Sprache, die kein

Englisch war. Ich hatte sehr schnell aus seinem tiefsten Unterbewußtsein erfahren, daß er den seltsamen Traum und die Erinnerung hegte, schon früher einmal – unter einer glänzenderen Sonne – Priester gewesen zu sein. „Wenn du die Sonne verehrst, mußt du dich in Liebe mit ihr vereinigen. Jeder andere Tod führt dich langsam durch Nebel, Zwielicht und Kälte. Durch alle Generationen vertröstest du sie, opferst Spielzeuge, Puppen und Fremde und dienst damit ihrem Feind, der Dunkelheit. Die Opferung von anderen ist nichts weiter als ein Ersatz für sich selbst."

Das Gesicht des Hohepriesters war eine von roten und gelben Streifen durchzogene, ängstliche Maske gewesen, in dem die grauen Augen von schwarzen Linien umgeben waren, um so den Eindruck eines mexikanischen Indianers zu erzeugen. Langsam wurde es nun leer. Es strahlte keine Furcht mehr aus. Mit hängenden Schultern wandte er sich von mir ab und ließ das Opfermesser sinken, als hätte er es vergessen.

Ich fragte mich, ob sie ihr Ritual auch ohne das Messer fortsetzen konnten. Was die Sadisten als nächstes vorhatten, wußte ich nicht. Ich hob das Messer auf, zog meinen Übungssäbel und betrat die Treppenstufen.

Die Muskelmänner spritzten vor mir und meinem Schwert auseinander, denn sie sahen nicht, daß die Klinge stumpf war. Ich eilte die Stufen hinunter bis auf die Ebene, auf der die Puppen lagen. Als ich auf diesem Absatz angekommen war, sah ich mir den schulterhohen Stapel an. Welche von den Puppen war ein Mensch und mußte gerettet werden?

Die „Indianer" blickten auf ihren Hohepriester und warteten auf Befehle. Der Hohepriester stand immer noch da und sah zu Boden, aber die vier anderen machten ein paar wilde Gesten. Ihre Untertanen sollten mich umzingeln, aus allen Richtungen gleichzeitig angreifen und mich schnappen.

Köpfe und Arme aus Stroh verbauten mir den Weg. Ich ergriff einen Arm und betastete ihn. Er bestand aus dünnem, leichtgewichtigem Stroh und gehörte keinem echten Menschen. Mit glänzenden Bronzemessern kamen die Azteken nun aus beiden Richtungen auf mich zu. Keine Zeit, um mir jede Puppe einzeln anzusehen. Eine, die wirklich lebte, mußte schwerer sein. Ich packte einen Strohkopf und zerrte daran. Der ganze Stapel geriet ins Wanken. Ich zerrte noch einmal, und er fing an zu rutschen. Nun riß ich mit aller Gewalt. Der Puppenstapel fiel auseinander, und die Gestalten rollten in alle möglichen Richtungen.

Zurück blieben nur noch drei, von denen eine, die ziemlich schwer war, zwei andere unter sich begraben hatte. Sie lag direkt vor meiner Nase. Ich stieß sie an. Sie strahlte ein paar wütende Impulse ab und krümmte sich, aber ihre Arme waren nachgemachte Strohgebilde. Ich glitt neben sie und warf sie mir über die Schulter. Die Puppe hatte das schwere Gewicht eines Mannes.

Wo sich vorher die Puppen befunden hatten, tauchten nun zwei Azteken auf, die sich bückten, um mich anzuspringen. Ich schlug aufwärts und traf einen mit dem imitierten Schwert gegen die Brust. Er fiel mit einem Grunzen um und verlor das Bewußtsein, woraufhin der andere schnell den Rückzug antrat und dabei noch ein paar andere wegstieß. Sie hielten meine Klinge für echt, denn der Bursche, den ich niedergeschlagen hatte, sah aus wie tot.

Ich schaltete meinen Düsengürtel an, wirbelte herum und sprang auf den nächsten Absatz, der etwa eineinhalb Meter tiefer lag. Ich kam schwer auf und landete mit einem Fuß hart am Rand der Stufe. Die Düsen zischten und drückten mich weiter. Der Druck zwang mich zu einem weiteren Sprung, der diesmal größer war als der vorherige. Und wieder traf ich mit dem Fuß auf einen Stufenrand. Der Absatz war kaum einen Meter breit. Ich hatte keine Chance, mich wieder aufzurichten, denn schon drückten mich die Düsen weiter. Noch ein Sprung! Allmählich machte mir die Hüpferei Spaß. Wie im Fall flog ich die Stufen hinunter. Ich kam mir vor wie eine übermütige Bergziege, die eine Klippe hinuntersauste.

Während ich von Stufe zu Stufe eilte, zischten die Düsen. Sie versuchten mich zu bremsen, aber das Gewicht des Mannes auf meiner Schulter zog mich unweigerlich weiter nach unten.

Das Ende der Pyramide tauchte vor mir auf – und dahinter lag nur noch Luft. Der Geländerrand des Gebäudes kam mir entgegen. Ich ließ das Schwert fallen, packte den Mann auf meiner Schulter mit beiden Händen und machte einen letzten, großen Sprung ins Nichts hinein. Als ich zwanzig Stockwerke über dem Erdboden in der Luft hing, erinnerte ich mich an alle haarsträubenden Geschichten, die man sich von versagenden Düsengürteln erzählte.

Die Düsen pfiffen lauter. Der Harnisch fing an, mich mit aller Kraft in die Höhe zu ziehen, und die Riemen unter meinen Armen, dem Gesäß und im Schritt begannen sich zu verengen. Einen Augenblick lang trieb ich aufrecht in der Luft. Dann brachte die linke Düse plötzlich mehr Leistung als die rechte, und ich spürte, wie das Gewicht des Mannes meine rechte Schulter nach unten zwang. Ich kippte zur Seite. Die linke Düse rutschte nach oben, ans Ende der verlängerten Barriere. Der schlaffe Körper des Mannes rutschte mir von der Schulter und glitt über die rechte Barriere, die er damit nach unten schob. Als wir kopfüber fielen, packte ich mit beiden Händen nach ihm, und meine Finger rutschten über das Stroh. Mit einem Blick sah ich, wie die entfernten Gebäude und unter uns liegenden Straßen rasch näher kamen. Die Düsen zwangen mich schneller nach unten, als der Körper fallen konnte. Meine Finger krallten sich in unter dem Stroh befindliche Riemen, und ich nahm den Mann wie einen Koffer an die linke Hand. Einen Moment lang stand ich wieder aufrecht und blieb in konstanter Höhe, dann vollführten die Düsen einen leichten Schwenk nach links, und unter mir glitten Straßen, Häuser, der blaue Himmel und die strahlende Sonne vorbei. Ich zog den Mann hinauf, drückte ihn an meine Brust. Erneut verharrten wir, dann bewegten uns die Düsen in einem langsamen Bogen vornüber. Die Gebrauchsanweisung dieser Apparatur besagt zwar, daß das System absolut stabil ist, aber sie warnt einen auch davor, irgendwelche Gewichte mit sich zu schleppen.

Der Looping, den wir beschrieben, war nicht besser als der freie Fall. Beim Start war der Boden noch weit von uns entfernt gewesen, aber nun wurde er immer größer und kam näher. Ich erinnerte mich an ein schwankendes Kanu. „Setz dich hin, verkleinere das Zentrum der Schwerkraft", sagte die Stimme des Kanusportlehrers, die mir plötzlich einfiel.

Abrupt kam alles zur Ruhe. Ich schwebte auf der Höhe des dritten Stockwerks, trieb wie ein Ballon auf der Ebene der Arkaden über den Bäumen – und über dem großen Zentral-Bildschirm am Kreuzungsplatz. Maskierte Gesichter in vielen Farben schauten zu mir auf. Eine seltsame Stille beherrschte die Stadt, dann erklang ein begeistertes Aufbrüllen und ein Klatschen, das sich wie Applaus anhörte. Das Getrommel und die Schritte marschierender Kapellen setzte wieder ein; die Karren fingen an, sich wieder durch die Straßen zu bewegen.

Auf dieser Ebene war es beinahe windstill, aber trotzdem trieb ich leicht dahin und schwebte. Das Gewicht des Mannes zog mich nach unten. Ich hatte beide Hände um seinen Leib geschlungen. Sein Kopf und seine Beine baumelten schlaff nach unten. Er war schwer, sah aber immer noch wie eine Strohpuppe aus.

Ich überprüfte seine Vibrationen. Seine Angst war geringer als die, die ich gehabt hatte. Hauptsächlich wunderte es ihn, wie herb man mit ihm umgesprungen war. Da sein Gesicht von Stroh bedeckt war, konnte er nichts sehen. Das hatte ihm ein paar Sorgen erspart! Ich zitterte immer noch. Die Sonne, die auf uns herunterschien, kam mir gar nicht allzu heiß vor. Der Düsengürtel schien zu registrieren, daß der Boden unter mir uneben – voller Bäume und Menschen – war und hielt mich in der Schwebe, ohne dem Boden näher zu kommen.

Der große TV-Schirm unter mir zeigte eine Aufzeichnung der letzten zehn Minuten: Nahaufnahmen der Aztekenpyramide, das Eintreffen der Priester und den Menschenstrom, der die Puppen und den Thron des „gefangenen Königs" aufs Dach gebracht hatte. Im Moment der Opferung ging die Aufzeichnung auf Distanz, damit es nicht allzu deutlich sichtbar wurde. Der Schatten des aztekischen Kalenderscheins erhob sich matt über der Szenerie; ein gigantisches Rad mit seltsamen Symbolen, dessen Spitze und Zentrum von der Sonne beschienen wurde. Irgend jemand hatte die Aufzeichnung so bearbeitet, daß die Offensichtlichkeit der Gewalt heruntergespielt wurde. Dann ging die TV-Kamera wieder näher heran und zeigte eine große, schwarze Dämonengestalt, die direkt aus dem Himmel ge- schwebt kam und auf dem zur Opferung bestimmten Puppenstapel landete. Das Bild blieb stehen: Die schwarze Gestalt befand sich nun inmitten der Puppen und schrie die Priester herausfordernd an.

Ich hatte vergessen, daß ich immer noch in der Luft schwebte. Nun sah ich, daß sich unter mir ein Fleckchen ausbreitete, das sowohl frei von Bäumen als auch von Menschen war. Ich schaltete den Düsengür- tel auf Landung. Sanft trug er mich der Erde entgegen. Die Menge machte unter mir einen etwa zehn Meter durchmessenden Platz frei und applaudierte respektvoll, als ich den Boden berührte.

Es war ein komisches Gefühl, wieder festen Boden unter den Füßen zu haben. Ich roch trockene, saubere Erde, Gras und eine gute Nase voll heißer italienischer Süßwurst, die irgendwo feilgeboten wurde. Ich stellte den Mann im Puppenkostüm auf die Beine und nahm das Bronzemesser des Hohepriesters, um ihn von seinen Arm- und Fußfesseln zu befreien.

Als ich mich hinkniete, um seine Fußfesseln zu durchschneiden, riß er sich die Puppenmaske ab und den Knebel heraus. Über uns sagte die Stimme des Fernsehsprechers: „Viele unserer Zuschauer haben uns um einen Vortrag über die Mythologie der schwarzen Dämonengestalt gebeten, die um elf Uhr an dem aztekischen Ritualopfer teilnahm. Der Anthropologe Edmond Hilary hat sich freundlicherweise bereiterklärt, uns zu diesem Thema etwas zu erklären. Bitte, Mr. Hilary."

Ich sah auf und sah den bekannten Fernsehmann neben einem Bild der Pyramidenszene stehen. Er berührte die schwarze Gestalt mit einem Zeigestock, und die Szene veränderte sich. Die Priester eilten auf das Ende der oberen Plattform zu und bedrohten die schwarze Gestalt mit ihren Messern. Das schwarzsilbern bemalte und behelmte Gesicht schrie ihnen eine Drohung entgegen.

„Ahem", räusperte sich der Experte. „Nun, diese symbolische schwarze Gestalt dürfte den finsteren Gott der Unterwelt darstellen, der ein Gegner der Helligkeit ist. In den meisten Mythologien repräsentiert er die dunklen Nachtstunden und die Finsternis des Todes. Außerdem verkörpert er aber auch die Dunkelheit und Kälte des Winters und den Tod der Vegetation. Er ist der Richter, der grimmige Sensenmann." Der Fernsehexperte zögerte und betrachtete die Filmhandlung. „Überraschend ist, daß wir es hier mit einer Figur zu tun haben, die in einem heißen Klima, das gar keinen richtigen Winter kennt, den Winter repräsentiert. In heißen Klimaten ist der Tod in der Regel ein Jaguar oder irgendein anderes Raubtier. Dort dürfte der Tod weder finster noch kalt sein. Wir können also möglicherweise annehmen, daß wir diesmal die Ehre hatten, Zeugen eines Rituals gewesen zu sein, das unvorstellbar alt ist und noch aus der Zeit vor den ersten nordamerikanischen Städtebauern stammt, aus jener Epoche, als man noch auf den Rücken der Mammuts die Riesenfaultiere jagte – in einem kalten Klima."

Der Experte sah zu, wie ich hinkniete, um der roten Leiche meinen Ersatz-Düsengürtel anzulegen. „Hmm, nun ... äh ... kniet er sich hin. Dies ist der Höhepunkt des längsten Tages, der Triumph der hellen Sommersonne, und der Gegner der Sonne kniet vor den Priestern und bringt der Sonne ein Opfer." Auf dem Bildschirm schwebte die rote Leiche nun dem blauen Bilderbuchhimmel entgegen.

Ich stand auf, sah mir an, wie die halbnackten „Indianer" sich auf den Puppenstapel stürzten und nach den Fesseln der finsteren Gottheit griffen. Nach mir. Die beiden Düsen erhoben sich über ihre Schultern wie sich ausbreitende Schwingen, und sie flog langsam hoch, über den Altar. Die Szene sah primitiv aus, wie ein uralter Mythos oder ein Märchen.

Neben mir stand der Gefangene, den ich gerettet hatte. Er sah ebenfalls zu und zerrte dabei verzweifelt an seinem ledernen Knebel. Ich gab ihm das Opfermesser und betrachtete weiter den Bildschirm.

Der fliegende schwarze Dämon strauchelte. Die Priester packten ihn, zogen ihn zum Altar und warfen ihn rücklings auf die Steinplatte. Jede ihrer Bewegungen zeigte, wie sehr sie sich anstrengten und unter welchem Streß sie standen. Vor Wut und Angst schäumend hob der Hohepriester sein Messer und eilte auf die wehrlose schwarze Gestalt, die erfolglos gegen ihre Widersacher kämpfte, zu.

„Großartige schauspielerische Leistung", murmelte ein uns zusehender Mann. „Ich hoffe, Sie werden einen Preis dafür kriegen."

Ich hatte ganz vergessen, daß ich es war, den man auf dem TV-Schirm sah. Ich schaute weiter zu. Neben mir riß sich der Gerettete den Knebel aus dem Mund. Schweratmend blieb er stehen und gaffte.

Der Fernsehmann mit dem Zeigestock erklärte nun die Bedeutung des Rituals, aber die vorbeiströmenden Massen hörten ihm nicht mehr zu. Statt dessen beobachteten die Leute die Handlung und verspürten eine Welle von Furcht und Aufregung. Der Hohepriester auf dem Bildschirm holte weit mit seinem Messer aus, warf einen Blick auf die über ihm stehende Sonne und stieß es dann herab, was den Eindruck erweckte, er würde die Brust des schwarzen Dämons aufschlitzen und ihm das Herz herausschneiden. Seine widersprüchlichen Gesten waren echt, aber als er der Sonne die Arme entgegenhob, gab es weder Blut noch ein Herz zu sehen, und die schwarze Gestalt mit dem verdeckten Gesicht stand immer noch da und sah ihn an. Die zusehende Menschenmenge stieß mit einem erleichterten Seufzer die Luft aus und fing an zu murmeln.

Der ältliche Gentleman auf dem Bildschirm erklärte etwas. Die Leute hörten wieder zu. „Im Gegensatz zur Frühjahrssonnenwende allerdings, die den Tod und die Wiedererweckung des Lebens zeigt, wird in diesem Falle der Opponent – die Gottheit, die den Winter, die Nacht und den Tod repräsentiert – von den triumphierenden Kräften des Sommerlichts auf dem Altar geopfert. Aber dennoch stirbt diese Gottheit nicht, denn den Tod kann man nicht töten. Der Tod und die Finsternis werden immer wieder zurückkehren, wenn es für sie an der Zeit ist."

Der neben mir stehende Gerettete sagte: „War ich da oben? Habe ich das mitgemacht?"

Ich sah ihn mir an. Er hatte das lederhäutige, dunkle Raubvogelgesicht von Akbar Hisham, dem König der arabischen Flüchtlingsenklave. Jetzt, wo er sich das ganze Stroh vom Leib gerissen hatte, trug er nur noch zerlumpte Beinkleider. Dort, wo man das Stroh hineingesteckt hatte, wiesen sie zahlreiche Löcher auf. Er sah aus wie ein Clown in gelber Unterwäsche. Ich lächelte aber nicht.

Vor einer Woche hatte ich ihn schon genug beleidigt, denn als ich zusammen mit Ahmed aus seinem Reich geflohen war, hatte er uns als Stöpsel gedient. Und nun beschuldigten die Araber mich, ich hätte etwas mit Akbar Hishams Entführung zu tun. Ich war froh, daß ich eine Maske trug.

Die Menge schrie, als die schwarze Gestalt wie ein Skispringer auf einer Sprungschanze die großen Stufen der Pyramide hinunterjagte. Das Klangsystem der TV-Anlage wurde lauter. Die Stimme des Experten brüllte über das Geschrei der Menge hinweg. „Und er nimmt ein Opfer, das die Hälfte des Jahres symbolisiert, mit sich hinunter in die Region der dunklen, kalten und immerwährenden Nacht."

Akbar Hisham sah immer noch zu mir auf und versuchte das menschliche Gesicht unter der Maske zu erspähen. Das seltsame, schwarzsilberne Gesicht kam ihm sichtlich unheimlich vor. „Ich symbolisiere also eine Jahreshälfte." Sein Tonfall war sarkastisch. „Vielleicht bin ich Tammuz? Oder Persephone? Warum habe ich überhaupt eine Rolle in dieser Farce gespielt, wenn sie gar nicht vorhatten, mich umzubringen? Sie müssen doch wissen, daß nach dieser Geschichte jemand sterben muß!"

Mir fiel ein, daß Ahmed gesagt hatte, Kommunen würden oft kriegsähnliche Auseinandersetzungen miteinander haben – wie Urwaldvölker. Die uns umgebende Menge schrie. Ich sah zu dem Bildschirm hinauf. Die fliegende schwarze Gestalt machte zwei irre aussehende Seitwärtsdrehungen und überschlug sich zweimal nach vorn. Dann wurde sie vom Druck der Düsen ins Nichts geworfen, fiel zwischen die Gebäude und blieb dann nur knapp fünfzehn Meter über den auseinanderströmenden Massen aufrecht in der Luft hängen.

„Mann!" sagte ich.

Der untersetzte, dunkelhäutige Mann, der neben mir stand, musterte mich, ohne seinen Gesichtsausdruck zu verändern. Er war stolz, zu stolz, um seine Gefühle zu zeigen, aber dennoch fragte er: „Wer sind Sie?"

„Rettungsbrigade", sagte ich. Der Bildschirm über dem Park zeigte nun Bilder des Karnevalstreibens.

„Rettungsbrigade?" Akbar Hisham trat wütend nach dem Strohhaufen, der seine Verkleidung und sein Gefängnis gewesen war. „Das bedeutet, meine Entführung kann kein Scherz gewesen sein. Ich war wirklich in Gefahr. Daß ich nicht unter dem Opfermesser gelandet bin, gehörte nicht zur Zeremonie." Er schaute zu mir auf. „Ist das korrekt?"

Er hielt immer noch das Opfermesser in der Hand, das ich ihm zum Lösen seines Knebels gegeben hatte. Ich deutete mit dem Kinn auf die Klinge.

„Kurz bevor ich Sie zu fassen bekam, haben sie einem Menschen mit diesem Messer das Herz herausgeschnitten", sagte ich.

Ein Karren fuhr an uns vorbei. Auf seiner Ladefläche waren seltsame, tänzelnde Umrisse zu sehen, die von einem Holographen erzeugt wurden. Farbige Lichter blitzten; ich hörte das Summen einer fremdartigen Computermusik. Die Menge zog weiter, erhob sich an uns vorbei.

Akbar Hisham gab mir das Messer zurück. „Ich hatte also recht. Die Gefahr, in der ich geschwebt habe, war echt. Ihr Einsatz war nicht gespielt. Ich muß Ihnen dankbar sein."

Ich steckte das Messer in meine leere Schwertscheide. Mein Armbandsender summte und versetzte meinem Handgelenk leichte elektrische Schläge. Er sah immer noch aus wie der Gelenkschutz eines Barbaren, der feindliche Messer abwehren soll, und die juwelenartigen Knöpfe erinnerten an die eckigen Zacken, die eine Klinge daran hindern sollen, sich seitwärts in die Haut zu graben. Ich maß den Sender mit einem bewundernden Blick, zog einen der Knöpfe heraus und hielt ihn mir ans Ohr.

„Das war eine ausgezeichnete Rettungsaktion, George", sagte die Stimme meines Chefs. „Wer ist es denn?"

„Akbar Hisham aus der arabischen Flüchtlingsenklave, Sir. Er ist in guter körperlicher Verfassung. Und er sagt, daß er dankbar ist."

Akbar Hisham sagte bitter: „Ich würde mich gerne ein wenig präzisieren. Sie haben eine schwere, verpflichtende Last auf meine Schultern gelegt. Bis an die Grenze des Selbstmordes würde ich alles tun, um mich dieser Verpflichtung zu entledigen."

Einiges von dem, was Akbar Hisham gesagt hatte, wiederholte ich für meinen Chef.

Judd sagte: „Gut! Dieses Versprechen können wir nutzen, um einen Krieg zwischen den Kommunen der Azteken und Araber zu stoppen. Das andere Opfer kann sich an das, was geschehen ist, nicht mehr erinnern. Bringen Sie Hisham zu einer Telefonzelle und wählen Sie für ihn die Rettungsbrigade an. Er kann etwas für uns tun."

Während Akbar Hisham die Telefonzelle betrat, warf ich einen Blick auf das sich in der Nähe in den Himmel reckende Hochhaus der Azteken-Kommune. Von hier aus war die Pyramide auf dem Dach nicht zu sehen. Auf der Ebene der Arkaden verließen einige Leute die Aufzugschächte. Es waren Azteken. Sie trugen zwar nicht ihre üblichen Kostüme, aber auch für sie galt die Sitte, sich während der Karnevalstage zu verkleiden und in der Menge unterzutauchen. Ich wählte für Akbar Hisham die Rettungsbrigade an, sorgte dafür, daß er mit Judd Oslow verbunden wurde und machte mich auf den Weg.

6

Ich duckte mich in die Arkaden der Mittelalter-Kommune, durchquerte den Park und ging durch den privaten Eingangsraum.

Am Empfangstisch saß eine Frau und las. Sie hatte mechanische Gelenke und ein ausdrucksloses Gesicht ohne Augen, Nase und Mund.

Ich wandte mich mit einer Bitte an sie. „Jetzt hängt's mir aber wirklich zum Hals raus. Jeder hält mich für den Totengott aus der Azteken-Show! Haben Sie vielleicht ein Kostüm da, das ich gegen das hier tauschen könnte?"

Zehn Minuten später trat ich wieder in die Arkaden hinaus. Ich trug einen zwei Meter langen Knüppel und hatte grüne Beinkleider und ein Fransenhemd an. Ich hatte mir die schwarze und silberne Gesichtsfarbe abgewaschen und trug nun eine Tingeltangelmaske. Ich stellte den Kleinen John von Robin Hoods Fröhlichen Gesellen dar.

Verfolger hatten sich in dem ganzen mittelalterlichen Park verstreut und gaben vor, sich für die Spiele zu interessieren, dabei beobachteten sie die Tür. Als ich herauskam, sahen sie mich zuerst an, dann blickten sie weg. Eine hübsche, grüne Nymphe mit einem grünen Gesicht hakte sich bei mir ein. Es war meine grüne Nymphe, aber sie merkte nicht, daß ich ihr Schwarzer Ritter gewesen war.

„Hallo, Blättchen", sagte ich.

„Ich bin eine Dryade aus den heiligen Höhen und Grotten", sagte sie.

„Ich bin der Kleine John von der Tollen Truppe", sagte ich.

„Komm mit mir in meine heilige Höhle", sagte sie. „Und wenn du sie wieder verläßt, wirst du glauben, daß inzwischen zehn Jahre vergangen sind. Du wirst ein anderer Mensch sein – in einer veränderten Welt."

Mein Armbandsender versetzte mir Schläge. „Da muß ich erst Robin Hood fragen, ob ich für zehn Jahre aussetzen kann." Ich hielt den Sender an mein Ohr. „Befehle, Sir?"

„Achten Sie auf öffentliche Bekanntmachungen, George. Ich glaube, wir haben alles wieder hingebogen", sagte Judd Oslows Stimme, die ziemlich leise war.

„Robin Hood gibt ein öffentliches Statement ab." Ich nahm sie bei der Hand, und wir gingen an den kleinen Bildschirm, der in Eingangsnähe stand.

Das Bild zeigte Akbar Hisham. Er trug ein korrekt sitzendes Araberkostüm und sah grimmig aus. „Hier spricht Akbar Hisham von Arabisch-Jordanien. Ich möchte der Azteken-Kommune meinen Dank dafür aussprechen, daß sie mir die Möglichkeit gegeben hat, als gefangener König an einem äußerst interessanten historischen Ritual teilzunehmen. Es tut mir leid, daß meine Abwesenheit unter meinen Freunden zu Besorgnis geführt hat, aber aufgrund von Umständen, die außerhalb meines Einflusses lagen – und die mit dem Realismus des Rituals zu tun haben –, war ich nicht dazu in der Lage, während der Vorbereitungen der Opferzeremonie mit irgend jemandem darüber zu sprechen. Es war eine sehr interessante Erfahrung, und ich hoffe, daß die Übertragung allen gefallen hat."

Er starrte noch einen Augenblick in die Kamera, wobei er sich völlig unter Kontrolle hatte und seine Züge nichts verrieten, dann drehte er sich abrupt um und verschwand aus dem Blickfeld.

Beim Erscheinen von Akbar Hishams Gesicht hatte jemand hinter mir einen überraschten Ruf ausgestoßen. Als der Mann seine Erklärung beendete, registrierte ich eine enttäuschte Vibration und das Nachlassen des Interesses. Ich wandte mich um und sah den Frustrierten dastehen. Er zuckte die Achseln, sah mich kurz an, murmelte etwas auf arabisch und schlenderte davon. Da Akbar Hisham offensichtlich gar nicht entführt worden war, stand George Sanford auch nicht mehr auf der Racheliste der Araber. Ich war überrascht. An sich hatte ich damit gerechnet, daß der Mann, der mich umbringen wollte, ein Azteke sein mußte.

Meine grüne Nymphe entzog mir ihre Hand. „Ich mag keine Leute, die nur rumstehen und in die Glotze gucken."

„Da hast du recht. Robin Hood hat keine Ahnung." Ich nahm wieder ihre Hand und küßte sie. „Was hast du für heute abend vor? Komm, ich lade dich zum Essen ein." Die Luft war voller guter Gerüche; es duftete nach selbstgebackenem Kuchen, nach Brot und gebratenem Fleisch.

Sie wich zurück. „Ich habe heute abend eine Verabredung mit König Tod. Er ist der schwarze Dämon, der über den Bildschirm geflogen ist. Ich gehe mit ihm. Er würde dich mit einem Haps auffressen." Sie sagte das ernsthaft und prahlerisch; dann sah sie, wie groß ich war, und begann zu zweifeln.

„Ich habe deinen König Tod gerade bei einem fairen Luftkampf zur Schnecke gemacht", sagte ich. „Ich habe dich also von ihm gewonnen, was nur Rechtens ist. Komm mit mir, dann gibt's geröstete Ente, Meeresfrüchte, Safranreis, Mondfarn und Maiskolben, und ehe du mit dem Essen fertig bist, wirst du fett sein und glauben, zehn Jahre seien vergangen."

Sie lachte, schloß mich in ihre weichen, grünen Arme, und ich glaube, sie erkannte mich sogar. Dann ließen wir uns von der Menge in das helle Sonnenlicht hinaustreiben und folgten den leckeren Essensgerüchen.

An sich wollte ich in ein Samurai-Restaurant gehen, aber die Essensdüfte und die Musik führten dazu, daß wir durch offene Tore gingen, die sonst für Außenstehende verschlossen waren. Wir probierten fremdartige Nahrung, spielten seltsam archaische Spiele und nahmen an Ritualen der rekonstruierten Vergangenheit teil. Einmal wurden wir in einen Ritus hineingezogen, bei dem man versuchte, einen Maibaum zu umtanzen, ein andermal sahen wir einen Gladiatorenwettkampf im Yankee-Stadion.

In dunkler Nacht kehrten wir zur Mittelalter-Kommune zurück. Die Lagerfeuer brannten schon, und das Mitternachtsritual des Grünen Wolfes fing gerade an. Erneut tanzten wir den Schlangentanz zwischen den Feuern, sprangen über die roten, flackernden Flammen und verfingen uns letztendlich in den hellen, imitierten Feuerzungen. Die Sieger wurden zum König und zur Königin des Getreides gekrönt, und jedermann erhielt ein Fläschchen mit Honigmet und eine magische Waffel.

Dann wurden die Feuer gelöscht, und als die Lichter erstarben, bildeten wir Männer einen Kreis und tauschten einen Schluck Met und einen Kuß mit jedem Mädchen aus. Obwohl das Licht aus war, wußte ich genau, wann ich wieder bei meiner Nymphe angelangt war, denn ich erkannte es am Geschmack ihres Kusses und am seidigen Flattern ihres grünen Blätterkostüms.

Wir bahnten uns einen Weg zu einer Laube und krabbelten hinein, wobei ich sie in den Armen hielt. Einmal rief sie den Namen eines anderen, aber das war in Ordnung. In der Finsternis war sie manchmal Ann und dann wieder alle anderen furchtsamen, lieben und immer wieder gebenden Mädchen.

Der alte Mann, der im Park der Kommune 1949 saß, war angezogen wie jemand in einem Film aus den vierziger Jahren. Er trug einen Hut, ein Jackett, ein Hemd und eine Krawatte. Und er las in einer Zeitung, deren Schlagzeile TRUMAN KÜNDIGT MIETSENKUNGEN AN lautete.

Die Kommune 1949 lebte fünfzig Jahre hinter der Zeit zurück. Es machte den alten Leuten Spaß, jene Zeiten noch einmal zu erleben, in denen sie jung und aktiv gewesen waren und die Zeitungen von 1949 gelesen hatten. Nächstes Jahr würden sie sich Kommune 1950 nennen.

Ich ging zu ihm hinüber und nahm neben ihm auf der Bank Platz.

„Mr. Kracken, die Damen sagen, sie hätten den Regierungscomputer programmiert." Verlegen hörte ich auf zu reden.

Er senkte seine Zeitung und maß mich mit einem scharfen Blick. „Möchtest du was, George?"

„Ich könnte 'n bißchen Nachhilfe über Wirtschaft brauchen."

Er lächelte, faltete die Zeitung zusammen und legte sie beiseite. „Zu so was bin ich immer bereit." Er war der beste Pokerspieler in der Kommune 1949, und die alten Damen waren beim Pokerspielen anspruchsvoll. Mr. Kracken war dürr und lederhäutig. Er hatte lauter Fältchen um die Augen, und ich hatte keine Ahnung, wie alt er war.

Die Damen behaupteten, er sei vor Jahren Präsidentenberater gewesen.

Die Frage, die ich ihm stellen wollte, kam mir nur sehr schwer über die Lippen. Er würde über mich lachen. Als ich sie ihm stellte, fing ich selbst an.

„Mr. Kracken, ich kenne einen Burschen, der sagt, daß die Wirtschaftscomputer dazu programmiert wurden, jeden außer Computerfachleuten und Wissenschaftlern auszulöschen. Ich dachte ... Vielleicht ... vielleicht wissen Sie ... Haben Sie vielleicht ..."

202

Er schob seinen Hut in den Nacken und fing an zu lachen. Dabei haute er mit seinem Spazierstock auf den Boden. „Hi, hi!" Sein Gelächter war schrill, aber herzlich. „Da kannst du Gift drauf nehmen, George. Da kannst du Gift drauf nehmen. Du hast absolut recht." Er lachte weiter, zog ein Taschentuch aus der Innentasche seines Jacketts und wischte sich über die Augen. „Alle meine Freunde waren Computerfachleute. Sie haben mir dabei geholfen, das Wirtschaftsprogramm zu erstellen. Ja, wir waren damals ziemlich weit oben! Wir hatten eine Menge Spaß und führten anspruchsvolle Gespräche. Sie waren das Salz der Erde, das Salz der Erde. Es ging nur darum, den Fortschritt ein bißchen zu beschleunigen, ohne böse Absicht. Die Affen würden sowieso irgendwann ausgestorben sein. Ich hätte noch früher damit angefangen."

Er hatte *ja!* gesagt. Ich glaubte seinen Worten nicht. Ich hatte eigentlich vorgehabt, näher an ihn heranzurücken, aber nun stand ich auf. Ich zwang mich selbst zum Lachen. Machte er Witze?

Mr. Kracken schaute zu mir auf. Er sah mich direkt an und sprach die Wahrheit. „Du glaubst, ich scherze – wie die anderen auch. Wer mich auf die Palme bringen möchte, braucht nur zu denken, daß ich scherze. Aber das sei jedem unbenommen. Wir haben es getan. Ebenso wie wir bestimmte Dinge wegen ihrer sozialen Schädlichkeit besteuerten, verstehst du? Wir erlaubten Steuerabschreibungen für die Entwicklung arbeitssparender Maschinen. Aber auch die hatten ihren Preis. Sie kosten nicht nur die Löhne, die man durch das Feuern der Affen, die sie ersetzen, einspart, sondern auch noch das Geld, das man braucht, um sie auf Sozialhilfe zu setzen, sie zu deportieren oder umzuschulen. Es kostet eine Menge. Und da all diese Kosten umgelegt werden, bezahlt die Gesellschaft einen hohen Preis. Aber das war nicht mein Bier. Arbeitssparende Maschinerien gelten nun mal als spottbillig, da kann man dann auch die Hälfte der Arbeitskraft in die Arbeitslosenbehandlung stecken." Die Sonne schien auf seinen altmodischen Hut und die dürren, fast durchsichtigen Hände. Er wirkte wie ein Kurier Gottes.

„Die Leute von der Regierung waren es leid, sich Kriege auszudenken, die ihnen die Arbeitslosen vom Halse schafften. Statt dessen versuchte man sie durch weiterführende Schulen zu schleusen. Aber das College war nichts für diese Art von Menschenaffen, die jede Maschine ersetzen kann. Sie kamen nicht mit, machten nichts als Zoff. Heutzutage zwingt man keinen Affen mehr, die Schule hinter sich zu bringen. Wer aussteigt, wird sterilisiert und haut ab in den Dschungel, wo er hingehört. Hi, hi, hi, hi."

Er lachte und wischte sich über die Augen. Sein Hut fiel herunter und landete neben ihm auf der Bank. Mr. Kracken nahm ihn und setzte ihn sich wieder auf. Dann redete er weiter. „Damit noch mehr Geld in die Entwicklung arbeitssparender Maschinen investiert wurden, räumte der Computer für derlei Forschungen Steuervorteile ein. Als würden die Leute dadurch Geld sparen. Die Kosten wuchsen an. Alle gingen bankrott, aber niemand wußte, warum. Hi, hi. Die Wirtschaft kippte so schnell um, daß all die verblödeten Konservativen durchdrehten ... Es kam zur Panik. Die ganzen Idioten schlachteten sich auf der Straße gegenseitig ab." Er stieß einen Freudenruf aus, beugte sich nach vorn und lachte und hustete. „Hi, hi, hi, hi!"

Ich dachte, er würde ersticken, deswegen klopfte ich ihm auf den Rücken und nahm neben ihm Platz. Er war alt und konnte nichts dafür.

Aus den Augenwinkeln nahm Kracken meinen Gesichtsausdruck wahr. Er richtete sich auf, versteifte sich und sah mich an. „Mit mir ist alles in Ordnung. Ich habe auch nicht den Verstand verloren. Aber trotzdem danke."

„Aber ... aber ..." Ich machte eine hilflose Geste.

„Was, aber? Spuck's aus, Affe."

„Aber warum?"

„Wegen der Evolution, darum. Diese Welt ist von Narren überladen. Laß sie verhungern."

Ich frage mich, ob dieser Alte nach all diesen Jahren, in denen er geglaubt hatte, recht zu haben, auf eine andere Sichtweise der Dinge vorbereitet war.

„Mr. Kracken, der Junge, den ich da kenne, ist ein As, und er sagte, daß die wirklich cleveren Leute gar nicht dazu bereit sind, sich zwanzig Jahre einsperren zu lassen, um irgendwelche Technologien zu studieren. Er sagt, lieber geben sie vor, nicht ganz bei Trost zu sein, damit sie aussteigen und ihren Spaß haben können, solange sie noch jung sind. Aber später können sie nicht wieder einsteigen; sie können weder Geld verdienen noch Kinder haben. Er sagt, daß die Evolution nach rückwärts verläuft, daß sie nur noch Krüppel und elende Feiglinge auswählt, die das Lernen hassen, nicht wissen, wie sie ihr Leben genießen sollen, und dann das ganze Leben lang studieren, um sich für irgendeinen beknackten Bürojob zu qualifizieren."

Mr. Kracken sah mich nachdenklich an und bewegte die Lippen. Plötzlich schlug er sich aufs Knie. Es knallte wie ein Pistolenschuß. „Wer sagt denn, daß ein schlauer Bursche sein ganzes Leben mit Lernen verbringt? Das ist doch falsch. Als ich fünf war, wußte ich schon, was Trigonometrie ist! Sicher, die meisten Leute lernen, legen Prüfungen ab und sitzen dann wie ein paar jämmerliche Roboter hinter ihren Schreibtischen. Die werden wir auch noch kriegen. Schließlich kann man nicht alle auf einmal in den Dschungel schicken. Bürokraten räumen ihren Platz nicht gerne. Sie würden im Dschungel umkommen. Aber wir werden schon einen Weg finden, sie uns vom Hals zu schaffen, glaubst du nicht? Ganz gewiß werden wir das."

Er saß da und murmelte vor sich hin. Entweder dachte er nach, oder er erinnerte sich an etwas. Ich rutschte näher. Er sah mich so scharf an, als hätte er mich dabei erwischt, wie ich ihm hinterrücks in die Karten sah. Seine eng zusammenstehenden, kleinen Augen musterten mich durchdringend und voller Mißtrauen.

Vielleicht war er verrückt. Vielleicht ist er überhaupt nie Leiter des wirtschaftlichen Beraterteams des Präsidenten gewesen und hatte nie mit der Computeranlage zu tun gehabt.

„Sind Sie sicher, daß Sie den Computer in dieser Weise programmiert haben?" fragte ich. „Haben die anderen Wirtschaftsexperten nicht versucht, Sie davon abzuhalten?"

„Klar haben sie das. Sie stimmten ein Geschrei an wie eine Katze, die sich den Schwanz in der Tür eingeklemmt hat. Schrieben Artikel gegen mich. Hatten Schaum vor dem Mund. Ich behauptete nur, ihr Geschrei ergäbe keinerlei Sinn. Und die Öffentlichkeit war auf meiner Seite. Kein Mensch versteht das, was Wirtschaftsexperten sagen, es sei denn, man ist selber einer. Meine Gegner konnten sich der Öffentlichkeit nicht verständlich machen. Hi, hi, hi. Ich hingegen schon. Ich sagte nur einfache Sachen, wie: ‚Maschinen erleichtern einem die Arbeit.' Und: ‚Die Leute werden weniger hart arbeiten müssen'. Hört sich gut an, George, stimmt's?"

„Ich arbeite gerne."

„Tatsächlich? Und was machst du so?"

„Ich laufe draußen rum und spüre Leute auf, die in Schwierigkeiten stecken."

„Hmmm." Mr. Kracken schob sich den Hut in den Nacken und lehnte sich nach vorn auf seinen Spazierstock. „Das ist ein Job unter Millionen. Unter Millionen. Wenn du den ganzen Tag hinter einem

Schreibtisch sitzen und Telefonanrufe beantworten, eine Rechenmaschine bedienen oder Formulare ausfüllen müßtest, würdest du auch gerne arbeiten gehen." Er kicherte. „Hi!"

Ich mußte mich zwingen, ihn nicht anzubrüllen. „Das ist ein blöder Witz. Wie kann man sich über Leute lustig machen, die an einem Schreibtisch sitzen? Was soll daran lustig sein?"

Er drehte sich um und sah mich an. „Was?"

Ich wurde lauter. *„Was daran lustig sein soll,* habe ich gefragt!"

Er starrte mich an. Wir saßen beide ziemlich steif da und sahen einander in die Augen. Wir waren so gegensätzlich wie eine Katze und ein Hund, die sich gegenseitig wortlos mustern. Wir waren verschieden, sehr verschieden. Kracken lief rot an, und ich spürte, wie auch mein Gesicht heißer und röter wurde.

Plötzlich schrie er mich an: „Du bist ein Affe! Und ich hasse Affen!"

„Und Sie sind ein Schweinehund", sagte ich und stand auf. „Ich hasse Schweinehunde. Auf Wiedersehen." Mit steifen Beinen und geballten Fäusten ging ich weg. Wie hatte ich mit diesem alten Teufel nur je ein freundliches Gespräch führen können?

Hinter mir schrie Krackens Stimme: „Wenn ich eine Kanone hätte, würde ich dich erschießen!"

Den größten Teil der Nacht verbrachte ich sitzend in der Kommune der Karmischen Bruderschaft. Da ich zum Schlafen zu wütend war, ging ich in einen der Meditationsräume und versuchte mich durch Meditation etwas ruhiger zu stimmen. „Tief und langsam atmen, George. Immer mit der Ruhe, George, es ist alles nur ein Spiel. Und irgendwie wird sich alles schon zum Besten wenden."

Da mir jeder Guru genau das gesagt hätte, fragte ich gar nicht erst.

Ich saß die ganze Nacht da und sah einen irren, alten, teuflisch lachenden Mann vor mir. Er saß am Steuer eines wild dahinrasenden Busses, in dem wir alle an unseren Sitzen festklebten.

Ich kam zu dem Entschluß, mich Larrys Bande anzuschließen. Ich konnte kaum erwarten, daß es Morgen wurde. Es war sinnlos, einen Guru um Rat zu fragen. „Meditiere und erkenne das Böse, George. Es kann dich nicht verletzen, wenn du seine Natur erkennst." Das würde ich zu hören kriegen. Aber was nützt es einem schlechten Menschen, wenn man seine Natur erkennt und ihm vergibt? Ich dachte an Kracken und daran, wie er sich lachend auf die Knie geschlagen hatte. Das machte mich noch wütender.

Das Problem mit den meditierenden Brüdern war, daß sie glaubten,

alles sei in Ordnung. Ich entschloß mich, die Kommune der Bruderschaft zu verlassen. Am Morgen schrieb ich in das Gästebuch, daß ich
ausgezogen sei. Vor meinem Namen fand ich eine Notiz, die mich
darum bat, mich bei Guru Adam zu melden, also ging ich wieder
hinein und begab mich auf die Hochterrasse, die den Innenhof um-
säumte. Hier herrschten die Stille und der Frieden einer Waldlichtung.

Guru Adam war ein stämmiger, schwarzer Mann, der mit gekreuzten Beinen und geschlossenen Augen dasaß und meditierte. Er hatte
zwei philosophische Bücher geschrieben, die sich ganz gut verkauften,
und man sagte ihm nach, daß er Ereignisse deuten konnte.

Illusionäre Bäume spendeten ihm Schatten. Ich schaute auf und sah
nur die Kante des überhängenden Daches, aber keine Bäume. In
seiner Nähe sahen die Leute immer Bäume.

„George Sanford ist hier", meldete ich mich und nahm auf dem
Balkongeländer Platz, um zu warten. Ich musterte das sich unter mir
abspielende Kommunenleben. Einen Moment lang kam ich mir vor
wie in einem Käfig. Der Himmel verfinsterte sich.

„Ich hab' was für dich", sagte die volltönende Stimme des Gurus.
Die Dunkelheit zog sich zurück. Ich nahm das, was der Mann mir
reichte. Es war nur ein Vierteldollar. Das Befühlen der Münze depri-
mierte mich.

„Nein, danke", sagte ich. „Ich brauche es nicht." Ich wollte ihm die
Münze zurückgeben.

„Behalte es", sagte Guru Adam. „Ich kann ein wenig in die Zukunft
sehen. Wenn du in zwei Wochen keinen Vierteldollar hast, wirst du
möglicherweise sterben."

„Wie?" fragte ich. „Warum?"

„Kann ich nicht sagen." Er meinte damit nicht, daß er es *nicht wußte.*
Aber es hatte keinen Sinn, ihn noch einmal zu fragen. Ich hielt ihm die
Münze hin.

„Nein. Ich brauche das Geld nicht, Guru. Ich bin ein Glückspilz."

„Wie kommst du darauf, daß du ein Glückspilz bist, George?" Der
Guru studierte interessiert mein Gesicht.

„Ich bin gesund und habe einen Haufen Freunde." Ich legte die
Münze auf den Boden.

„Das hat mit Glück nichts zu tun, George. Nimm die Münze mit."

„Ich brauche sie nicht. Ich mache mir keine Sorgen um die Zukunft,
Guru."

Der Mann lächelte. „Bitte", sagte er.

Ich nahm den Vierteldollar an mich.

„Kleb ihn dir an den Leib und vergiß, daß du ihn hast", bat er mich. „Bitte!"

Ich ging ins Bad, fand den Erste-Hilfe-Kasten und befestigte den Vierteldollar mit zwei gekreuzten Klebestreifen an meinem Bein.

Als ich hinausging, kam ich mir wie ein Tölpel vor und war davon überzeugt, daß der Guru sich irrte. Die Zukunft sah gut aus. Ich war ein Glückspilz.

Es war ein herrlicher, sonnenbeschienener Morgen, der lange, kühle Schatten warf.

Am Van Cortland-Park stieg ich aus einem Gleitsessel, sprang von der Haltestation und ging in südlicher Richtung durch einen Tunnel. Dabei hielt ich nach einem Fußgängerweg Ausschau, der unter der Erde tief in den Park hineinführte, in dem ich Larry wiedergefunden hatte.

Der Tunnel war nicht mehr da. Dort, wo einst der Ausstieg gewesen war, befand sich nur noch eine weißgefliese Wand.

Ich klopfte gegen die Mauer. Es klang hohl. Es war eine Imitation aus Plastikkacheln und Sperrholz. Ich grinste. Wollte Larry den ganzen Tunnel?

Nur wenige Leute würden den Weg vermissen. Niemand würde auf die Idee kommen nachzufragen, warum die Behörden den Tunnel gesperrt hatten.

Ich ging nach oben und begab mich über einen sich dahinschlängelnden Pfad in das Parkdickicht hinein.

Eine von Geländer zu Geländer reichende Kette sperrte die Treppe ab, und ein offiziell aussehendes Schild teilte mit: STÄDTISCHES EIGENTUM - KEIN ZUTRITT.

Ich stieg über die Kette hinweg und ging die Stufen hinunter. Nachdem ich die Hälfte des Weges hinter mich gebracht hatte, kam ich an eine Zementwand. Wenn man eine Sperrholzwand mit Zement verputzt, sieht sie eben aus wie eine echte. Ich schob die Finger hinter einen Rand der Mauer und schob sie beiseite.

Inmitten einer gemischten Menschengruppe, die um Mitternacht irgendwohin unterwegs war, fuhren wir mit Gleitsesseln in die Stadt. Die Stimmen und Gesichter, die uns umgaben, halfen uns dabei, unsere Stimmen und Gesichter vor wachsamen Polizisten zu verbergen, die nach einer Bande Ausschau hielten.

Ich fühlte mich nicht wohl. „Werden wir irgend etwas Übles machen, Larry?"

„So schlimm ist es auch nicht, Gorilla. Wir machen ein paar Kleinigkeiten kaputt und schreiben ein paar Parolen, und ich werde in den Computer steigen und uns ein paar Kreditkarten fälschen. Hast du schon vergessen, daß wir dich gestern auf den Monteur des Computergebäudes eingestimmt haben und du uns eine Karte gezeichnet und die Richtung angegeben hast, wie wir die Alarmzonen überwinden?"

„Und wo bleibt mein Honorar, Larry?"

„Okay, Gorilla. Aber ich bin jetzt nicht in der Stimmung, um einen Geschichtsvortrag zu halten. Ich plane meinen nächsten Schachzug. Erzähl mir was über Gute und Friedfertigkeit: Das ist deine Bezahlung."

In der Stadtmitte wurden die Sessel langsamer. Ich suchte nach Worten. „Was du da über Geschichte gesagt hast ..." sagte ich. „Das sind doch nur Worte. Vielleicht haben die Dinge ja schlecht gestanden, und vielleicht hast du ja auch recht, aber diese Leute hier ..." Als die Sessel langsamer wurden, deutete ich zaghaft mit der Hand auf eine lachende und unter Drogen stehende, vorbeifahrende Gruppe. „Diese Menschen sind echt; sie leben mitten in der Geschichte, auch wenn Geschichte sie nicht sonderlich interessiert. Es geht doch viel mehr vor sich als nur Geschichte. Und das war immer so. Es gibt noch eine Menge anderes." Mit einer kreisenden Handbewegung deutete ich auf die Halteplattform, die vorbeirumpelnden Sessel und die beschäftigten, schlafenden oder zurechtgemachten Leute, die unter den Deckenleuchten und den sich bewegenden 3-D-Reklamen dahinfuhren.

Wir waren ausgestiegen und standen auf der Plattform. Die anderen umringten mich, um meinen Argumenten zuzuhören. Einen Moment lang herrschte verwunderte Stille.

„Muß ich mir diesen Scheiß anhören?" beschwerte sich Weeny, ein großes, pickelgesichtiges Bandenmitglied. Auch die anderen rührten sich ungeduldig.

„Das ist das Honorar für Georges Arbeit", sagte Larry. „Fünf Tage nutzbringenden ESP-Einsatz gegen fünf Tage Geschichtsunterricht und Philosophie."

„Das ist es gar nicht wert", sagte Weeny finster und fummelte an der schweren, silbernen Eisenkette herum, die sich um seine Hüften schlang. Mit dieser Kette kämpfte er. Und jetzt war er sauer auf mich.

„Was es wert ist, entscheide ich", erwiderte Larry. „Und wenn ich

‚Springt!' sage, dann springt ihr." Er geleitete uns zum richtigen Ausgang, aber am oberen Ende der Rolltreppe blieb er auf dem Bürgersteig stehen und legte das Gesicht in sorgenvolle Falten. Wir bildeten einen Kreis um ihn.

„Was ist denn Sache, Gehirn?"

„Sind wir zu früh ausgestiegen?"

Der blonde Junge schüttelte den Kopf. „Nein. Mir ist bloß nicht klar, was George eben gemeint hat. George, kannst du's noch mal versuchen? Vielleicht bin ich der Blödere."

„Was ich meine ist das", sagte ich, während die anderen mich angafften. „Du kommst mir vor wie jemand, der den Leuten ewig auf die Fingernägel starrt, und da sie – ich meine die Gesellschaft – nun mal schmutzige Fingernägel hat, der Meinung ist, man sollte ihnen eine Kugel durch den Kopf jagen. Aber die Leute bestehen ja schließlich nicht nur aus ihren Fingernägeln, sondern aus viel mehr."

„Oh", sagte Larry, aber er sah mich noch mit gerunzelter Stirn an.

„Ihr beiden habt sie ja nicht alle", schnaubte Weeny. „Ich sollte euch eine Kugel durch den Kopf jagen und die Bande selber anführen."

„Wenn wir wieder im Tunnel sind, sprechen wir weiter darüber, George." Larry nickte mir zu und wandte sich den anderen zu.

„Du bist doch einer von der schlauen Truppe, Weeny. Du solltest vor dem Reden das Gehirn einschalten. Solltest du je versuchen, meine Bande zu übernehmen, wirst du es nicht überleben." Larry stieß ein häßliches Gelächter aus und führte uns dann weiter. Die Bande folgte ihm.

Als er auf dem Fenstersims hockte und das Gewicht des Fensters nicht mehr auf der Alarmfeder lastete, drückte er sein Gewicht dagegen. Jack schob das Fenster langsam nach oben und suchte nach weiteren Federn.

Mit einem Seufzer schob Larry ein Bein hinein, um das Gleichgewicht zu halten. „Okay. Weeny und Jack, rein mit euch. Paßt auf, stoßt nicht gegen meinen Arm, sonst kriegen wir alle 'ne Gehirnwäsche."

Weeny, der knochige Typ, den man leicht in Rage bringen konnte, setzte einen Fuß in meine gefalteten Hände, kletterte auf meine Schulter, wurde von Larry auf den Sims gezogen und war drin. Alles, was von ihm zurückblieb, war eine Spur seines schlechten Körpergeruchs.

„Streck' deine Fühler aus, George", sagte Larrys hohe Stimme. „Spürst du, ob irgendwas auf uns zukommt?"

210

„Es kommt niemand."

„Okay. Komm' rauf. Brauchst du eine Hand?"

„Nein." Ich sprang hoch, packte den Simsrand, zog mich hinauf und war drin. Larry kniete immer noch auf dem Fenstersims und blockierte die Feder.

Dann beugte er sich hinaus und sprach mit Nicholi, einem weiblichen Mitglied der Bande, und Perry, einem Neuzugang und Mitläufer.

„Perry und Nicholi, ihr bleibt draußen und steht Schmiere. Legt euch ins Gras und behaltet die Straße im Auge. Tut so, als würdet ihr's miteinander treiben. Wenn jemand vorbeikommt, haltet ihn auf und haut dann ab. George wird eure Vibrationen auffangen, wenn euch der Kragen zu eng wird. Ihr braucht uns also kein Zeichen zu geben."

„Wie realistisch soll unsere Vorstellung denn sein, wenn wir so tun, als würden wir's miteinander treiben?" fragte Perry und versuchte lüstern zu blicken.

„Seid so realistisch, wie es euch gefällt, aber denkt daran, die Augen offenzuhalten. Auf jeden Fall solltet ihr den Wachmann sehen, bevor er über euch fällt."

„Ich sorge schon dafür, daß er aufpaßt", sagte Nicholi. „Kann George wirklich feststellen, ob wir einen Wachmann sehen?"

„Wenn ihr Angst bekommt, merke ich das, Nicholi", sagte ich und steckte den Kopf aus dem Fenster.

„Halt mal die Feder fest, George." Ich hielt sie, bis Larry drinnen war und das Fenster wieder heruntergezogen hatte. „Los jetzt."

Er verteilte an die anderen Sprühdosen, und die Bande hinterließ eilig ein paar Hinweise unserer Geschicklichkeit auf den ehrwürdigen Marmor- und Stahlwänden des Regierungsgebäudes: Schlangenlinien, Clowngesichter und zweideutige Sprüche. Dann hielt Larry an und schickte Weeny und Jack auf einen raschen Ausflug in zwei Büros, wo sie die Papierkörbe umstülpten und Aktenschränke und -mappen leerten. Als sie wieder im Korridor waren, liefen sie die Marmortreppe hinauf und sprühten lachend rote Schlangenlinien auf die Wände.

Schließlich gingen sie in ein mit einer Doppeltür ausgestattetes Büro, das mit einer zusätzlichen Stahltür versehen war, auf der in sorgfältigen Lettern stand: ZUTRITT NUR MIT SICHERHEITSMARKE UND PERSONENÜBERPRÜFUNG.

„Versaut alles, aber macht es gut", sagte Larry. „Wir genehmigen uns eine Stunde. Alles umkippen, die Papiere zerreißen, die Wände beschriften. Bringt alles durcheinander." Er gab jedem von uns einen dicken Filzstift und eine kleine Sprühdose und ging dann durch eine Seitentür, auf der ein Schild verkündete, man solle nur ja draußen bleiben. BETRETEN VERBOTEN. ZUTRITT NUR FÜR INGENIEURE MIT CCD-MARKE.

Mit vor Begeisterung hüpfendem Adamsapfel kletterte Weeny, Obszönitäten murmelnd, auf die Aktenschränke und fing an, einen riesengroßen nackten Mann mit Penis fast in Deckenhöhe an die Wand zu malen.

Jack warf die Akten durcheinander und besprühte die Unterlagen mit Farbe.

Ich ging auf den Flur hinaus, setzte mich hin, lehnte mich bequem gegen die Wand, meditierte, vertrieb die Sorgen aus meinem Kopf, versuchte mich von den neurotischen Vibrationen und Persönlichkeiten von Larrys Bande freizuhalten und stimmte mich auf die Stadt ein, um herauszufinden, ob sich jemand Gedanken über eventuelle Einbrecher in den Büros der Bundesbehörde machte. Aber niemand scherte sich darum.

„Ein im Zuge der Sabotageaktion an die Wand gemaltes Zeichen, das ‚Larry‘ bedeutet, deutet möglicherweise auf eine Bande hin, die als ‚Larrys Überfallkommando‘ bekannt ist. Das Büro, in welches eingebrochen wurde, ist mit einem einmaligen Terminal ausgestattet, dessen Spezialprogramm darin besteht, fehlerhafte Personendaten zu korrigieren. Es ist nicht unmöglich, daß an der Datenbank herummanipuliert wurde.“

Der Nachrichtensprecher fuhr fort: „Ob der staatseigene Sechs-Milliarden-Dollar-Computer, der für Volkszählungsaufgaben benötigt wird, einen Schaden davongetragen hat, konnte bis zur Stunde noch nicht ermittelt werden. Jeder, der mit bevölkerungspolitischen Daten zu tun hat, auf den Computer angewiesen ist und irgendwelche Ungenauigkeiten feststellt, wird gebeten, sich sofort zu melden. Ich wiederhole: Wer Unstimmigkeiten in der Datenausgabe der statistischen, sozialen und Kreditkarten-Buchungsdienste des Computers registriert, ist aufgerufen, sich bei der Polizei zu melden oder die Telefonnummer 96 75 00 42 anzurufen. Noch einmal die Nummer: 96 75 00 42.“

Die Jugendlichen hatten ihre neuen Kreditkarten an einem Warenautomaten ausprobiert, sich einen teuren Fernsehapparat gekauft und diesen auf die Nachrichtenstation eingeschaltet. Aber er lief nur halb, das heißt, man sah kein Bild.

„Laut Aussagen der Computerfachleute ist es höchst unwahrscheinlich, daß die Maschine manipuliert wurde", sagte der Sprecher jetzt. „Es gibt keinerlei Anzeichen, die dafür sprechen, daß man sich an seinem Innenleben zu schaffen gemacht hat." Die Bandenmitglieder lachten und schwenkten zwei neue Kreditkarten. Zwar trugen sie die Fingerabdrücke von Larry und mir, aber andere Namen.

„Der angerichtete Schaden ist begrenzt auf die Vernichtung schriftlicher Unterlagen sowie das Beschmieren der Wände mit sinnlosen Parolen. Man hat jedoch Fingerabdrücke gefunden; mit einer schnellen Festnahme der Vandalen wird gerechnet." Lachend lief die Bande weiter. Sie hielt an einem Wechselautomaten an, steckte eine Kreditkarte hinein und kassierte Dollars und eine Handvoll Silbergeld. Geschenkt.

„Hier ist noch eine weitere Meldung zum vorhergehenden Fall: Die Polizei hat bereits die Namen dreier Verdächtiger bekanntgegeben und erklärt, daß der Anschlag nicht nur ernst genommen werden muß, sondern als Teil des Zerstörungsprogramms anzusehen ist, das Larrys Überfallkommando plant."

Die Nennung ihres Namens ernüchterte sie, und von nun an sprach man leiser. Wir kauften uns ein Essen zum Mitnehmen, kehrten in den U-Bahn-Tunnel zurück, hauten uns die Bäuche voll und schliefen in den nächsten Tag hinein. Als wir wach wurden, traute sich niemand hinauszugehen, und wir hatten sogar Angst, die Nachrichten einzuschalten. Das Mädchen Nicholi faßte sich schließlich ein Herz, und dreidimensionale Abbildungen wuchsen vor ihr aus dem Boden, die wie echt aussahen. Nicholi tastete sich an ihnen vorbei zur Seite. Die Abbildungen waren überlebensgroß; es waren Riesen, aber sie kamen uns bekannt vor. „Die beiden meistgesuchten Verdächtigen der Vereinigten Staaten sind noch sehr jung", sagte die Stimme des Sprechers. Die Einstellung wurde schärfer, und die Bande sah, daß es sich bei den beiden Riesen um den strohblonden Larry und einen fetten, kräftigen Burschen handelte, der sich nach vorn beugte, da er offenbar den Probelauf irgendeines Motors beobachten wollte. Als er damit fertig war, machte er mit seinen Fingern das V-Zeichen und sah auf. Ein freundliches Lächeln lag auf seinem runden Gesicht. Die Kamera blendete „410 Sekunden" über seinem Kopf ein. Ich hatte ja schon früher Bilder von mir gesehen, aber bei meinem eigenen Anblick bin ich immer wieder überrascht. Und der fette Bursche, den sie da zeigten, bin ich ja nicht mehr.

„Das bist du, George", sagte Perry aufgeregt. „Das bist du! Du bist im Fernsehen!"

„Die Montage hab ich ziemlich schnell begriffen", sagte ich. „Aber weil ich bei der Prüfung die Schaltpläne nicht lesen konnte, kam ich nicht weiter." Das war nun zwei Jahre her. Einen Lehrabschluß hatte ich nicht gemacht.

„Wann warst du denn so dick?" fragte Nicholi. „Du bist es doch jetzt nicht mehr."

Die Aufzeichnung, die sie von Larry hatten, zeigte ihn, wie er ausdruckslos dastand und einen Preis entgegennahm. An den Bildrändern sah man die verschwommenen Gestalten seiner Klassenkameraden. Larry nahm die eingerollte Urkunde an sich und nickte. Er war kleiner als die ihn flankierenden anderen Schüler. Er hatte ein schmales Gesicht, große Ohren und einen abstehenden Blondschopf.

„Dein genaues Ebenbild, Larry", sagte Weeny. „Wenn du auf die Straße gehst, schnappen sie dich sofort. „Ich schätze, ich sollte besser die Bande führen, wenn wir ein neues Ding drehen."

Die Stimme des Sprechers sagte: „Die Namen der Gesuchten lauten George Sanford, Alter zwanzig Jahre, und Larry Rubaschow, Alter fünfzehn Jahre. Larry Rubaschow wird außerdem dringend im Zusammenhang mit der Zerstörung der Brooklyn- und New-Jersey-Unterseekuppeln gesucht, zweier kleiner Unterwasser-Vorstädte, die auf dem kontinentalen Schelf der Vereinigten Staaten von Amerika erbaut wurden und dem Hafen von New York seitlich vorgelagert waren." Das Fernsehbild zeigte nun Luftaufnahmen der Küstenwachen-Rettungsboote, die die auf dem Wasser treibenden Trümmer umkreisten. Dann kam eine Nahaufnahme: Jemand wurde aus dem Wasser in ein Boot gezogen. „Es waren Tausende von Opfern zu beklagen", fuhr der Sprecher fort.

„In einer an alle Kommunen, Dörfer und selbständigen Gemeinwesen des Distrikts New York verschickten Nachricht gab Larry Rubaschow an, für diese Katastrophen verantwortlich zu sein, und bot all jenen Kommunen seine Unterstützung an, die Angriffs- oder Verteidigungspläne für den Fall eines interkommunalen Bürgerkriegs haben wollten. Er verlangte einen hohen Preis für seinen Rat und bezeichnete die vorhergehenden Katastrophen als Beispiele."

Der Bildschirm fing jetzt an, in schneller Folge verschiedene Bilder von Larry und mir zu zeigen, die man zu verschiedenen Zeiten unseres Lebens bei unterschiedlichen Tätigkeiten aufgenommen hatte.

„Jetzt stecke ich drin", sagte ich. Die Bilder, die mich zeigten, füllten den Raum. „Jeder, der mich kennt … In der ganzen Stadt werden sie einander jetzt zunicken. Alle werden sie mich für einen Mörder halten."

Nicholi drehte eine Wählscheibe, und der Ton verstummte. „Ich habe Angst", sagte sie mit leiser und furchtsamer Stimme. „Ich steige aus der Bande aus." Sie betätigte eine andere Scheibe, und die dreidimensionalen Bilder in der Mitte des Raumes wurden zu zweidimensionalen Abbildungen an der Wand.

Larry kam aus einer der Herrentoiletten der U-Bahn und hatte sein Hemd ausgezogen. Sein Gesicht und seine Haare waren schwarz. Er hielt eine Sprühdose in der Hand und blieb stehen. Seine Augen waren eng zusammengezogen.

„Nicholi, kannst du mir mal die Stelle besprühen, die ich verpaßt habe?" fragte er.

Nicholi nahm gehorsam die Sprühdose. „Das ist ein Haarfärbemittel." Sie las überrascht das Etikett, dann besprühte sie Larrys Ohrlöcher und machte auch sie schwarz.

„Haarfärbemittel sind ausgezeichnet." Larry blieb stehen und schnitt ein paar Grimassen, während die Farbe trocknete. Seine Gesichtshaut warf mit jeder Grimasse ein paar Falten, die blieben, wenn er wieder normal schaute. Sie machten ihn älter. „Jetzt Rücken und Arme." Er drehte sich langsam um und spreizte die Finger, als Nicholi ihm Brust, Arme und Hände dunkelbraun einsprühte. Sein Haar wurde wellig und kraus, als es trocknete. Er strich sich mit den Fingern über den Kopf, und sein Haar wurde zu einer überraschend krausen Bürste.

Die anderen standen fasziniert auf, umringten ihn und sahen seiner Verwandlung zu. Der fünfzehnjährige, blonde Junge war verschwunden. An seiner Stelle stand jetzt ein magerer, alter Schwarzer, der aussah wie ein unterernährter Buschmann. Viele erwachsene Afrikaner sahen so aus, wenn sie in einer Hungerzone groß geworden waren.

„Deine Ohren stehen ab", sagte Weeny kritisch. „Sie werden dich an deinen Ohren erkennen."

„Kaugummi", sagte der kleine alte Neger, „hat jemand Kaugummi da?"

Perry nahm ein Stück Kaugummi aus dem Mund, das man dazu benutzte, Larrys abstehende Ohren eng an seinen Schädel zu kleben. Jetzt, wo sie an seinem Kopf anlagen, sahen sie gleich kleiner aus.

Die anderen bewunderten seine Veränderung. Der kleine, dunkelhäutige Gentleman hatte nun überhaupt keine Ähnlichkeit mehr mit dem flüchtigen, steckbrieflich gesuchten Fünfzehnjährigen.

Nicholi klatschte in die Hände und tanzte um die anderen herum. „Laßt uns rausgehen! Laßt uns rausgehen – Larry soll einen Polizisten ansprechen und ihn nach dem Weg fragen. Kein Mensch wird dich erkennen, Larry!"

Jack sagte: „Wir sollten George auch einsprühen."

„Nein. Er kann nicht auch noch als Schwarzer gehen." Larry schob die Sprühdose weg. „Man sucht nach zwei Leuten, nach einem Großen und einem Kleinen. Wenn die Bullen zwei Schwarze sehen, auf die die Beschreibung paßt, fangen sie womöglich an nachzudenken."

Der Fernsehapparat lief weiter, aber niemand hörte zu, denn alle waren damit beschäftigt, sich eine Verkleidung für mich auszudenken, in der mich niemand erkannte. Ich starrte auf den Bildschirm und versuchte die Bilder zu vergessen, die mich als Verbrecher hingestellt hatten.

„Ein Anwaltsbüro, das einen Stamm von Pajute-Indianern vertritt, hat in letzter Minute eine einstweilige Verfügung gegen das Vorhaben erwirkt, die Deiche des Golfs von Kalifornien zu öffnen, um zwecks Fertigstellung des Saltonsee-Projekts den Ozean einzulassen. Das Wasser wird landeinwärts fließen und durch die Prähistorischen alten Kanäle bergab laufen." Das Bild zeigte Kanäle, die an mehreren neuen Dämmen die Wasserturbinen speisten. „Das Meer wird den Wasserspiegel des Laguna-Salta-Binnensees heben, einen Teil des Obstbaugebiets von Imperial Valley überfluten und den Wasserspiegel des Saltonsees auf etwa neunzig Meter unter dem Meeresspiegel anheben."

Larry kam mit einer Wachssprühdose auf mich zu.

„Halt still, George; mach die Augen zu." Ich machte die Augen zu und hörte auf, den Fernseher anzustarren.

„Die ganze Welt hat mich im Fernsehen gesehen", sagte ich. „Jetzt werden alle glauben, ich hätte bei der Vernichtung der Brooklyn-Kuppel mitgemacht."

„Ja, den Eindruck konnte man kriegen, nicht?" sagte Larry und sprühte mein Gesicht mit einem kühlen, hart werdenden Zeug ein. „Schneid mal ein paar Grimassen und zieh die Wangen ein. Das Wachs wird dir 'ne Menge Falten verschaffen."

Wir gingen raus und liefen herum, ohne daß uns jemand anhielt. Die Verkleidung wirkte.

Ich ging in den Tunnel runter und hörte Gehämmer und Anweisungen. Vor mir waren drei Bandenmitglieder damit beschäftigt, eine Wand in den Tunnel zu ziehen, um ihn in Räume aufzuteilen. Ich schob mich durch die Türöffnung und duckte mich vor ein paar Flüchen und grinsend geschwundenen Hämmern.

„Aus dem Weg!"

„Warte, Gorilla, hilf uns. Wir brauchen noch ein paar Muskeln."

„Ich muß da hinten noch was mit Schaum einsprühen." Ich stellte die metallene Sprayflasche ab, folgte den Anweisungen der anderen und hob einen schweren, fast zweieinhalb Meter langen Balken hoch. Dann hielt ich ihn, auf einem Ziegelstein stehend, mit ausgestreckten Armen, während Weeny, der picklige Typ mit den längsten Armen, nach oben langte und einen alles abdichtenden, schnell hart werdenden Schaumstoff in die Ritzen sprühte, damit die glatte Sperrholzwand auch stehenblieb.

„Festhalten, George!" Weeny eilte schnell an das andere Ende, justierte die Höhe des Balkens anhand einer Markierung und sprühte auch dort alles ein.

Während Weeny die Sekunden zählte, hielt ich den Balken fest. „Achtzehn, neunzehn, zwanzig. Okay, George, du kannst ihn jetzt loslassen."

Ich zeigte ihm zwar mit einer Grimasse meine Zweifel an, ließ das Gewicht dann aber los und sprang beiseite. Erstaunlicherweise fiel der Balken nicht um. Er hing an der Wand und zog sich auf einer Höhe von zweieinhalb Metern durch den Tunnel.

„Sauber", sagte jemand von der Bande.

„Damit kannst du 'n Flugzeug aufhängen", sagte ich und hob die metallene Schaumflasche auf. „Jetzt muß ich aber wieder gehen."

Die anderen packten die Vier-mal-acht-Spanplatten und paßten sie an den Balken an, während Weeny den Sprühleim vorbereitete.

Nicholi, die Kindfrau mit dem krausen, schwarzen Haar, ließ ihr Paneel sinken, lief hinter mir her und legte eine Hand auf meinen Arm. „Ich gehe mit dir, George. Ich helf' dir festhalten."

Die anderen lachten. „Echt Nicholi!"

„Was willst du festhalten?"

„Sorg' dafür, daß er von allein steht, Nicholi!"

Wir gingen und entfernten uns von dem Gelächter.

„Wo steckt denn Larry?" riefen die Stimmen aus der Ferne.

„Er sollte hier sein und uns sagen, ob wir auch alles richtig machen."

Nachdem ich am Spätnachmittag aufgewacht war und bei einem Kaffee auf der Bergseite des Acht-Kilometer-Parks saß, fragte ich mich, ob das, was ich da tat, richtig war. Ich saß mit Larry zusammen und gab ihm die Gelegenheit, mir etwas von seinem Weltbild zu vermitteln.

„Larry, was du da letzte Woche getan hast ... Ich meine, als du Akbar Hisham an die Azteken verscherbelt hast ... Was sollte das?"

„Du mußt zugeben, es war lustig, George." Er lag auf dem Bauch, kaute auf einem Grashalm und schaute einer Libelle zu. „Ich lockte ihn unter einem Vorwand zur Azteken-Kommune. Er nahm an, ich wolle ihm einen Tip geben, wie er den Azteken Schwierigkeiten machen könnte. Er hat nur das bekommen, was er verdient."

Ich lächelte. „Na ja, spaßig mag es ja gewesen sein – aber wem sollte es nützen, oder was sollte es für die Geschichte bewirken?"

Der Junge rollte sich im Gras auf den Rücken und schaute in den Himmel. „Gorilla, der Zustand der Welt ist Langeweile. Leute, die ein friedliches Leben leben, langweilen sich unbeschreiblich. Alles, was sie an Aufregung kriegen, resultiert daraus, daß sie ihre Jobs hassen und daß die Langeweile ihnen Schmerzen bereitet. Sie betreiben ihre Hobbys nicht, weil sie Spaß daran haben, sondern weil sie glauben, das würde sie vor der Langeweile bewahren. Sie halten Langeweile für einen Bestandteil der Zivilisation und glauben, es gibt keine Möglichkeit, daran etwas zu ändern. Sie nehmen Beruhigungsmittel. Sie machen absichtlich gefährliche Fehler. Sie werden krank, gehen ins Hospital und lassen sich ihre Organe ersetzen. All das ist Langeweile. Sie hoffen darauf, daß mal ein Erdbeben ausbricht, und stürzen sich wie Insekten in ein Großfeuer oder werfen sich wie Lemminge in die Fluten. Sie bewegen sich in ihren Gleisen wie ein Zug, der auf Schienen fährt und feststellt, daß die vor ihm liegende Brücke eingestürzt ist. Ich biete ihnen nur die Möglichkeit, zwischen Überschwemmungen, Bränden, unterhaltsamen Toden und Katastrophen auszuwählen. Der Ausbruch ist leicht – wenn man ausbrechen will." Er setzte sich hin und löste den Deckel einer Dose, die ein heißes Fertigfrühstück enthielt.

„Die Leute löschen sich selbst aus?" fragte ich. So was hatte ich ja noch nie gehört!

„Nimm die Leute in den beiden Untersee-Kuppeln. Man hielt es für eine tolle Sache, unter Wasser zu leben, aber niemand hat da unten rumgetaucht. Die Leute lebten bloß dort, wie in einer ganz normalen Wohnung. Leute, die sich in einem Ballon unter dem Meer zusam-

menrotten, warten auf ein Erdbeben. Sie wollen geradezu ertrinken."
Er blies auf die heiße Suppe, damit sie sich abkühlte.

„Das kannst du nicht beweisen, Larry."

„Vielleicht kann ich es wirklich nicht, Gorilla, aber es ist doch logisch. Die Statistiken, in denen die Leute erfaßt werden, die bei großen Katastrophen, kleinen Unfällen und psychosomatischen Erkrankungen umkommen, weisen das gleiche Muster auf wie die von Selbstmördern."

„Du meinst, daß Leute, die bei Unfällen sterben, sterben wollten?"

„Die einzigen, die die schlimmsten Katastrophen überleben, sind gesellige, aktive Leute, die man überall und nirgends antreffen kann, die Freunde haben und Pläne schmieden." Er rutschte ein Stück zur Seite, um dem Schein der heißen Sonne zu entgehen.

„Die Leute langweilen sich nicht", warf ich ein und bewegte mich unbehaglich. „Sie planen ihre Zukunft. Was versuchst du mir zu sagen, Larry? Daß alle Tode Selbstmorde sind?"

„So was Ähnliches."

„Wenn ich mir nun eine Kanone schnappen und dich erschießen würde, wäre es dann Selbstmord, wenn du nicht ..." Mir fehlten die Worte. Ich stellte die leere Kaffeetasse vor mir ins Gras.

„Soweit würde ich dich schon nicht treiben, Großer Meister", sagte Larry erheitert. „Ich bin heute nicht in Selbstmordstimmung."

Ein Eichelhäher flog über die Wiese, landete auf einem niedrigen Ast und krähte. Er war von einem so hellen Blau wie der Himmel.

Vielleicht war Larry doch verrückt. Kracken, der alte Wirtschaftler, war bestimmt verrückt gewesen, auch wenn er das genaue Gegenteil von Larry war. Aber wenn Kracken einen Sprung in der Schüssel hatte, bewies das noch nicht, daß Larry gesund war.

Ich streckte meine Fühler aus. Ruhig, in einer Art liebender Suche, um jemanden zu ... zu befreien ... den großen, liebenden Vorfahr aus dem Inneren der Maschine ... der hinter dem Robotergesicht im Inneren des eisernen Körpers steckte, der das liebende, freundliche, schöpferische Wesen verbarg – ein Wesen, das nicht sprechen konnte und die Gesetze nicht kannte, die aus einem menschlichen Gesicht ein maschinenhaftes machen ... Gesetze sind die Axt, die einem entgegengestreckt wird, wo einen warme Finger berühren sollten ...

Die Schicht war sehr dick. Auf ihrer Oberfläche tanzte ein teuflischer, stichelnder Funke aus flinken Gedanken, der andere zur Gewalt anstiftete; zur Gewalt gegen Larry, zur Gewalt gegen das Leben, denn die Gewalt war real, sie berührte einen mit einem warmen, heißen Gefühl. Der Gedanke war der verrückten, kleinen, kraushaarigen Nicholi ähnlich; ein simpler, tierischer Impuls. (Sorg dafür, daß sie sich wie Menschen verhalten, Ärger ist nur natürlich, real, Freundlichkeit ist Maske, hab' ich nie gesehen, gibt es gar nicht.)

Ich konnte auf den *Gefühlen* mitschwingen, aber Nicholi fing immer an, die anderen zu Kämpfen aufzustacheln oder unternahm den Versuch, vergewaltigt zu werden. Die Resultate ergaben keinen Sinn. Von Larry glaubte man, er sei schlauer oder auf jeden Fall nicht so kindisch-verrückt. Ich bewegte mich unbehaglich und brach den Kontakt zwischen seinen und meinen Gefühlen ab. Sein Geschichtswissen war immer überraschend hoch, wenn er es erklärte. Von seinen Plänen sprach er nie. Ich vermutete, daß seine Pläne ebenso brillant waren wie seine Geschichtsstunden, aber sicher war ich mir nicht. Er dachte einfach zu schnell und zu kompliziert, als daß ich ihm hätte folgen können. Ich hatte angenommen, er sei ein brillanter Kopf mit brillanten Plänen für die Zukunft der Welt, aber …

„Larry, was ist mit den K:: ::rn in den beiden Kuppeln? Sie haben sich ihre Umgebung doch nicht aussuchen können. Einige von ihnen sind auch gestorben. Willst du mir etwa einreden, auch das seien Selbstmorde gewesen?"

In seinem Kopf tat sich was. „Ich bin einer von ihnen", sagte er mit unheimlicher Stimme. „Ich bin schon ziemlich lange tot." Er stand auf, bewegte seine Glieder, entspannte sich leichtfüßig, wie eine Katze, und redete gewandt und in einem praktischen Tonfall weiter, als hätte er die letzte Bemerkung nie gemacht.

„Tut mir leid, George, aber Kinder und Tode können wir nicht diskutieren. Ich habe nicht vor, in dieser Woche ein Ding zu drehen. Ich will auch nicht, daß du mir wegen meines Geredes an die Kehle fährst."

„Aber diese Kinder …"

„Waffenstillstand, George, Waffenstillstand für eine Woche, erinnerst du dich? Laß uns jetzt wieder runtergehen."

Ein Polizeihubschrauber summte in der Ferne über uns hinweg, und wir liefen eilig die Treppenstufen hinunter und zogen die imitierte Wand an ihren Platz. Ich ging durch den Korridor, bis ich im Halbdunkel einen Haufen Leute tanzen sehen konnte. Musik war zu hören.

Wer war das? Dann sah ich mehr. Showgirls. Der große 3-D-Projektor, den sie gestohlen hatten, erzeugte Illusionsbilder.

„Mann, was für'n Ausblick!" Weeny lag unterhalb der 3-D-Projektionen der tanzenden Mädchen auf dem Boden. Der geklaute Holographieprojektor war nagelneu und erzeugte tolle Bilder. „Mann!" Weeny grabschte nach den Beinen. So wie der Apparat stand, konnte man gar keine Stereobilder empfangen – es sei denn, die anderen hatten irgendwo ein paar Pornobänder gestohlen.

Weeny langte nach oben. Die scheinbar soliden Mädchen tanzten durch ihn hindurch, als wären sie real und er ein Geist. Weeny tauchte wieder auf und verschwand erneut zwischen den Bildern. Die Tanzmusik dröhnte.

Jack und Perry bahnten sich einen Weg durch die nicht vorhandene Menge. „Was ist das denn da auf dem Boden?"

„Scheint ein 3-D zu sein." Perry trat auf Weenys Bauch, tat so, als habe er es nicht gemerkt und ging weiter.

„Es ist ein Haufen Schrott." Jack unternahm ebenfalls den Versuch, Weeny auf den Bauch zu steigen, der aber rollte sich beiseite, schaltete den Projektor ab und zog sich fluchend in seine Ecke zurück, wo er sich auf seinen Schlafsack warf und die anderen anstarrte. Seine Augen waren rotgerändert, als hätte er sich die ganze Nacht herumgetrieben.

Mir fiel ein, daß Emotionen ESP-Kräfte verstärkten. Zur Übung tauchte ich in den Geist des pickligen Burschen ein.

Im Geist hatte Weeny Jack und Perry angsterfüllt im Visier einer Schußwaffe und zwang sie, sich gegenseitig anzupinkeln. Obgleich sie ihn um Gnade anflehten und an seinen Sinn für Humor appellierten, zwang er sie lächelnd, das zu tun, was er ihnen befohlen hatte. Teils amüsiert, teils abgestoßen zog ich mich aus seinem Geist zurück. Weeny machte nur deswegen gute Miene zum bösen Spiel, weil er keine Macht besaß. Wenn sich das änderte, wenn er befehlen durfte, würde er versuchen, diese Szene Wirklichkeit werden zu lassen. Und das war gar nicht mehr lustig.

Nicholi saß neben Jack, kitzelte seinen Hals, spielte mit seinen Ohren und warf Perry einen bedeutungsvollen Blick und ein Lächeln nach dem anderen zu.

Perry kam schließlich zu ihr herüber, setzte sich an ihre andere Seite und legte einen Arm um ihre Hüfte. „Mich liebst du mehr, Nicholi, stimmt's?"

„Klar tu ich das." Sie übertrug ihre Aufmerksamkeit und ihr Gekitzel auf Perry.

Rot vor Stolz sah Perry Jack an. „Guck mal, Jack, jetzt bist du weg vom Fenster. Im Gegensatz zu deiner Imitation hab' ich ja auch was zu bieten."

Jack stand auf und ging wortlos davon.

Nicholi lächelte. Ich nahm ihre Stelle ein, saß dort, wo sie saß, glättete ihr Haar, lächelte. Ihren Vibrationen nach verlangte es sie gar nicht nach Sex; sie strahlte nur Boshaftigkeit aus, wie ein Kind, das es darauf anlegt, Ärger zu erzeugen.

Mir kam das alles sinnlos vor, aber die anderen waren mit ihren Streitereien beschäftigt und zufrieden. Ich stand auf und ging ruhelos auf und ab. Diese Arbeit reichte mir nicht. Am liebsten hätte ich wieder für die Rettungsbrigade gearbeitet.

Die Bandenmitglieder hörten auf zu reden und musterten mich.

„Bist du hier, George, oder stimmst du dich auf jemanden von draußen ein?"

„Geh' mal hin und tritt ihm in den Arsch, Weeny. Wenn er dich in Stücke reißt, ist er hier."

Weeny rührte sich nicht. Er sah mich an und stellte sich vor, wie er seine Kette um meinen Hals legte. Ich sah ihm in die Augen. Bedächtig stellte er sich noch etwas Schlimmeres vor. Ich mußte mich zurückhalten, um nicht zu ihm rüberzugehen und ihm eine reinzuhauen.

Ich sagte ihnen, warum ich auf und ab ging. „Bloß damit ich was zu tun habe. Ihr macht ja überhaupt nichts."

7

Mit den Erinnerungen ist das so eine Sache. Die Tage gingen kaum herum, aber eine Woche geht scheinbar spurlos an einem vorüber.

Plötzlich saß ich auf den Betonstufen in einem Käfig in Nicholis Zimmer; ein Gefangener, der sich zurücklehnt und an die Decke starrt, an der er Sterne sieht. Ich stand unter irgendeiner Droge und war vollkommen daneben.

„Sei brav, George, mach' die Augen zu und laß dich von meiner Stimme auf die Reise schicken." Ich schloß die Augen in der Dunkelheit und hörte die klaren, bildhaften Worte Larrys. „Dein Name ist Carl Hodges. Du denkst daran, wie gelassen die Stadtmenschen immer sind. Daß sie keine Ahnung haben von den Dingen, die die Stadt am Laufen halten und kaputtgehen könnten. Du stellst dir irgendein kleines Ding vor, das versagt und sie mit einem Haufen Lärm erschreckt."

Halb im Schlaf, halb in einem anderen Körper standen wir – ich und der andere – vor einem Armaturenbrett und fingen an zu lachen.

„Was gibt's denn Lustiges, Carl?" fragte die klare Stimme.

„Die alten Sirenen für den zivilen Luftschutz. Sie sind immer noch da. Man kann sie jederzeit losheulen lassen. An die denkt keiner mehr."

Die Polizei bekam einen wütenden Telefonanruf von Carl Hodges, dem Computer-Operator, der für die Vorhersagen von Zusammenbrüchen im städtischen Dienstleistungssystem zuständig war. Er war auch zuständig für den Einsatz der Reparatureinheiten und sorgte dafür, daß es im überlasteten städtischen Netz nicht zu allzu vielen Notsituationen kam.

„Ich versuche, Sie mit der zuständigen Abteilung zu verbinden", sagte das Mädchen in der Zentrale und hörte sich dabei ein bißchen durcheinander an. „Aber das kann einige Zeit dauern."

„Ich habe keine Lust, meine Zeit mit Warten zu vergeuden; ich habe hier einen Job zu erfüllen. Nehmen Sie das, was ich Ihnen zu sagen habe, auf Band auf und spielen Sie es demjenigen vor, unter dessen Kommando George Sanbridge arbeitet."

„Das Band läuft, Sir. Alle Anrufe an die Polizei werden aufgezeichnet."

„Gut. Man soll mir diesen George Sanbridge vom Halse schaffen. Es war ja ganz in Ordnung, daß man ihn herangezogen hat, um mich ausfindig zu machen, aber neuerdings träume ich davon, daß diese Halbstarken mich schon wieder entführt haben. Und immer, wenn ich diesen Alptraum habe, träume ich, ich wäre George Sandsack von der Rettungsbrigade. Ich kenne das Gefühl, er zu sein; wir standen zehn Minuten lang Rücken an Rücken und wehrten diese Halbstarken ab. Er hatte seinen Geist irgendwie mit meinem verbunden, so daß wir die ganze Zeit wie ein und dieselbe Person handelten. In ihm zu sein ist für mich ein ganz anderes Gefühl. Ich habe zwar keine Ahnung, was in Ihrer Abteilung schiefgelaufen ist, aber entweder befehlen Sie ihm, sich von mir abzusetzen, oder Sie holen ihn aus diesem Käfig raus und übertragen ihm eine andere Aufgabe." Als er den Hörer auf die Gabel warf, gab es einen Knall, und dann war nur noch das Summen des Freizeichens zu hören.

„Wir danken dem Geist des universellen Lebens und dem schöpferischen Geist des Universums, daß wir uns jetzt, wo wir uns dem Ende einer weiteren Dekade zuwenden, immer noch hier befinden, und auch die Erde noch existiert.

In den letzten fünf Jahren ist keine tierische Spezies mehr ausgestorben; in den Wüstengebieten ist die Vegetation wieder auf dem Vormarsch, und mit Hilfe der Botaniker ist die Erde auf dem besten Wege, ihre Grünflächen bis auf die Bergspitzen auszuweiten, die früher nur aus ödem Fels bestanden. Wie Sie alle wissen, besteht einer unserer größten Erfolge darin, daß der Sauerstoffgehalt der Luft nun zum dritten Mal innerhalb von drei Jahren zu sinken aufgehört hat. Er ist sogar merklich angestiegen. Im nächsten Jahr, wenn das neue Jahrhundert anbricht, wird er 9,5 Prozent erreichen."

Eine andere Stimme sagte: „Sie hören den Bericht des Präsidenten zur Lage der Nation, eine Direktübertragung vom Vorstandsbankett der Umweltschutzpartei, das zu Ehren der neuerbauten Kuppelstadt am Rande der ungefähren Grenzen des Saltonsees abgehalten wird. Der Saltonsee breitet sich allmählich weiter aus, da er nun von Meerwasser aus dem Golf von Kalifornien gespeist wird. Es ist jetzt fünfzehn Uhr und fünf Minuten. Blenden wir uns wieder ein in den Bericht des Präsidenten zur Lage der Nation."

Ich stellte fest, daß ich mit dem Gesicht nach unten auf etwas Hartem lag.

„Wir können auf unsere individuellen Anstrengungen stolz sein. Es ist uns nun zum dritten Mal hintereinander gelungen, das Bruttosozialprodukt um über fünf Prozent zu senken. Alle geben sich die größte Mühe, den Konsum einzuschränken und sich selbst zu helfen. Die Regierungsausgaben sind leicht gestiegen oder konnten gehalten werden. Die Lebensqualität ist weiterhin im Steigen begriffen. Die in der Vergangenheit von der Administration erhobene Foderung, daß alle hergestellten Waren einer fünfzehnjährigen Gebrauchsgarantie unterliegen sollen, hat bis heute dazu geführt, daß über fünfzehntausend Billiganbieter ihre Produktion eingestellt haben."

Ich lag da und lauschte der Rundfunksendung, die den Bericht des Präsidenten zur Lage der Nation übertrug. Seine Worte waren zwar klar zu hören, aber ihre Bedeutung entging mir. „Wir sollten die erfolgreichen Hersteller haltbarerer Waren dadurch belohnen, daß wir die Garantiezeit auf fünfzig Jahre erhöhen "

Als ich langsam zu mir kam, stellte ich fest, daß ich mit dem Gesicht nach unten auf meinem Schlafsack lag. Der Zipper des Reißverschlusses stand hoch und drückte schmerzhaft gegen meine Wange. Ich mußte umgefallen sein. An meinem Rücken zog es. Ich fror und hatte Schmerzen. Dann fiel mir auf, daß ich ohne eine Decke oder ein Hemd dalag. Man hatte mir die Hosen bis zu den Knien heruntergezogen, so daß sie wie eine Fessel wirkten. Meine Rückenhaut brannte und tat weh. Ich spürte meine Knochen – wie nach einem harten Kampf. Das Stechen in meinem Rücken deutete auf Ärger hin und erinnerte mich an einen Sonnenbrand, den man besser nicht berührt. Wenn ich mich bewegte, würde es schmerzen. Ich versuchte mich zu erinnern, was geschehen war. Am Dienstag hatte die Bande ein Ding drehen wollen. Ich hatte vorgehabt, es Larry auszureden. Irgendein Witz auf meine Kosten, über den alle lachten. All das schien fern von mir und vage. Das Radio meldete sich wieder: „Sie hörten den Bericht des Präsidenten zur Lage der Nation." Und dann: „Gestern wurden die Bewohner der New Yorker Stadtteile Manhattan und Brooklyn dadurch aufgeschreckt, daß all die fast völlig vergessenen Luftschutzsirenen zu heulen anfingen. Noch während dieses Ereignis untersucht wurde, schlugen sämtliche Feuersirenen an und eine Stunde später die Alarmanlagen des größten Teils der großen Fabriken, Lager- und Warenhäuser, die eine halbe Stunde später noch einmal klingelten.

Die Nachrichtenredaktionen der Rundfunk- und TV-Stationen haben eine Nachricht erhalten, laut der Larrys Überfallkommando für den ohrenbetäubenden Lärm verantwortlich zeichnet. Die Bande will damit demonstrieren, daß sie immer noch Kontrolle über das städtische Dienstleistungsprogramm ausübt und Sabotageanleitungen an den Meistbietenden verkaufen kann. Das Schreiben war mir ‚Larry' unterzeichnet. Carl Hodges, der Spitzenexperte der städtischen Computeranlage, sagte allerdings gestern in einem Interview, man habe seine Erinnerung an die Zeit seiner Gefangennahme durch die Halbstarkenbande einer umfassenden hypnotischen Verhörtherapie unterzogen und keine Hinweise gefunden, daß er den jugendlichen Kriminellen weitere gefährliche Informationen gegeben habe. Was sie von ihm wußten, haben sie bereits verwendet. ‚Soweit ich weiß', sagte Carl Hodges, ‚kann Larrys Überfallkommando die Stadt in keine neuen Gefahren stürzen.'"

„Das glaubt aber auch nur ihr", sagte Larrys Stimme. Das Radio wurde plötzlich abgeschaltet.

„Geht's dir gut, George?"

Das Telefon klingelte. Das Telefon? Mir fiel ein, daß Larry vorgehabt hatte, von der Telefonzelle auf der anderen Seite des U-Bahn-Tunnels eine Leitung in sein Versteck zu ziehen. Ich hörte, wie er mit verstellter Stimme antwortete, bewegte den Kopf, öffnete ein Auge und beobachtete ihn dabei, wie er durch eine Aluminiumfolie sprach, um den polizeilichen Stimmprüfern zu entgehen, die alle Gespräche überwachten. „Geht's dir gut, George?"

„Mhm." Ich setzte mich hin, ließ den brüllenden Schmerz in meiner gespannten Rückenhaut abklingen (es tat nicht so weh wie ein Sonnenbrand) und stand dann auf. Eilig zog ich mir die Hosen hoch und schlüpfte langsam und vorsichtig in ein Hemd.

„Klar, alles in Ordnung. Mir geht's gut. Was war denn überhaupt los?"

„Hast dich wohl mit Weeny gekloppt. Schätze, du hast verloren. Hast eben Pech gehabt. Bist wohl gestolpert, und da ist's passiert."

Da er nicht die ganze Wahrheit sagte und sich deswegen schämte, sah er weg, um mir nicht in die Augen sehen zu müssen. „Tut mir leid. Ich war nicht da, sonst hätte ich was unternommen." Der Junge war dünner geworden. Sein Gesicht und sein Haar sahen schmutzig aus, denn die schwarze Farbe war zerlaufen. Er strahlte Furchtvibrationen aus. „Streck den Arm aus, George. Dein Rücken sieht schlimm aus. Du brauchst ein Antibiotikum."

Ich streckte einen Arm durch die Gitterstäbe und spürte, wie die Nadel in ihn eindrang. „Welchen Tag haben wir heute, Larry? Wenn es Mittwoch ist, muß ich mich feinmachen und bei der Rettungsbrigade melden." Ich hatte einen komischen Geschmack im Mund – das kam wohl von meinem Blutkreislauf, in dem die grünen Tranquilizer steckten. Der Raum wirkte größer und wärmer.

„Es ist nicht Mittwoch." Larry musterte mich aufmerksam aus halb zusammengekniffenen, grünen Augen. Er bewegte sich nicht und hatte die tropfende Spritze noch in der Hand.

„Es gibt überhaupt keinen Mittwoch – bloß Dienstag und Donnerstag."

Das hatte seine Stimme schon mal gesagt, so oft, daß ich mich nicht erinnern konnte, wie oft. Der Mittwoch war verschwunden. Wie lustig. Ich fing an zu lachen. Als ich lachte, entspannte Larry sich. Er bewegte sich und lächelte. Dann legte er die Spritze weg und gab mir einen Vierteldollar. „Nimm, damit du aus dem Käfig rauskommst, George. Wir werden in der Stadt noch ein paar große Sachen abziehen, und zwar heute. Ich werd' dich nicht noch einmal allein hier zurücklassen. Von jetzt an sind wir Kumpels. Egal, was ich auch mache, du wirst mir dabei helfen."

George wurde seit zehn Tagen vermißt.

Ahmed verbrachte einen halben Tag mit den üblichen Aufgaben, die ein Agent der Rettungsbrigade zu erledigen hat, wenn er Schwierigkeiten von vornherein unterbinden will, und kehrte dann ins Polizeipräsidium zurück, um seine Dienste beim Aufspüren der Larry-Rubaschow-Bande anzubieten. Man hatte ihn zwar an die Kriminalpolizei überstellt, aber wirkliche Hilfe konnte er noch nicht bieten. Er wartete darauf, daß George sich von der Bande trennte. Erst dann wollte er sie hochgehen lassen.

Aber wie lange sollte er noch warten? Die Bande war auf Draht, hatte eine Menge Glück und schlüpfte durch alle Netze. Sie hatte eine Reihe unerklärlicher Diebstähle begangen, und Larry hatte überall die Nachricht hinterlassen, daß die Kommunen ihn dafür bezahlen sollten, um seinen Schutz gegen irgendwelche Sabotageaktionen zu bekommen. Das Glück der Bande konnte man sich nur dadurch erklären, daß George sie mit seinen ESP-Fähigkeiten unterstützte. Und mit jedem verstreichenden Tag wurde es wahrscheinlicher, daß Larry irgend etwas bombardieren oder eine größere Sabotagesache durchziehen würde, bevor man ihn zu fassen kriegte.

Es war Ahmeds Pflicht, die Bande festzunehmen, auch wenn George ihm dabei durch die Lappen ging. Den breiten Mund zu einer schmalen Linie zusammengepreßt, stand er am Schwarzen Brett und starrte gedankenverloren vor sich hin.

Der Datenkoordinator, der den Fall Larrys Überfallkommando bearbeitete, telefonierte gerade, und auf seinem Schreibtisch stapelten sich die zahllosen Berichte jener Suchtrupps, die nichts gefunden hatten. Er legte eine Hand über die Muschel und sagte: „Ahmed, wühl' doch mal für mich den eingegangenen Papierkram durch und schau' nach, ob 'ne heiße Spur dabei ist."

Ahmed setzte sich auf den Rand des nächststehenden Tisches, nahm einen Umschlag aus dem Kästchen mit den Eingängen und öffnete ihn. Er schüttelte den Umschlag, und ein Foto fiel heraus. Es zeigte einen hochgewachsenen, ältlichen Unbekannten in einem Anzug Modell 1950, einen gereckt dastehenden, vornehm aussehenden Mann mit steinernen Zügen. Was die Haltung seines Oberkörpers anging, so kam sie Ahmed irgendwie seltsam bekannt vor. Die Arme des Mannes standen leicht von seinem Körper ab, seine Hände waren zu Schalen geformt. Es waren die Hände eines Mannes, der, während er etwas tat, nachdachte; die Hände eines Menschen, der beim Denken die Finger bewegte. Wie George.

Ahmed öffnete einen Schnellhefter und fand eine maschinengeschriebene Liste all jener Gegenstände, die während der zweiten Welle der die ganze Stadt betreffenden Alarmauslösewelle abhanden gekommen waren. Die Liste war lang und bezog sich auf zwölf verschiedene Orte, da sich möglicherweise noch eine Reihe anderer Diebe ihrer Chancen bewußt geworden waren, nachdem die erste Alarmwelle geendet hatte: Wenn in der ganzen Stadt Alarm ausgelöst wurde, war das für sie ebensogut, als wenn überall die Alarmanlagen ausgeschaltet waren, und deshalb hatten sie sich beim zweiten Mal mit allerlei Sachen aus dem Staube gemacht. Aber trotzdem: Einige der in der Liste verzeichneten Gegenstände waren möglicherweise sorgfältig ausgewählt und von Larry und seinen Leuten mitgenommen worden. Diese Gegenstände konnten Aufschluß über seine Pläne geben.

Aus dem Schnellhefter fiel ein Foto. Auch dieses zeigte den hochgewachsenen Mann. Er stand leicht gebeugt da und hatte den Mund in einem einfältig wirkenden, trunkenen Gelächter, das gar nicht zu den Kummerfalten seines starken, quadratischen Gesichts paßte, offenstehen.

Ahmed hielt das Bild hoch. „Wer ist das?"

Der Datenmann bedeckte die Sprechmuschel wieder mit der Hand. „Niemand bestimmtes. Ein Mechanikermeister beim Wochenendbesäufnis. Seine Freundin sagt, ein Psychotherapeut habe ihm geraten, sich öfters einen anzutrinken und es sich gutgehen zu lassen. Der automatische Identifikationsdienst schickt mir laufend seine Fotos. Es sind automatische Kameras, die sie machen, und sie zeigen, wo er sich in der Stadt überall einen ansäuft. Seine körperlichen Proportionen stimmen ziemlich stark mit denen von George Sanford überein, weißt du: Schulterbreite, Handgelenke, Ohrenform und so weiter. Deswegen sortiert der Computer ihn ewig aus und schickt mir diese Bilder auf den Hals. Aber es ist nicht George. Er ist leichter, größer und älter. Da siehst du, was wir von unseren Computern zu halten haben." Er zuckte die Achseln.

„Steck das Zeug in die unterste Schublade – da, wo ‚Fotos von Verdächtigen, unzutreffend' draufsteht."

Ahmed öffnete die Schublade und entnahm ihr eine ganze Reihe von Bildern, die magere, blonde Jungen unter zwanzig zeigten. Es waren aber auch hochaufgeschossene Teenager mit vorstehenden Adamsäpfeln und Pickelgesichtern sowie kräftig aussehende Burschen mit runden Wangen darunter, die alle eine gewisse Ähnlichkeit mit George, Larry oder anderen Mitgliedern der Bande aufwiesen. Ein ganzer Stapel von Fotos, die ausnahmslos den Mechanikermeister zeigten, waren separat zusammengefügt worden.

Steif aufgerichtete Schultern, als würde der Mann den Schmerz des Alterns bekämpfen. Sein Gesicht hatte nicht die Gutmütigkeit, die George ausstrahlte. Es war mager und sah bekümmert aus, außerdem war sein Hals dünner und faltiger. Welche Verkleidung machte einen Hals dünner und faltiger?

Aber die schweren Knochen, die dicken Handgelenke und die Form seiner Hände deuteten auf George hin. Ahmed wollte an sich die Liste studieren, aber seine Hände verweilten auf den Fotos und betasteten sie. Er suchte nach George, und auf den ersten Blick schrien ihm all diese Bilder zu, daß er ihn gefunden hatte.

Es war bemerkenswert, wie falsch ein erster Eindruck sein konnte. Sein Instinkt hatte ihn auch in der letzten Woche getrogen, als er einen kleinen, alten Neger irrtümlich für Larry gehalten hatte.

Und während Ahmed ein Foto nach dem anderen untersuchte, entdeckte er Ähnlichkeit auf Ähnlichkeit. Die typische Art, einen schweren Beutel zu tragen.

Der Datenmann beendete sein Gespräch, kam zu Ahmed herüber und beugte sich über dessen Schulter. „Was gefunden?" Ahmed hob ein Multifoto hoch und kippte es leicht. Im Flackern von fünf Einzelaufnahmen verlor der große Mann mit dem schwarzen Haar sein Lachen und griff sich mit einer ungewissen Geste an die Nase. Sein Ärmel glitt zurück und zeigte eine dicke, muskulöse Handfessel, auf deren Rücken rötliches Haar sproß.

Ahmed kannte diese Geste; George kratzte sich mit der Daumenseite an der Nase und sah immer zu Boden, wenn er sich fragte, ob er etwas falsch gemacht hatte.

Im Hintergrund sah Ahmed einen kleinen Neger; es war der gleiche, den er für Larry gehalten hatte.

„Siehst du was?" fragte der Mann hinter ihm.

Ahmed reichte ihm den Fotostapel. „Sie müssen sofort gesendet werden. Das ist George Sanford", sagte er.

„Laß dich nicht von einer Null-Komma-acht-Ähnlichkeit foppen. Die beiden sehen sich nur ähnlich."

„George hat in den vergangenen acht Monaten etwa achtzig Pfund abgenommen", sagte Ahmed. „Möglicherwiese ist er auch noch zwei bis drei Zentimeter gewachsen. Seine offizielle Personenbeschreibung ist völlig überholt. Wenn er auf die Schnelle noch mal zehn Pfund abgenommen hat und jemand ihn maskiert und er sich das Kreuz verrenkt hat, müßte er genau so aussehen. Nimm mal ein Vergrößerungsglas. Auf den Farbfotos hier sind die Haare auf seinem Armrücken rot. Das heißt also, daß die Farbe seines Haupthaars nicht echt ist."

Der für den Fall zuständige Datenkoordinator packte den Bilderstapel und flitzte an eine Schalttafel.

„Achtung, an alle! Gesucht wird dieser Mann. Er wurde in Manhattan, in Brooklyn und auf Coney Island gesichtet. Achtung! Er könnte gefährlich sein. An alle! Dieser Fall ist dringend, Priorität fünf. Der Gesuchte hält sich möglicherweise in der Nähe der Larry-Rubaschow-Bande auf. Seien Sie darauf vorbereitet, daß er Hilfe erhält. Machen Sie sich auf Widerstand gefaßt und rechnen Sie mit mindestens fünf Mann. Einsatzwagen verlangsamen und Fußgängergruppen kontrollieren. Der Gesuchte ist George Sanford, er steht an erster Stelle unserer Fahndungsliste. Prägen Sie sich seine Maskierung ein." Er hielt die einzelnen Fotos vor die Kameralinse.

Ahmed näherte sich ihm und sah über seine Schulter.

„Larry Rubaschow ist als kleiner Neger maskiert. Er sieht ungefähr wie sechzig aus und hat eine bandagierte oder verletzte rechte Hand. Gib das auch durch."

Als der Datenmann diese Information durchgab, klang seine Stimme vor Aufregung schrill. Dann schaltete er ab und ließ die Worte von einem Aufzeichnungsband ununterbrochen wiederholen. Ahmeds Hand griff nach der Schulter des Mannes und drückte zu.

„Warum hast du gesagt, George sei gefährlich?"

„Schnapp nicht über, Ahmed. Wir wissen, daß er dein Freund ist." Der Datenmann schaltete den Sender um, da er noch eine weitere Durchsage machen wollte.

Der Griff von Ahmeds Fingern wurde fester. „Warum hast du gesagt, er sei gefährlich? Du weißt doch genau, daß du damit jedem schießgeilen Streifenbullen die Erlaubnis gibst "

„Jeder, der unter Larry Rubaschows Einfluß steht, ist gefährlich. Anordnung des Polizeipräsidenten. Aber wir gehen schon sorgsam vor." Der Datenmann wirbelte seinen Drehstuhl herum und sah in Ahmeds finsteres Gesicht. „Du bist übrigens schon wieder zur Rettungsbrigade zurückversetzt worden. Deine Kollegen werden George als entführt auflisten. Sobald wir die Bande aufgespürt haben, werden wir alles versuchen, daß du ihn in deine persönliche Obhut nehmen kannst, bevor wir sie hochnehmen. Ihr könnt dann einen Rettungsfall daraus machen. Aber dann ist es euer Problem, ihn vor einem Verhör zu bewahren."

Ahmed nahm seine persönlichen Papiere aus einer Schublade und schob sie in eine Aktentasche. Er wirkte wie ein Mann, der auszieht, aber dann dachte er nach und legte die Unterlagen langsam wieder zurück. „Danke", sagte er. Er straffte sich und produzierte ein entschuldigendes Lächeln, was ihm aber nicht recht gelingen wollte und eher wie eine Grimasse ausfiel.

„Okay." Der Datenmann nahm sich eine Karte und den George abbildenden Fotostapel und fing an, die Karte überall dort, wo die Bilder aufgenommen worden waren, mit roten Markierungen zu versehen. Daneben trug er die Entstehungszeit der Fotos ein.

Ahmed musterte die Liste der gestohlenen Gegenstände und nahm sie vom Tisch des Datenmannes. „Aus einem wissenschaftlichen Versorgungslager wurden zwanzig auf eine Stunde einstellbare Zeituhren entwendet. Das reicht für zwanzig Zeitbomben."

„Als Eieruhren werden sie die Dinger sicher nicht verwenden wollen", sagte der Datenmann und fuhr flink mit seinen Markierungen fort. Allmählich kristallisierte sich heraus, welche Wege die Bande im allgemeinen nahm. „Denk weiter darüber nach, Ahmed."

8

Ich wachte auf und stellte fest, daß ich mit dem Gesicht nach unten auf meinem Schlafsack lag. Irgendwas hatte mich plötzlich wach werden lassen. Ich hatte die Hände auf dem Rücken gefesselt, hörte das Zischen von Weenys Kette und spürte, wie ihre Widerhaken sich in mein Fleisch fraßen. Die Kette kräuselte sich, wurde zurückgezogen und rasselte mit einem silberhellen Ton über den Betonboden.

Ich konnte Weeny vor Anstrengung keuchen hören, rollte mich gegen die Gitterstäbe und hörte, wie sie oberhalb meines Kopfes gegen die Stangen krachte und sich um den Zierknauf wickelte. Gegen die Stangen gelehnt schaute ich zu Weeny auf. Seine Schwäche lag darin, daß er mit der Situation nicht fertig wurde.

„Warum schlägst du mich?" fragte ich.

„Weil du keine Fragen beantworten willst", fauchte Weeny und zerrte an der Kette, damit sie sich von den Gitterstäben löste.

„Dann versuch doch, mich zu fragen, wenn ich wach bin, du Arschloch."

„Du bist ja wach; du hast nur einen drin. Außerdem schulde ich dir noch was für die Schrammen von letzter Woche. Ich vergeß' so was nicht."

Ich betastete meine Fesseln und drehte den Kopf soweit nach hinten, daß ich sie sehen konnte. Jemand hatte mir die Hände und die Knöchel auf ziemlich laienhafte Weise mit mehreren Lagen einer Nylonkordel gebunden. Nylon ist so ziemlich das Schlimmste, mit dem man einen fesseln kann. Es läßt keinen Spielraum und gibt auch nicht nach. Man kann nichts dagegen machen. „Das kannst du doch einem Bandenkumpel nicht antun, Weeny. Das ist doch gegen den Eid."

„Du bist nicht mein Kumpel, du Blödmann. Das warst du nur für drei Tage, du Schwachkopf. Da war unser Versprechen abgelaufen."

„Wenn ich hier rauskomme, mach' ich dich alle."

Weeny kam näher und löste vorsichtig die Kette von den Stäben. „Bevor du freikommst, leg' ich dich um, du Blödmann. Ich hab' dich schon vorher gefesselt und zusammengehauen, und da hast du auch nichts dagegen machen können."

„Was hast du? Ich kann mich nicht dran erinnern." Weeny zog sich zurück, stellte sich an die Wand und rollte seine Kette zusammen. Irgendwas von Wichtigkeit war aus seinen Worten zu mir durchgedrungen. Ich hatte sieben Tage übersprungen. Das letzte, an das ich mich deutlich erinnerte, war ein Dienstag, an dem die Bande sich gestritten hatte, während Larry in seiner Verkleidung als älterer Schwarzer draußen gewesen war. Ich suchte in meinem Kopf nach Spuren einer Erinnerung an die letzte Woche.

„Faß dich doch mal an den Rücken, du Blödmann. Das hab' ich gemacht. Vielleicht fällt dir auch auf, daß dir die Nase weh tut, weil du nämlich auf sie drauf gefallen bist." Weeny stand triumphierend da und ließ die Kette durch seine Finger gleiten.

„Ich weiß es nicht mehr", gab ich zu. „Mittwoch – war das vor sechs Tagen? Was mache ich überhaupt noch hier?"

Weeny grinste mit seinen lückenhaften Zähnen. „Larry hat dich in diesen Käfig gelotst. Hat sich deine ganzen Vierteldollars gepumpt und dich reingeschickt, damit du da drinnen was arbeitest. Blödmann. Wir haben dir so lange nichts zu essen gegeben, bis Larry dir eine präparierte Coke zu trinken gab. Du bist hypnotisiert worden und arbeitest seither ununterbrochen für Larry. Aber wenn *ich* dir Fragen stelle, sagst du nichts. Und dabei hab ich genausoviel zu sagen wie Larry. Ich kann dir nur raten, daß du auch bei mir das Maul aufmachst, wenn du nicht zu Matsche gehauen werden willst. Glücklicherweise hat er dir heute keine Pillen verabreicht, deswegen bist du auch nicht wie eine seelenlose Maschine auf ihn fixiert. Und jetzt kannst du mich auch reden hören. Du kannst jetzt Angst empfinden und dich erinnern. Und du wirst dich an diese Schläge erinnern und sie nie wieder vergessen."

Er rollte die Kette in der Hand zusammen und wippte mit den Beinen, um auszuholen. Er war fast drei Meter entfernt.

Ich stemmte mich hoch, kam in eine kniende Stellung und lehnte mich zurück, bis meine Finger die Fußfesseln berührten und anfingen, sich den Knoten vorzunehmen. „Nun warte doch! Was willst du wissen?"

Weeny wollte gerade zuschlagen. Er hielt inne, zögerte, und die Kette sank herab. Langsam rollte er sie wieder mit den Händen auf. „Du hast gar keine Angst. Du willst nur Zeit schinden." Die Kette zischte plötzlich von der Seite her auf mich zu und beschrieb einen auf meinen Kopf zielenden Bogen. Die zahlreichen Jahre, in denen ich als Kind in unserer Jugendbande gefährliche Spiele gespielt und von Ahmeds Erfahrung profitiert hatte, trugen jetzt ihre Früchte. So bekannt wie mir die Szene vorkam, so leicht fiel mir ein entsprechendes Ausweichmanöver. Mein Körper straffte sich, bot ihm ein noch besseres Ziel, und in der letzten Sekunde ließ ich mich zur Seite fallen. Die Kette verfehlte mich und wickelte sich um die Stäbe. Weeny zog sie fluchend zurück, und sie landete mit einem Klirren auf dem Boden. Sofort nahm ich wieder eine kniende Position ein und fing an, die Knoten meiner Fußfesseln zu bearbeiten. Weeny war brutal und geladen, aber er war nur ein Anfänger, der sich von der Sucht nach Ruhm antreiben ließ statt von Wissen. Fluchend versuchte er einen harten Schlag gegen meine emsig arbeitenden Finger anzubringen.

Ich ließ den Knoten fahren und zog die Hände zurück. Die Kette fiel über meine Unterschenkel. Ihre Schlagkraft verpuffte größtenteils auf dem Boden. Ich lehnte mich zurück, setzte mich mit dem Hintern auf die glitzernden Metallglieder und hielt die Kette mit dem Leib und den Beinen fest.

Weeny sagte ein schmutziges Wort und zog. Ich grinste ihn an und hoffte, er würde in meine Reichweite kommen.

Dann holte er sein Stilett heraus und ließ die Klinge hervorspringen. Mein Grinsen wurde breiter. Während der Kampfspiele in der UN-Bruderschaft hatte Ahmed uns gezeigt, wie leicht es ist, mit Hilfe von Armen und Beinen einen Messerhelden abzuwehren.

Von außerhalb der Gitterstäbe hörte ich jemanden sagen: „Laß ihn in Frieden, Weeny." Larry stand da, die sein Gesicht bedeckende Farbe machte ihn fast unkenntlich. „Wenn du nicht aufhörst, George zu verarschen, wirst du nicht mehr lange leben", sagte er. Er hatte eine Luftpistole in der Hand, die auf Weeny gerichtet war.

Weeny steckte das Messer wieder in die Tasche. „Du meinst wohl, er wird nicht mehr lange leben."

Larry wandte sich mir zu. „Sag' ihm, was du mit ihm machen würdest, George."

„Ich wollte ihn ja gar nicht umbringen. Ich hab' ja nur auf seine Rippen gezielt und hab' auch gar nicht fest zugehauen."

Larry sagte zu Weeny: „Du hattest doch vor, näher an George ranzugehen, um dir deine Kette zurückzuholen, Weeny, stimmt's?"

„Stimmt. Er ist gefesselt. Er kann mir nichts tun."

„Okay, George", sagte Larry, „zeig's ihm!"

Ich ließ mein Gewicht nach hinten fallen und landete rückwärts auf den Schulterblättern und den gefesselten Armen. Ich streckte die Beine aus und warf sie mitsamt dem Unterkörper mit einem gewaltigen Stoß hoch. Mit dieser Wucht hätte ich jeden im Umkreis von zwei Metern treffen können. Meine Füße durchstießen die Leere genau an jener Stelle, an der sich Weenys Hals befunden hätte. Dann ließ ich die Beine wieder sinken, nutzte den Schwung aus und stand, wenngleich ich nicht ganz das Gleichgewicht wahren konnte. Ich hüpfte zur Seite, um die Balance zurückzugewinnen, und bewegte mich dann auf Weeny zu.

Überrascht und aufgeregt nach seinem Messer tastend, zog er sich in eine Ecke zurück. Ich hielt an. „Ich glaube, ich könnte dich sogar jetzt noch so gegen die Wand schmettern, daß man dich abkratzen müßte. Die Fliesen sind ganz schön hart."

„Du würdest dir an den Fliesen den Schädel einschlagen, Weeny", sagte Larry ernsthaft durch die Gitterstäbe. „Erzähl' ihm, wie es ist,

George; Weeny kann durchaus ein bißchen Bildung gebrauchen. Wenn du ihn mit den Füßen getroffen hättest, wäre er jetzt vermutlich schon tot."

Ich drehte mich um und hüpfte zurück. Weeny bewegte sich auf das Drehkreuz zu, hielt sich an der Wand. Mit dem Messer in der Hand warf er einen Vierteldollar in den Schlitz, öffnete die Käfigtür und drückte sich hinaus. Er verfluchte uns beide und seiberte dabei wie ein Hund. „Ihr haltet euch wohl für zwei besonders geniale Witzbolde", schloß er mit weißem Gesicht und rotleuchtenden Pickeln. „Ich werde mich daran zu erinnern wissen." Er ging hinaus.

Larry sah nicht hinter ihm her. „Tut mir leid, daß er dir auf den Geist gegangen ist. Soll ich dir helfen, die Fesseln zu lösen, George?"

„Nein." Ich kauerte mich hin. Als ich mich nach vorne beugte, zog sich meine Rückenhaut zusammen und schmerzte mit der Steifheit einer halbgeheilten Verletzung. Meine Arme bildeten einen Kreis. Ich zog sie unter den Beinen hindurch. Jetzt befanden sie sich vor meiner Brust. Ich hielt die Hände vor das Gesicht und fing an, die Knoten mit den Zähnen aufzumachen. „Ich bin bei Bewußtsein, Larry."

„Merke ich. Was dich wütend macht, weckt dich immer auf. Weißt du, welchen Tag wir heute haben?"

„Ich kann mich an nichts erinnern, was seit Dienstagabend passiert ist, aber jetzt bin ich bei Bewußtsein."

„Du bist auch nicht ohne Bewußtsein, wenn du die Pillen drin hast, George. Du bist dann nur kooperativer und gehorsamer und lachst eine Menge. Heute morgen habe ich sie abgesetzt, damit du nicht süchtig wirst. Vier Tage sind genug."

„Zu was habt ihr mich getrieben?" Die Knoten lösten sich. Ich setzte mich hin und setzte die fast freien Hände ein, um die Fußfesseln zu lösen.

„Du warst uns eine große Hilfe." Larry grinste.

Ich stand auf. „Was habe ich getan? Habe ich jemanden verletzt?"

„Hör' auf", sagte Larry und gestikulierte mit dem Lauf der Pistole. „Hör' auf, dir Gedanken über Recht und Unrecht zu machen. Sei ein Mitglied meiner Bande. Das Sich-Sorgen-machen kannst du mir überlassen."

Ich antwortete nicht. Ich kam mir vor wie jemand, den man hintergangen und dem man völlig den Wind aus den Segeln genommen hatte. Larry war zu gerissen für mich. Er zog sich von den Gitterstäben zurück. Seine Stimme klang hoch und nervös. „Wenn du das nicht tust", sagte er, „setze ich dich einfach wieder unter Drogen, und dann wirst du so oder so für uns arbeiten."

Ich kaute langsam auf einem losen Nylonknoten und fragte: „Wo sind die anderen?"

„Sie arbeiten an den Bomben und schließen die Zeitzünder an." Den Blick auf meine Hände gerichtet, trat Larry von dem Gitter zurück. Er war jetzt außerhalb meiner Reichweite.

„Welche Bomben?" Das wurde ja immer schlimmer. Endlich hatte ich die Kordeln gelöst. Die erste Hand war frei.

„Die Bomben. Du hast uns gesagt, wie wir an sie herankommen."

Ich schob die letzte Schlinge über meine andere Hand und zog die Kordel in die Länge. Ich dachte daran, mich zu erhängen.

Larry musterte neugierig mein Gesicht. Er konnte meine Vibrationen nicht empfangen. Er konnte auch meinen Ausdruck nicht deuten. „Du hast uns gesagt, wo sie gelagert werden, wie man die Rechnungsformulare fälscht und dich auf einen Experten eingestimmt, der weiß, wie man Bomben bastelt und Schaltkreise zeichnet. Du wirst immer besser beim ... Du erinnerst dich wohl an gar nichts, was?"

Als ich als Kind der UN-Bruderschaft beigetreten war, hatte ich einen Eid geschworen, laut dem ich mich verpflichtete, alle Tricks zu lernen, um Menschen vor Verbrechern und Mördern zu schützen. Und ich hatte diesen Eid immer ernst genommen.

Plötzlich war ich der Verbrecher und Mörder. Ich hatte mich dazu verleiten lassen, irgendwelchen durchgedrehten Kindern Bomben zu besorgen. Ich war mir jetzt sicher, daß Larry nicht richtig tickte. Als ich seine Vibrationen untersucht hatte, um herauszufinden, ob er verrückt war, hatte ich nichts gefunden. Aber das lag daran, weil ich nach Haßgefühlen Ausschau gehalten hatte. Und Larry haßte niemanden.

Ahmed hatte recht gehabt. Irre sollte man nur nach ihren Handlungen beurteilen ... Was hatte der Junge mit meiner Hilfe angestellt? Würde es wieder zu einem Massensterben wie im Fall der Jersey-Kuppel kommen? Würde man mich dafür verantwortlich machen? Wenn noch einmal dreitausend Menschen starben – konnte ich dann ehrlich sagen, daß ich damit nichts zu tun hatte?

Ich erinnerte mich an meinen Philosophielehrer, der gesagt hatte: „Es gibt keine Zufälle."

„Du hast es tun wollen, George, sonst hättest du es nicht getan. Unwissenheit schützt vor Strafe nicht", sagte seine Stimme in meinem Kopf. Hatte ich Larry die Bomben tatsächlich zugänglich machen wollen? Hatte ich gewollt, daß sie in die Hände von Weeny und Nicholi gelangten? Larry war ein Historiker, ein Dichter, eine Führernatur – und verrückt. Weeny maß seine Wichtigkeit daran, wieviel er zerstören konnte. Nicholi machte sich einen Spaß daraus, die Leute gegeneinander aufzuhetzen und dem Resultat dann zuzusehen.

„Unwissenheit schützt vor Strafe nicht", wiederholte die Stimme meines Philosophielehrers. „Du bist, was du getan hast, und du bist, was du tust."

Ich stand da, ließ die Nylonkordel baumeln und dachte an Selbstmord. Dann steckte ich die Schnur in die Tasche.

„Larry, ich kann mich seit Dienstag an nichts mehr erinnern. Ich weiß nichts mehr von den Bomben. Ich würde auch niemals irgendeiner nichtsnutzigen Bande was von Bomben erzählen. Was habt ihr mir eingetrichtert?"

Der Junge zog eine Flasche aus der Tasche. „Nichts Gefährliches." Er las vor, was auf dem Etikett stand. „Preop. Adrenalinreduzierendes, hypnotisches Euphorikum. Macht den Patienten fügsam, willfährig und befreit ihn von Ängsten. Einzunehmen maximal acht Stunden vor größeren Operationen, vor denen der Patient tiefe Furcht zeigt. Mindert den Streß, erleichtert die Vorbereitungsarbeit des behandelnden Personals und verringert postoperative Schocks. Warnung: Der Patient verliert das Richtungsgefühl, vergißt Instruktionen und wird nur jene Umgebung wiedererkennen, die er mindestens einen Tag vor der Einnahme gesehen hat. Rückwirkender Gedächtnisverlust wird die Erinnerung an alle Ereignisse auslöschen, die zwischen vier und sechs Stunden nach der Einnahme der Dosis erfolgt sind. Eine Kapsel für je fünfzig Kilogramm Körpergewicht alle vier Stunden. Kritische Menge: Faktor zwölf."

„Das ist schlimm", sagte ich und dachte daran, daß Larry mir die Flasche vielleicht geben würde, wenn ich seine Intelligenz beleidigte. „Du hast das Etikett nicht gelesen, bevor du mir die Pillen gabst. Du hast mein Gehirn kaputtgemacht. Auf dem Etikett steht was von Gedächtnisverlust, und genau das habe ich. Und außerdem steht da was von acht Stunden, nicht mehr. Wie viele Stunden in fünf Tagen? Viel mehr als acht. Du hättest das Etikett lesen sollen. Und die kritische Menge, das ist die Menge, bei der man stirbt. Da steht was von zwölf Stück. Wie viele Pillen hast du mir gegeben? Mehr als zwölf, viel mehr."

„Verdammt, dann guck's dir doch selber an." Larry warf die Flasche durch die Gitterstäbe auf den Boden. „Da, lies es. Aber mach' sie nicht kaputt, George. Ich hab' noch eine andere Flasche."

„Ich werd' sie schon nicht kaputtmachen." Ich hielt das Etikett hoch und fing langsam an zu lesen. Dabei zog ich mich von den Stangen zurück.

„Siehst du", sagte Larry, „du hast alles falsch verstanden. Kritische Menge bedeutet, wie viele Pillen man einnehmen muß, damit sie eine tödliche Wirkung haben. Wenn zwei Pillen einen freundlich und gehorsam machen, müßte man zwölfmal soviel nehmen, um daran zu sterben. Das macht vierundzwanzig! Und man muß sie alle auf einmal nehmen. Du wirst dich schon nicht vergiften, wenn du immer nur zwei auf einmal nimmst."

Ich las langsam weiter. Wenn man die Flasche schräg hielt, konnte man noch mehr erkennen. Das Kleingedruckte, auf dem die medizinischen Einzelheiten standen. Laut las ich vor: „Überdosissymptome: Brechreiz, Versagen der Atemreflexe, Blaufärbung der Haut, kalte Hände und Füße, langsamer Puls, Herzarretierung. – Was ist das denn?"

„Das Herz hört auf zu schlagen."

Ich las das Etikett noch einmal, dann seufzte ich, nahm auf meinem Schlafsack Platz, öffnete die Flasche, schüttete eine Handvoll der grünen Kapseln auf meine Handfläche und zählte sie.

Larry näherte sich den Gitterstäben und lehnte sich dagegen. „Was machst du da?"

Einen Augenblick lang sah ich durch seine Augen. Er sah in mir einen großen, nützlichen und guten Freund, dem man nur Feuer unter dem Hintern machen und ein paar Drogen geben mußte, damit er einen unterstützte. Ich antwortete nicht. Ich fing an, die Kapseln zu essen.

„Was machst du da?" Larry umklammerte die Gitterstäbe, steckte den Kopf zu mir herein und schrie mit schriller Stimme: „Hör' auf! Hör' sofort auf damit! George!" Seine Stimme überschlug sich nun. „Aufhören! Hör' auf, das Zeug zu fressen!"

„Sechs", sagte ich und nahm zwei gleichzeitig. „Acht, zwölf, vierzehn. Ich glaube, daß das, was du tust, nicht Rechtens ist, Larry. Du mußt aufhören. Sechzehn, achtzehn, zwanzig, zweiundzwanzig. Der Geschmack ist zum Kotzen." Ich legte eine Hand flach über den Mund, zerkaute die restlichen grünen Kapseln und schluckte. Mit einem Grinsen sah ich Larry zu.

„Gottverdammt noch mal", sagte Larry. Er war entsetzt. Er umklammerte die Gitterstäbe und stellte sich auf die Zehenspitzen. „Hör' sofort auf damit! Spuck' sie aus! Was willst du damit erreichen?"

„Ich schluck' das Zeug, damit ich euch nicht dabei helfen kann, den Leuten was anzutun. Salz. Meine Zunge ist ganz taub." Ich steckte einen Finger in den Mund und betastete sie.

Larry durchwühlte seine Taschen und murmelte: „Ich will dir doch nichts tun, du Blödmann." Er fand eine kleine Tablettenschachtel. „Hier." Er öffnete sie, nahm eine rosarote Pille heraus und hielt sie mir mit ausgestrecktem Arm hin. „Hier, nimm das ein."

„Was ist das?" Ich stand auf, nahm die Pille und sah sie mir an.

„Ein Gegenmittel", schrillte Larry. „Nimm es schnell, du blöder Hund! Kau' es. Es setzt die anderen außer Kraft. Es ist das Stärkste, was ich habe."

Ich legte die Tablette sorgfältig auf den Betonboden und zertrat sie.

Larry stieß ein tierisches Fauchen und Stöhnen aus und sog die Luft durch zusammengebissene Zähne ein. Er schaute zu, wie ich die Pille zu einem rosafarbenen Pulver zerstampfte. „Mein Gott, mein Gott!" keuchte er, halb ein Gebet ausstoßend, „Hare Krishna! George, du bist ... du bist wirklich ein äußerst schwieriger Fall."

Ich ging an das Gitter heran und gab Larry die nunmehr halbleere Pillenflasche. Ich taumelte und hielt mich an den Stäben fest. „Na, hab' ich dich reingelegt? So gerissen wie du bin ich schon lange, Larry."

„Hast du vor, hier zu sterben?" Larry zuckte zurück. „In diesem Käfig? Dann würdest du für immer hier liegenblieben. Wie sollten wir ... Scheiße, ach, Scheiße! Stirb bloß nicht da drin." Er durchwühlte seine Taschen und seinen Schulterbeutel und stieß dabei ein schrilles, frustrierendes Winseln aus. „Ich kann's nicht finden. Ah, hier. Da ist sie ja!"

Er förderte eine Vierteldollarmünze zu Tage und hielt sie mir unter die Nase. „Hier, George, das ist es doch, was du haben willst, nicht wahr? Einen Vierteldollar, damit du rauskommst. Du hast gewonnen. Komm um Gottes willen raus. Beeil' dich!"

Larry fing an, jenen Teil des Raums zu durchsuchen, in dem sich allerlei Gegenstände stapelten. Unter Stapeln von Schrott und anderen Sachen suchte er irgendwas. „Der Sauerstofftank. Wo, zum Teufel, ist er?" Er jagte in die anderen Räume hinein, krachte irgendwo gegen und setzte seine geräuschvolle Suche fort. „Wo ist der Sauerstoff? Die Kaffeemaschine ist kalt! Wo ist der Zusatzstecker!"

Es kostete mich drei Versuche, den Vierteldollar in den richtigen Schlitz zu stecken. Ich schob mich durch die Gitterdrehtür und fiel auf Hände und Knie. Das, was ich tat, war überhaupt nicht interessant, denn es kümmerte mich nicht. Es war viel einfacher, das zu verfolgen, was Larry machte, denn seine Nervösität erzeugte in seiner Umgebung so etwas wie ein helles Licht, in dessen Brennpunkt er stand. Er kam mit einem Sauerstofftank zurückgelaufen und öffnete ihn. Es zischte nicht. Man hatte den Verschluß nicht fest genug zugedreht. Larry verfluchte den letzten, der den Tank benutzt hatte. Seine Aufregung war lustig; seine Worte erzeugten rote Lichtblitze.

Ich lachte.

Larry zog noch eine Flasche mit grünen Kapseln aus der Tasche und kippte sie um. Etiketten über Etiketten wurden sichtbar; es wurden immer mehr. Ich wußte, wie sie aussahen. Ich konnte sie durch seine Augen sehen. Das war überraschend. *Sorgen Sie dafür, daß der Patient sich ununterbrochen bewegt. Er soll herumlaufen, große Mengen Kaffee zu sich nehmen, Lärm ausgesetzt und in Rage und Furcht versetzt werden. Stellen Sie ihn abwechselnd unter eine heiße und eine kalte Dusche – bis die Ambulanz eintrifft.*

„Oh, Scheiße!" sagte Larry. „Steh' auf, du Hundesohn! Du mußt hin und her laufen." Er half mir auf die Beine und versuchte mich zum Gehen zu bewegen, aber ich torkelte nur und war zu schwer für ihn. Wir fielen beide hin. Schließlich jagte Larry wieder durch die anderen Räume. „Jack! Weeny! Perry! Wo, zum Henker, steckt ihr denn alle? Ich brauche eure Hilfe!" Überrascht blinzelten ihn die anderen an. Sie waren gerade beim Bombenbasteln.

„Wenn wir heute abend das Ding drehen wollen, müssen wir die Bomben rechtzeitig fertig haben."

„Die beiden größten, Weeny und Perry ..." Larry nahm sie mit. Weeny sah mir zu, wie ich aufzustehen versuchte.

„Stellt ihn hin, nehmt ihn mit in den Park raus", sagte Larry verzweifelt. „Sorgt dafür, daß er herumläuft."

Weeny lachte. „Was ist denn los? Ist ihm schlecht?"

„Er hat die Hälfte der grünen Pillen gefressen. Hebt ihn hoch."

Grunzend hoben sie mich hoch. „Wollte er sich umbringen?" fragte der schlaksige, picklige Weeny grinsend. Er schob seine Schulter unter die meine, nahm meinen tauben, rechten Arm und legte ihn sich wie einen Stiel um den Hals.

„Ja."

„Er lernt dazu. Halt' ihn gefälligst auch auf deiner Seite fest, Perry, du Bastard."

„Er soll im Park rumlaufen", sagte Larry. „George, nun drück' doch mal die Beine durch. Geh'! Bleib' nicht stehen. Und bevor du rausgehst, streckst du deine Fühler aus, George. Gibt es jemanden, der gerade an unser Versteck denkt?"

„Nein. Aber sie wissen, wer Naga Baku ist." Ich spürte, daß die Polizei nach einem kleinen Schwarzen Ausschau hielt, der kein anderer war als der angemalte Larry. Seine Verkleidung war jetzt wertlos geworden.

„Drück' die Beine durch, George. Ihr habt nichts zu befurchten, wenn ihr ihn rausbringt. Nun geh' schon, George; schlaf' nicht ein." Die Hälfte des Weges bis in den Park hinaus mußten sie mich schleppen.

„Laß ihn uns zu der Klippe da rüberbringen", sagte Weeny. „Marschier' weiter, George." Als ich ihm auf den Fuß latschte, fluchte er. „Perry, was hat das überhaupt für einen Sinn, wenn wir versuchen, ihn wieder wach zu kriegen? Wenn er den ganzen Tag über wach wäre, würde er uns doch nur einseifen und die Bullen holen, oder was meinst du? Und er würde uns alle Knochen brechen."

„Wahrscheinlich", sagte die andere Stimme aus der Dunkelheit heraus. Perry, der Mitläufer, leistete sich nur selten eine eigene Meinung.

„Klar, genau das würde er tun. Stimmt das etwa nicht, George? Willst du etwa nicht zu den Bullen rennen und ihnen verklickern, was du angestellt hast?"

„B-Bericht schreiben", sagte ich. „Für die Rettungsbrigade arbeiten. Leute retten. Klar, danke."

„Klar", sagte Weeny.

Wir kamen an ein Schild: ABGRUND, TIEFE 10 METER. STEILER ABHANG. ZURÜCKBLEIBEN! Dahinter befand sich ein niedriger Zaun. „Los, hüpf' über den Zaun, George." Sie halfen mir, den Zaun zu überwinden. Auf der anderen Seite war das Gelände abschüssig und das Gras feucht und glatt. Irgendwo am Rand sah ich in der Dunkelheit die Umrisse von Bäumen und Büschen. Weeny schob Perry beiseite, war plötzlich hinter mir, packte meine Schultern und hielt mich so, daß ich genau auf den Abgrund zuhielt. „Du mußt abhauen, George. Mach' dich bereit zum Türmen. Die Rettungsbrigade wartet da unten auf dich. Direkt da unten. *Hau' ab.*" Er gab mir einen Schubs. Ich torkelte in die vor mir liegende Dunkelheit hinein und jagte ziemlich schnell den Abhang hinunter. Ich landete in einem dichten Gebüsch und fiel hin. Ich rollte weiter und knallte gegen allerlei Hindernisse. Schließlich griff ich nach den Büschen und kam am Rand des Abgrunds zum Halten. Ich war müde.

„Was sollen wir Larry erzählen?" fragte Perry, dessen schrille Stimme aus der Ferne zu mir herabdrang.

„Daß George abhauen und zur Rettungsbrigade zurückkehren wollte. Wir haben ihn in der Dunkelheit aus der Sicht verloren, haben es irgendwo krachen gehört und gedacht, daß er über die Klippe gegangen ist", sagte Weeny ungeduldig. „Mach' dir bloß keine Sorgen."

„Und was ist, wenn er nicht abgestürzt ist?" fragte Perry. Ich konzentrierte mich auf Weeny, denn der war wacher.

„Dann bleibt er eben da liegen und stirbt, ohne daß wir mit ihm hier rumlaufen. Und jetzt hör' auf, dumme Fragen zu stellen." Weeny stand da und lauschte nervös in die Dunkelheit hinein. Konnte er die schwachen Geräusche aus der Richtung, in die sein Gegner gefallen war, hören? „Ich schau' besser mal nach", sagte er, als seine Furcht immer größer wurde. Er tastete sich den schlüpfrigen Abhang hinunter, bis er sich drei Meter von Perry entfernt hatte. Dann, von der Dunkelheit geschützt, zog er sein Stilett aus der Tasche, ließ die Klinge aufschnappen und klemmte sich das Messer zwischen die Zähne. Dann tastete er sich weiter den Abhang hinab. Er folgte der Schneise, die ich in das Buschwerk gebrochen hatte.

In der Nähe des Klippenrandes, dort, wo die Bäume und Büsche weiter voneinander entfernt standen, konnte er mehr erkennen. Mehrere Kilometer weit entfernt leuchteten die Lichter der Stadt von der anderen Seite des Parks her.

Nahe bei sich hörte er das Geräusch eines schwer atmenden Menschen.

Die Logik gebot, daß es sich nur um George Sanford handeln konnte, der das Bewußtsein verloren hatte, von einer Überdosis Hypnosepillen gefällt worden war und nur deswegen nicht in den Abgrund fiel, weil irgendwelche Büsche seinen Sturz aufgehalten hatten. Aber die Finsternis hielt auch noch andere Drohungen bereit. Das dumpfe Geräusch ließ Weeny die Haare zu Berge stehen. Er hielt sich mit einer Hand gleichzeitig an zwei Büschen fest, um auf dem glatten Boden nicht auszurutschen und selbst in den Abgrund zu stürzen. Weeny nahm sein Messer und tastete sich durch die Dunkelheit. Er streckte den Arm so weit aus, bis die Klinge etwas berührte, das sich bewegte. Dann nahm er eine Angriffsstellung ein. Nichts geschah. Niemand griff ihn an. Die langsamen Atemgeräusche gingen weiter.

Weeny erinnerte sich daran, daß der große Bursche ihn stets links liegenlassen und über seine Drohungen gelacht hatte. Ihm fiel ein, daß Nicholi George mehr gemocht hatte als ihn. Er erinnerte sich an die Selbstsicherheit seiner großen, alles zermalmenden Hände, und die Wut und die Angst trieben ihn vorwärts. Er bewegte sich wieder nach vorn in die Dunkelheit hinein und berührte den Körper. Es gab nichts, das er mehr haßte als die Berührung dieses selbstsicheren Wanstes. Mit einem flüsternd ausgestoßenen Fluch jagte er die Messerklinge in etwas Nachgiebiges, dann krabbelte er mit einer gefühlsmäßigen Mischung aus Entsetzen und Befriedigung wieder den Abhang hinauf.

Hinter ihm erklang ein überraschtes Grunzen; Arme ruderten durch die Luft und knickten Sträucher ein. Dann geriet etwas ins Rutschen. Zweige knackten. Dann, nach einer Pause drang von unten das Geräusch eines Aufpralls an seine Ohren. Sanford war in den Abgrund gestürzt.

Die Etikettenhersteller der Pillenflaschen mit den Sedativen hatten empfohlen, in Abwesenheit eines Arztes oder eines Gegenmittels zu versuchen, den Patienten in Rage oder Angst zu versetzen, ihm heiße und kalte Duschen zu verpassen, ihm Bewegung zu verordnen oder andere Stimulationen vorzunehmen, um ihn nicht einschlafen, in ein Koma verfallen und sterben zu lassen.

Sie wären schwerlich auf den Gedanken gekommen zu empfehlen, man möge den Patienten mit einem langen, scharfen Messer in den Trapezmuskel stechen und ihn einen Abhang hinunterrollen lassen, damit er wieder zu sich käme – aber diese Methode wirkte auch. Ich war sofort wieder da und hatte ein paar Dinge zu tun, die mich wach hielten.

Der Abhang bestand aus unbefestigter Erde. Die an seinem Rand stehenden Bäume und Sträucher glitten wie in Zeitlupe an mir vorbei, so langsam, daß ich Jahrhunderte Zeit zu haben schien, sie mir anzusehen. Ich rutschte weg und fiel von einem mit Wurzeln bewachsenen Überhang, hielt mich an Gewächsen fest, die sich sofort lösten, und riß sie mit mir. Schließlich gelang es mir, mich an einer aus der Abhangwand ragenden Baumwurzel festzuhalten, und hing im Nichts, während das lose Geröll an mir vorbeirutschte und krachend in die Tiefe stürzte.

Während ein letzter Erdklumpen mir auf den Kopf und die Schultern klatschte, beruhigten sich die Dinge allmählich wieder. Meine Hand glitt an der Wurzel entlang und fand an der Stelle, wo sie sich gabelte, einen leichten Halt. Ich baumelte in der Dunkelheit. Mein anderer Arm schmerzte, sobald ich ihn zu bewegen versuchte, und ich hatte den Eindruck, daß mit meinem Schulterblatt etwas nicht stimmte.

Die Nacht war dunkel und bedeckt. Ich konnte zwar nicht viel sehen, aber die Lichter eines schmalen Gehsteigs mit einer steinernen Treppenflucht, die sich etwa zehn Meter unter mir vor dem Abhang dahinzog, erweckte in mir den Eindruck, daß es mir schlecht bekäme, wenn ich mich auf den Betonboden fallen ließ. Also hielt ich mich fest.

Je mehr die Pillen sich in meinem Magen auflösten und in meine Blutbahn vordrangen, desto heftiger hatte ich das Gefühl, die Augen schließen zu müssen. Dennoch versuchte ich sie offenzuhalten. Ich vergaß, warum.

Irgendwo in meinem Hinterkopf waren Lichter und wache Menschen, die über mich redeten. Ich stimmte mich auf sie ein, und da wurden sie lauter. Ihre Gegenwart wurde heller, und ihre Gefühle wurden verständlicher. Ich war bei der Bande. Aber keiner von ihnen wußte etwas davon.

„Wenn George sich selbst umgebracht hat, muß er unglücklich gewesen sein", sagte Nicholi traurig. „Du hast ihm doch wohl nicht schon wieder etwas getan, Weeny?"

„Klar war er unglücklich. Er war ja ein Bulle", sagte Weeny. „Und die verdienen es, unglücklich zu sein. Ich hoffe, daß er im Höllenfeuer brennt."

„Er war kein Bulle." Perry ordnete die Bomben in seinem Beutel so, daß er die Zeitzünder bequem erreichen konnte. „Er war bei der Rettungsbrigade."

Jack sagte gar nichts. Er arbeitete langsam vor sich hin und sah bedrückt aus.

„Aber was sollen wir machen, wenn George nicht da ist und uns nicht sagen kann, wo es sicher ist?" fragte Nicholi. Sie warf einen Blick auf die in ihrem Einkaufsbeutel verstauten Bomben.

„Wir müssen uns eben auf unsere eigene Nase verlassen", fauchte Weeny. „Beeilung! Wenn Larry in der Stadt ist, habe ich hier das Kommando."

„Wie sollen wir ohne George wissen, ob wir überhaupt hierher zurückkommen können?" sagte Nicholi. „Vielleicht findet die Polizei unser Versteck und wartet hier auf uns." Sie zögerte; die anderen schwiegen. Schließlich faßte sie einen Entschluß. „Ich nehme meine Juwelen und den guten Mantel mit. Ich will nicht, daß sie sie finden."

Jack und Perry waren fertig zum Hinausgehen, aber sie sahen einander an und ließen ihre mit Bomben gefüllten Einkaufsbeutel sinken. „Sie hat recht."

„Ich werde meine Tauchausrüstung mitnehmen. Vielleicht können wir uns nie wieder hier blicken lassen."

„Ich nehme meine Klamotten auch mit!"

„Ihr spinnt wohl!" rief Weeny. „Larry hat gesagt, daß wir eine halbe Stunde, bevor wir die Deiche in die Luft jagen, auf unseren Positionen sein müssen! Haltet euch gefälligst an seine Befehle, ihr Schwachköpfe. Es wird überhaupt nichts mitgenommen!" Die anderen ignorierten ihn und gingen in die Tunnelräume, um ihre Sachen zu holen. Weeny hatte nicht die gleiche Macht über sie wie Larry. Als sie auseinanderliefen, schrie er hinter ihnen her: „Ich habe gesagt, daß nichts mitgenommen wird! Wir hauen jetzt auf der Stelle ab!"

Da sich niemand an seine Anweisungen hielt, blieb Weeny vor Wut zitternd allein zurück und schmiedete Rachepläne. Ihm kam die Idee, sämtliche Zeitzünder zurückzudrehen, damit die Bomben hochgingen, wenn die anderen sie noch schleppten und die auf der Karte mit einem X markierten Stellen, wo sie die Ladungen zünden wollten, damit das Meer das Land überspülte, noch nicht erreicht hatten.

Aber er hatte nicht genügend Zeit, seinen Plan in die Tat umzusetzen, denn die anderen würden nicht lange genug wegbleiben. Dennoch war Weeny der Meinung, daß sie einen solchen Tod verdient hätten.

Wenn Larry nicht da war, war er der Bandenführer. Die anderen hatten ihm zu gehorchen. Er stellte sie sich sterbend vor, wobei sie bedauerten, ihm nicht gehorcht zu haben.

Wie George Sanford gestorben war. Weeny setzte sich auf eine Kiste und dachte daran, wie er George das Messer in den Leib gestoßen hatte. „Ich will einen Besen fressen, wenn du nicht Spaß dabei hattest, dich mit Hilfe dieser Pillen aus dem Staub zu machen, George. Ich wette, du hast gar nicht gewußt, was passierte. Erst als ich dich mit dem Messer traf, ist dir ein Licht aufgegangen. Ich hoffe, daß du weißt, wer es getan hat! Ich hoffe, du hast dir alle Knochen gebrochen, als du von der Klippe fielst, daß du einen langsamen und schmerzhaften Tod hattest und an mich gedacht hast. Wenn du noch nicht ganz tot bist, hoffe ich, daß du jetzt meine Gedanken auffängst. Du hättest nicht über mich lachen dürfen. Niemand sollte über mich lachen."

Er stellte sich George Sanford vor, wie er mit gebrochenen Knochen am Fuße des Abhangs lag. Wahrscheinlich bedauerte er jetzt, daß er Weeny ausgelacht hatte. Wenny lächelte. „In einer Woche wird keiner mehr wissen, daß es je einen George Sanford gegeben hat. Man wird dich vergessen. Und dafür wird man von mir reden – von William Weinard! Alle werden sich vor *mir* fürchten!"

In seinem Inneren tauchte ein Bild von George Sanford auf. Es lachte. „Was hast du getan? Mir ein Messer zwischen die Rippen geschoben? Du bist ja ganz schön von dir eingenommen, Bübchen. Wo bist du?"

„Verschwinde aus meinem Kopf, George, du bist tot", dachte Weeny in einem plötzlichen Aufblitzen von Haß. „Du kannst jetzt mit einem Bettuch bekleidet im Himmel herumspuken!"

Er glaubte George irgendwo in der Ferne lachen hören zu können. Es war ein echtes Gelächter, und es schien ihm, als käme es von draußen – von der Klippe, über deren Rand George gefallen war – durch den Tunnel zu ihm herein.

Wenn George nun doch nicht tot war? Weeny sprang auf und jagte auf die verschlossene Tür zu, und während er herumwirbelte, glaubte er George bereits vor sich zu sehen. Er war nur noch drei Meter von ihm entfernt. Als Weeny seine Drehung vollendet hatte, war George wieder weg. Er starrte auf die Stelle, an der er ihn gesehen hatte, und sah die sich auflösenden Umrisse seiner klobigen Schultern, seine großen Fäuste und runde, ausdruckslos-blaue Augen ...

„Warum hast du solche Angst?" fragte die Stimme in seinem Kopf. „Das macht mich ja erst richtig wach."

Weeny wußte, daß es nur natürlich war, wenn George den Wunsch verspürte, ihn zu töten. Weeny hatte ihm schon zuvor eine Menge Ärger bereitet. Die Stichwunde, die er ihm beigebracht hatte, konnte jeden Gutmütigen verändern, der es bisher unterlassen hatte, die Hände an seine Kehle zu legen. Tote Hände? Was bedeutete wach machen? Weeny wurde klar, daß er wie ein Telepath gedacht hatte. *Hör' auf zu denken!* Kann Denken die Toten erwecken? Können deine eigenen Gedanken in sie hineinschlüpfen und ...

„Du meinst also, ich müßte dich umbringen, Weeny?"

„*Ja!*" schrie Weenys Vorstellungskraft. „*Du bist ein Zombie! Ein*

Zombie ist hinter mir her!" Erneut stellte er sich vor, wie George ihn erwürgte. Eilig griff er nach seinem Bombenbeutel und schrie: „Wir treffen uns an der U-Bahn, Leute!" Dann lief er hinaus in den Park. Während er wie blind durch die Dunkelheit stolperte, stellte er sich vor, daß George noch lebte, sich mit einer Hand an einer Baumwurzel festhielt und über dem Abgrund schwebte. Der Gedanke verlieh ihm neuen Mut und versorgte ihn mit nur in seiner Phantasie existierender Zeit, zur U-Bahn zu laufen. Aber während er lief, rannte ein ebenfalls nur in seiner Vorstellung existierender, mächtiger Schatten hinter ihm her und streckte die Arme nach ihm aus. Weeny erreichte den beleuchteten Eingang der U-Bahn-Station, keuchte und schluchzte vor Entsetzen und kauerte sich auf eine Bank, wobei er den Beutel mit den Explosivstoffen zwischen den Beinen deponierte. Allmählich kam ihm die Gegenwart der hellen Lampen und anderen Menschen wie ein ausreichender Schutz gegen Geister vor.

Georges Stimme klang jetzt gelassen und schien aus noch weiterer Ferne zu kommen. „Du meinst also, ich müßte dich erwürgen. Okay. Wenn du meinst ... Wie aber komme ich von dieser Wurzel weg, Weeny? Wie soll der Zombie an der Wurzel entlang wieder den Abhang hinaufklettern und hinter dir herjagen, wenn er nur eine gesunde Hand hat, aber zwei braucht, wenn er weiter hier hängen will?"

„Er würde seine Zähne benutzen", dachte Weeny und malte sich ein paar Reißzähne aus, mit denen der Zombie in die Wurzel biß. Blutbeschmiert wie er war, arbeitete er sich mit Zähnen und Klauen auf den Rand des Abgrunds zu, schwang sich – beinahe wie Tarzan – wieder auf festen Boden, richtete sich auf ... folgte ihm ... fand ihn mutterseelenallein auf Coney Island und legte seine mächtigen Pranken um seinen Hals.

„Ist was?" fragte eine Stimme in seiner Nähe.

Weeny sprang mit einem Röcheln auf die Beine und langte nach seinem Messer. Aber es war nicht in seiner Tasche.

Wie in einem Blitz sah er die Gestalt George Sanfords vor sich stehen, dann ließ seine überdrehte, völlig aus den Fugen geratene Phantasie das Bild fallen, und er sah nur die Mitglieder der Bande, die ihn musterten.

„Ja, Weeny, was ist denn los? Du zitterst ja."

Er hörte, wie George Sanford in der Ferne über ihn lachte.

„Laßt uns gehen", sagte Weeny dumpf. Sie suchten sich ein paar

Gleitsessel, beluden sie mit ihren Einkaufsbeuteln und setzten sich in Richtung auf die Innenstadt in Bewegung.

Wenn George wirklich seine Zähne zu Hilfe genommen und sich auf die Art gerettet hatte, die Weenys Phantasie entsprang, war er weit hinter ihnen. Außerdem konnte er die U-Bahn nicht benutzen, denn er hatte keine Transportmünze. Selbst wenn er ihr Versteck absuchte – er würde die Stelle unter Weenys Schlafsack, wo er sein Kleingeld versteckt hatte, nicht finden.

„Versuch' dir vorzustellen, wie ich es finde, damit ich dir folgen und dich erwürgen kann", sagte Georges Stimme in seinem Kopf. „Ich gehe jetzt durch die Tür."

In einer Welle von Panik stellte Weeny sich vor, wie George gelassen seinen Schlafsack beiseite rollte, das Kleingeld fand und dazu benutzte, sich einen Gleitsessel zu nehmen, um ihm zu folgen: ein finsterer, ausdrucksloser Schatten, beschmiert mit Streifen roten Blutes. Ein Zombie aus einem Horrorfilm.

Wieder hörte er in der Ferne dieses Lachen.

„Du denkst so laut über mich nach, Weeny, daß du mich glatt hinter dir herziehst. Ich kann gar nichts machen. Ich muß tun, was du denkst. Weil ich nämlich …"

Weeny sah panisch von einer Seite zur anderen, aber er sah nur die mit Erwachsenen gefüllten Gleitsessel, die aus der Stadt heraus- oder in sie hineinfuhren. Die Bandenmitglieder sahen ihn an und warfen sich gegenseitig Blicke zu. Seine Furcht schien ihnen nicht zu behagen. Klar, daß er ihnen nichts von einem Geist oder irgendwelchen Stimmen in seinem Kopf erzählen konnte.

„Es macht mir keinen Spaß mehr", sagte Nicholi mit gedämpfter Stimme. „Ich habe überhaupt kein Verlangen mehr danach." Plötzlich setzte sie ihren Einkaufsbeutel auf Jacks Schoß ab. „An der Penn-Station steige ich aus. Ich mache nicht mehr mit." Sie klinkte ihren Sessel aus und versetzte ihn in eine Drehbewegung, damit er auf eine langsamere Spur überwechselte und die nächste Haltestation anfuhr.

„Ich steige auch aus", sagte Jack. „Ich werd 'n bißchen Geld ausgeben und einen draufmachen. Sag' Larry, daß ich ausgestiegen bin." Er klinkte ebenfalls seinen Sessel aus, ging auf eine andere Spur und fiel zurück.

„Ich auch", sagte Perry und drehte sich.

Die Bande war zerfallen. Mit den großen Plänen war es vorbei.

„Laßt das Zeug hier!" rief Weeny halblaut. Ihm wurde nun klar, daß er die Penn-Station erreichen mußte, bevor er an ihr vorbeigefahren war. Er steuerte seinen Sessel mit dermaßen abrupten Richtungswechseln und Verlangsamungen von einer Spur zur anderen, daß eine automatische Sicherung in Tätigkeit trat und die Sessel verlangsamte, deren Weg er kreuzte. Weeny zog seinen Sessel zum fernen Ende der Penn-Station und rannte hinter den jungen Leuten her, die noch vor kurzem Mitglieder seiner Bande gewesen waren. Es war ein letzter Versuch, seine Autorität zurückzugewinnen.

„Halt! Gebt mir die Beutel!"

Sie warteten auf ihn. Als er sie erreicht hatte, stapelten sie fast geräuschlos die Einkaufsbeutel vor ihm auf und gingen. Als sie an einigen Schaufenstern vorbeikamen, fingen sie an miteinander zu scherzen. Jack sagte etwas. Nicholi lachte.

Als er sie beim Weggehen beobachtete, stellte Weeny sich vor, daß sie über ihn Witze rissen. „Ich spreng' die ganze Scheiße in die Luft", murmelte er. „Krepieren sollt ihr, ihr Arschlöcher."

In den vier Einkaufsbeuteln befand sich genug Sprengstoff, um die ganze Gegend in die Luft zu jagen. Weeny erinnerte sich an die Zeit, in der sie George auf einen Ingenieur eingestimmt hatten, der in einem Atomkraftwerk arbeitete. Dabei hatte er eine Karte gezeichnet, die den Austausch der Kühlflüssigkeit betraf, die verhinderte, daß das der Stadt gratis zur Verfügung stehende Heißwasser nicht verdampfte. Es hing irgendwie mit dem Sicherheitskühlsystem des Kraftwerks zusammen und hatte ein paar Schwachstellen.

Während er sich an die Karte zu erinnern versuchte und keuchend fluchte, da die vier schweren Beutel bei jedem Schritt gegen seine Beine prallten, schleppte Weeny seine explosive Fracht auf die Eingänge der Untertunnels zu.

Beinahe wäre er daran vorbeigelaufen. Es war eine Art überdimensionale Garagentür und fiel inmitten der Korridorwand kaum auf. Wie George vorausgesagt hatte, befand sich in ihrem Mittelpunkt eine kleine Tür. Eine simple Zahlenkombination öffnete sie, und auf der anderen Seite fand Weeny die Stelle, die George ebenfalls vorausgesagt hatte: einen breiten Tunnel, der sich leicht nach unten neigte. Seine Wände waren mit Rohrleitungen und Kabelsträngen bedeckt, und überall erklang das dumpfe Rumpeln sich bewegender und zirkulierender Wasser- und heißer Flüssigkeitsmassen. Die Menschen, die auf der anderen Seite der Wand lebten, konnten gratis heiß duschen, ihre Wäsche waschen, in geheizten Schwimmbecken plantschen oder sich in der Sauna entspannen. Das Schmutzwasser war sauberdestilliert und recycled worden. Die Leute, denen das heiße Wasser zukam, fragten nicht danach, wie es erwärmt worden war, aber es handelte sich um ein Abfallprodukt der städtischen Energieerzeugung, um Austauschwärme aus dem Kühlsystem des Atomreaktors. Das destillierte Wasser führte, wenn es von dem „heißen" Ort kam, von dem es stammte, keine Strahlung mehr mit sich.

Als George auf den Kraftwerksexperten eingestimmt worden war, hatte er dies der Bande erklärt. Weeny hatte den Vorschlag gemacht, dem Wasser Salz zuzuführen, damit die Stadt überall dort radioaktiv verseucht wurde, wo man Warmwasser benutzte. Aber Larry war dagegen gewesen und hatte seinerseits vorgeschlagen, eine kleine Sprengladung hier anzubringen, um die Rohrleitungen in die Luft zu jagen. Wenn sie die Stadt ihrer gesamten Energie berauben wollten, war es am besten dafür zu sorgen, daß der Atomreaktor sich überhitzte. Welche Ladung dazu ausreichte, hatte er allerdings nicht gesagt.

Aber Weeny hatte schon damit gerechnet, daß er das selbst würde herausfinden müssen. Vor sich hinsummend und beinahe glücklich stieß er schließlich auf dem Boden in der Nähe der Waschkabinen für die Arbeiter auf die schmutziggelben Arbeitsanzüge, genau wie George es ihnen prophezeit hatte. Er zog einen davon an und sah nun aus wie die Arbeiter im Fernsehen. Vor sich hin summend schleppte er die Beutel an eine Stelle, wo die ganze Wand mit Rohrleitungen bedeckt war. Er hatte nicht die geringste Ahnung, was geschehen würde, wenn all die Bomben hochgingen, aber er wollte auf alle Fälle fünfzig Kilometer von hier entfernt und nicht mehr im Tal sein, wenn es soweit war. Was immer auch geschah – die Leute würden sich noch jahrelang an die Auswirkungen erinnern. Und wenn es ihm gelang, eine andere Bande ausfindig zu machen, der er sich anschließen konnte, würde er damit angeben, derjenige gewesen zu sein, der das große New Yorker Desaster von 1999 angezettelt hatte. Er zweifelte nicht daran, daß die Jungs ihn dann mächtig bewundern würden, und um Bettgefährtinnen brauchte er sich dann auch keine Sorgen mehr zu machen.

Dennoch bereitete ihm das Gefühl, daß George in der Nähe sein könnte, große Sorgen. Weeny pfiff vor sich hin und konzentrierte sich auf den Gedanken, wie er alle die Mäuschen abstauben und was er ihnen erzählen würde ...

Ob er ihnen auf die Nase binden konnte, daß ein Zombie hinter ihm her war?

Stimmte das überhaupt?

Er stellte sich vor, daß George jetzt draußen auf dem Korridor herumlief und sich fragte, wohin Weeny verschwunden war. Er würde sich niemals an die Waschkabinen mit den gelben Arbeitsanzügen und die Tür mit dem Kombinationsschloß erinnern. Unter dem Einfluß der Pillen war George, als er ihnen von diesen Dingen erzählt hatte, völlig weggetreten gewesen.

„Ich fühle mich jetzt auch nicht besonders wach", sagte eine Stimme in Weenys Kopf und hatte genau den überheblichen Ton, den er an George nicht ausstehen konnte. George hatte gar nicht vor, Weeny mit Gewalt unterzubuttern; er hielt ihn auf eine amüsierte Weise für irgendein Ungeziefer, auf das er nur den Fuß zu setzen brauchte. „Die gelben Waschkabinen?"

Phantasie ... Schnapp' jetzt nicht über, Weeny, sonst ist deine große Chance, all die Hundesöhne in die Luft zu blasen, ein für allemal flöten. An seiner Unterlippe nagend, begann Weeny mit einem zu einer weinerlichen Grimasse verzogenen Gesicht mit der komplizierten und gefährlichen Arbeit, die Zeitzünder auf eine Periode von zwanzig Minuten einzustellen. Er phantasierte, daß George ihm jetzt auf den Fersen war, die kleine Eingangstür passierte, den sich neigenden Gang hinunterkam. Da der Korridor einen Knick machte, war er immer noch außer Sichtweite, aber er kam unausweichlich näher und näher ...

„Du denkst immer noch darüber nach, wie ich dich umbringen werde. Du glaubst sogar, daß es Rechtens wäre. Und daß du etwas Falsches tust. Ich muß dich aufhalten, Weeny. Wenn ich mich nicht mehr bewege, wird es dunkel. Ich muß mich beeilen."

„Halt's Maul", murmelte Weeny der Stimme in seinem Kopf zu. Mit einem weinerlichen Gesichtsausdruck stellte er die Zeitzünder ein und stellte sich vor, wie zwei Hände sich um seinen Hals legten.

Der Gang, in dem er sich befand, war eine Sackgasse, ein Ausläufer des Hauptkorridors, und das schwere Rumpeln des durch die Rohrleitungen laufenden Wassers machte sein Gehör für sich nähernde Schritte taub. Näherte George sich ihm bereits?

War George in der Nähe?

Und ich, George, der ich mich langweilte, Weeny zu sein, kehrte in meinen eigenen Körper zurück. Das Bild wurde plötzlich dunkel und undeutlich, kaum noch zu ertasten. Ich war in einem Korridor.

Ich mühte mich ab, um in einen gelben Arbeitsanzug zu steigen, und dabei entdeckte ich den flachen Griff von Weenys Messer, das in meinem Rücken steckte und fast unter meinem Arm verschwand. Ich zog es heraus.

Jetzt bewegte ich den anderen Arm, ohne daß es schmerzte, und schob ihn in den Ärmel des Overalls. Ich machte den Reißverschluß zu und ging dann den sich abschrägenden Korridor hinunter. Dabei kam ich an Wänden vorbei, hinter denen laute Waschmaschinen liefen und heiße Duschen zischten. Ein störender Blutstrom lief aus meinem Ärmel und tropfte mir von den Fingern. Das warme Blut lief mir nun auch feucht und warm den Rücken hinunter, bis ins Hosenbein. Weeny war vor mir und stellte sich in glänzenden, aber konfusen und wütenden Bildern vor, wie New York in die Luft flog, wie der Korridor sich in seine Bestandteile zerlegte und die Leute durch die Luft gewirbelt wurden. Er war in panischer Eile, denn er wollte fertig werden, bevor ich ihn erwischte.

Am Anfang der Korridorabzweigung hielt ich an und sah zu, wie er mit zitternden Fingern die Zeitzünder einstellte. Dabei murmelte er: „Hau' ab, du bist tot. Hau' ab."

Er schaute auf und sah mich. Er sah genau die Monstergestalt, die er sich ausgemalt hatte, ein großes, formloses Ding, das ein wenig gebückt dastand und die Arme herunterbaumeln ließ, während sein gelber Arbeitsanzug mit hellroten Blutflecken bedeckt war. Blutrote Fußabdrücke zeigten den Weg, den ich genommen hatte. Ich wirkte auf ihn wie ein Monster aus einem Comic Strip.

Weeny versuchte das, was er sah, dadurch ungültig zu machen, indem er seinen Augen einfach nicht traute. Dennoch verging die Vision nicht. Es gab hier genügend Platz. Weeny dachte daran, mich dadurch auszutricksen, indem er hinter einer der drei Säulen verschwand. Ich duckte mich und ging nach links. Wieder hinterließ ich rote Fußabdrücke.

Weeny hielt nach einer Möglichkeit Ausschau, rechts an mir vorbeizukommen. Mit einem stillen Gelächter wandte ich mich nach rechts, wie er es erwartet hatte. (Wie er es gewollt hatte?)

Nicht nachdenken. Vor Entsetzen schlotternd jagte Weeny geradewegs durch die Mitte auf die Freiheit zu und versuchte im letzten Moment eine Finte. Ich traf ihn mit der Faust genau gegen die Schläfe.

Der Moment der Panik war nur kurz gewesen. Der schlaksige, picklige Junge lag mit verdrehten Gliedern – als befände er sich noch auf dem Sprung – auf dem Boden, und seine Pose drückte immer noch Entsetzen aus. Aber er dachte nicht mehr. In Weenys Kopf war alles dunkel.

Ich trat über den leblosen Körper hinweg und versuchte irgendwo hinzugehen. Aber wohin? Wellen der Finsternis hüllten mich ein und verdunkelten die Umgebung. In meinem Mund schmeckte es stark nach Chemikalien. Es war wie ein bitteres Parfüm, wie diese grünen Pillen. Warum war ich hier? Wo war ich hier überhaupt?

War ich hier, um jemanden zu retten? Es war nicht einfach, auf den Beinen zu bleiben. Jetzt, wo niemand mehr da war, auf den ich mich konzentrieren mußte, und Weenys Gedanken und Ängste verstummt waren, zeigte die Überdosis des Sedativums schließlich ihre Wirkung. *Versagen der Atemreflexe; Aussetzen des Herzens*... Mir war kalt, und ich war müde. Am liebsten hätte ich mich hingelegt. Der Boden erschien mir wie ein Bett, und ein Paket, das da herumlag, kam mir wie ein Kissen vor. Ich beugte mich zu ihm hinab, und es schrie *Gefahr!* Konnte ein Paket gefährlich sein? Im ganzen Raum waren Pakete und Einkaufsbeutel verstreut. Sie standen an den großen, freiliegenden Rohrleitungen. Ich starrte sie an, und sie strahlten ein wenig von Weenys Erinnerungen aus. In all den Paketen befand sich Sprengstoff. Und einige der Bomben tickten.

Ich taumelte auf einen Alarmmelder zu, schlug mit der Faust die Scheibe ein und drückte den Hebel herunter.

Einige Stockwerke höher flammte in der Wachstation ein Monitor auf, und eine Alarmglocke fing mit beharrlicher Beständigkeit an zu läuten. Zwei Wartungsingenieure sahen von ihrem Spiel auf. Auf Schirm 22 blinkte ein rotes Licht. Das Bild zeigte einen Mann in einem standardisierten, gelben Arbeitsanzug, der gerade den Hebel zog. Während sie ihm zusahen, fiel er um.

9

Der Rettungswagen schwebte zum Notfalltor des Hospitals hinauf und lieferte ein Opfer ab, das auf einer Lebenserhaltungsbahre lag. Dann nahm die Mannschaft eine Ersatzbahre an Bord und machte sich auf den Weg, um einem anderen Notruf nachzugehen. Das Opfer wurde in

den Wiederbelebungsraum gebracht, wo man mit Hilfe einer Ballon-
weste die Luft aus dem Oberkörper drückte und mittels einer Sauer-
stoffmaske Frischluft zuführte. Ein elektrischer Schrittmacher brachte
das Herz wieder zum Schlagen. Die Krankenhaustechniker bandagier-
ten eine blutende Wunde, begannen mit einer Bluttransfusion, entnah-
men Blutproben, um den möglichen Grad einer Vergiftung festzustel-
len und stellten zeitweise die Maschinerie ab. Kein Atem, kein Herz-
schlag. Sie stellten die Anlage wieder an und setzten eine Blutpumpe
und eine künstliche Niere ein, die das Blut wieder zum Zirkulieren
brachte, im ganzen Körper verteilte. Als es durch die Anlage lief,
wurde es gewärmt und gereinigt. Die seltsamen Salze des Sedativums
wurden entfernt und durch normale – sowie Zucker und Hormone
ersetzt. Dann wurde der Körper mitsamt der Bahre und der restlichen
Ausrüstung in einen faßförmigen Behälter gefahren, der zu einem
tieferen Atmen zwang und einen anderen Luftdruck hatte. Dann fing
der Behälter an sich zu bewegen, um den Blutkreislauf anzuregen. Er
tat dies in einem solchen Maße, daß jeder, der bei Bewußtsein gewesen
wäre, auf der Stelle seekrank hätte werden müssen.

Als das Herz des Opfers wieder zu schlagen anfing, trennte man den
Patienten von der Notausrüstung, pumpte ihm den Magen aus, verpaßte ihm eine Magenspülung und brachte ihn halb bewußtlos, aber
gesund, in ein normales Krankenhausbett.

Während die eine Krankenschwester meinen Rückenverband wechselte, fing die andere an, mich abzuschrubben.

„Wofür ist das denn?" fragte die Schwesternhelferin gutgelaunt,
ohne wirklich eine Antwort zu erwarten. Als sie angefangen hatte, war
ich noch nicht ganz wach gewesen. Ein Antiseptikum, das den warmen
Gummischwamm zum Schäumen brachte, befreite mich von den hart
gewordenen Streifen getrockneten Blutes und ließ nichts als saubere,
sonnengebräunte Haut zurück.

„Drehen bitte." Sie gab mir einen Schubs. Ich rollte vom Bauch auf
den Rücken, lag da und starrte an die Decke, während sie sich meine
Beine vornahm.

„Wofür ist das denn?" fragte sie erneut. „Kann ich es abmachen?"

Ich legte mich auf meinen Ellbogen und schaute hin. Ein Vierteldollar war an meine Hüfte geklebt. Ich grinste. „Klar, Mausi, mach' ihn
ab."

„Wofür ist das denn?"

Ich erinnerte mich an den Guru, der mir erzählt hatte, ich würde einen Vierteldollar brauchen, um mein Leben zu retten. In einem vagen Aufflackern meiner wirren Erinnerungen fiel mir ein, daß ich eine scheußliche Woche in einem Käfig verbracht und manchmal hatte sterben wollen. Die Münze hätte mir das alles ersparen können.

„Jemand hat sie mir gegeben, damit ich nicht in Schwierigkeiten komme. Ein Guru. Ich glaube, er kann in die Zukunft sehen. Er sagte, die Münze würde mir das Leben retten."

Die hübsche Schwesternhelferin packte das Pflaster, riß es ab und befreite mich von der Geldmünze und einigen Beinhaaren. Sie seifte mich mit ihrem Schwamm ein, wusch mir etwas getrocknetes Blut ab und säuberte und desinfizierte mich. „Das ist aber interessant. Hat es auch funktioniert?"

Ich lehnte mich in meinem Krankenhausbett zurück und sah an die Decke. Ich lachte nicht. „Nein. Ich bin tot." Dann lachte ich doch. „Als er mir die Münze gab, sagte er, ich solle vergessen, daß ich sie habe!"

Ein Telefonanruf, der das Krankenhaus erreichte, wurde aufgezeichnet und an die Rettungsbrigade weitergegeben. Auf dem Band war eine Stimme zu hören, die durch ein Tuch sprach, damit sie gedämpfter klang. Des weiteren hatte sich der Anrufer eine Folie vor den Mund gehalten, um nicht erkannt zu werden. Offenbar fürchtete er sich vor den Stimmendetektoren, die die Polizei in die Vermittlungen eingebaut hatte. Die Stimme sagte: *„Im Van Cortlandt-Park, am Fuß der östlichen Klippe, zwischen den Treppenstufen und dem Gehweg, können Sie einen Gesuchten finden. Er ist ohne Bewußtsein. Wenn Sie zu spät kommen, wird er sterben."*

Obwohl die Stimme sehr gedämpft war, konnte sie anhand ihrer jugendlichen Tonlage und der intelligenten Wortwahl als die Larry Rubaschows identifiziert werden. Die Rettungsbrigade rief Ahmed an, weckte ihn auf, und er hörte sich die Tonbandaufzeichnungen an. Anschließend erklang die Stimme eines Polizisten, der Ahmed informierte, daß ein Polizeihubschrauber das erwähnte Gebiet mit einem Infrascanner abgesucht, nach menschlicher Körpertemperatur Ausschau gehalten und nichts als größere Kaninchen aufgespürt habe. Daraufhin sei er zurückgekehrt. Man war zu dem Ergebnis gekommen, daß der Anruf Larrys nur einer seiner Tricks sein könne.

Ahmed hängte ein und dachte nach. Larry hatte Vergnügen daran gehabt, sich mit George zu unterhalten. Er würde wollen, daß George weiterlebte. Ein Barbiturat-Koma war eine harte Sache. Wenn George sich der Bande entgegengestellt hatte, hatten sie ihn vielleicht mit einem Schlafmittel außer Gefecht gesetzt.

Ahmed stieg mit einem Polizeihubschrauber auf und suchte sich – immer noch halb im Schlaf – einen Weg in jene finsteren Zonen, die eine Fackel nicht zu durchdringen vermochte. Er schlug sich blindlings durch ein bis zu seinen Schultern reichendes, verfilztes Dickicht aus umgestürzten Bäumen und wuchernden Schlingpflanzen. Von der sich über ihm auftürmenden Klippe fielen Erdbröckchen auf ihn herab und beschmutzten sein Haar. Irgend etwas war da gefallen.

Er bückte sich, um einen langen, ebenmäßigen Gegenstand zu untersuchen, schlug mit dem Gesicht gegen einen Ast, ertastete mit den Händen einen glatten Stamm, ließ den Strahl seiner Taschenlampe auf ein Gewirr von Zweigen fallen, und als er die Hand danach ausstreckte, fing sein Armbandsender an zu summen.

Es bereitete Ahmed einige Schwierigkeiten, die Hand ans Ohr zu pressen, ohne daß ihm die Zweige ins Gesicht schlugen.

„Ahmed Kosvakatats", murmelte er als Antwort auf den Anruf.

„Bericht von der Hospitalleitung", sagte eine gutgelaunte, aber unpersönliche Stimme. „Der Computer für Fragen der allgemeinen Statistik hing zwei Stunden an einer Doppelidentität fest. Er spuckte zwei Namen und zwei Lebensläufe eines DOA aus, der in einem Rettungseinsatz zum Generalhospital an der 165. Straße gebracht wurde. Beide haben George Sanfords Fingerabdrücke. Keinen Puls. Er ist in der Wiederbelebung."

Ein paar panische Minuten später brachte Ahmed den Polizeihubschrauber dazu, auf der Plattform des Hospitaldaches eine harte Landung zu bauen. Bei den Stationsschwestern erkundigte er sich nach der Richtung, die er nehmen mußte, ignorierte ihre überraschten Blicke auf seine zerrissenen und verdreckten Kleider und erschien im Eingang meines Krankenzimmers.

Ich war drinnen, saß im Bett, war wieder energiegeladen und sauber, fühlte mich gesund und hielt Händchen mit einer hübschen Schwester. Des weiteren waren noch zwei gutaussehende Schwesternschülerinnen und eine Medizin studierende Praktikantin anwesend, die ich ernsthaft fragte, was sie von Recht und Unrecht hielten, warum es so wichtig sei, sich darüber im klaren zu sein, und erzählte ihnen meine Abenteuer.

Die Schwestern standen zwischen mir und der Tür, deswegen

blockierten sie meine Sicht. Aber schließlich erfaßte ich, daß da jemand war, dessen Erinnerungen von fieberhaftem Suchen und großer Angst sprachen: ein Mann, der mit den Nerven herunter und übermüdet war. Er befand sich ganz in der Nähe, und seine ängstlichen Vibrationen veränderten sich zu einem warmen Fluß aus Erleichterung und Zorn. Unsichtbar – aber zuhörend – stand Ahmed im Eingang, runzelte die Stirn, ließ mich meine Geschichte beenden und wartete ab, bis eine der Schwestern mir stammelnd versicherte, daß ich ein guter Kerl sei und niemand einen guten Menschen dafür verurteilen würde, wenn er etwas Richtiges getan hatte.

Eines der Mädchen küßte mich auf die Stirn. Ein anderes tätschelte meine Hand. Schließlich entdeckte ich Ahmeds Spiegelbild in einem reflektierenden Aluminiumbecher. Ahmed sieht eigentlich ziemlich gut aus, aber als die Mädchen mich anlächelten, verfinsterte sich sein Äußeres noch mehr. Sein glattes, aufrecht wirkendes Gesicht wurde zu einem dunkelroten Ballon; die dichten, schwarzen Augenbrauen schienen seinen Mund zu verdrängen, und seine Lippen waren ein einziger, weißer Strich.

Die Mädchen erkannten erst jetzt, daß dort ein äußerst unfreundlich aussehender Besucher stand, und wandten sich um, damit sie ihn ansehen konnten. Dabei ging eine zur Seite. Ahmeds Blick fiel auf mich.

„Oh … hallo, Ahmed", sagte ich unbehaglich.

„Sieh dich als Rettungsfall an", schnauzte Ahmed. Er zog einen Haufen zerknüllter Papiere aus der Tasche und suchte das richtige Formular heraus.

„Hier unterschreiben!" Er gab den Schein weiter. Die Mädchen reichten ihn mir.

„Wieso bin ich ein Rettungsfall?" Ich nahm das Formular an mich und sah mich nach etwas zum Schreiben um.

„Du wirst als Rettungsfall behandelt, damit du nicht verhaftet wirst, du Trottel." Über eine weitere Schwester ließ Ahmed mir einen Schreibstift zukommen. „Als *irgendwas* mußt du ja klassifiziert werden, du Eimerschwenker, wenn du nicht willst, daß sie dir eine Gehirnwäsche verpassen."

Kleinlaut unterschrieb ich.

Ahmed nahm das Formular wieder an sich. „Offiziell stehst du nun als Zeuge gegen Larrys Überfallkommando und Larry Rubaschow, der dich offenbar entführt hat, unter unserem Schutz", schnappte er. „Der

Polizei gegenüber machst du keinerlei Aussagen. Falls sie versuchen sollten, dich zu verhaften, sagst du, daß du bereits in Schutzhaft genommen wurdest, und zeigst ihnen dies." Er riß den Durchschlag des von mir unterschriebenen Formularsatzes ab und reichte ihn mir. „Verlier' es nicht, friß es nicht auf und wisch' dir unter keinen Umständen den Hintern damit ab. Halt' es nur griffbereit!"

Er marschierte hinaus. Die Zimmertür fiel ganz sanft ins Schloß, obwohl er sie zuwarf. Wenn man Hospitaltüren zuknallen könnte, würde das die Patienten stören.

„Warum war er denn so wütend?" fragte eine der hübschen Schwesternschülerinnen.

„Darüber möchte ich nicht gerne sprechen", sagte ich und starrte hinter ihm her. „Mann, war der wütend!"

Die Schwestern waren gegangen, hatten das Licht ausgemacht, und ich versuchte zu schlafen. Die Sonne war noch nicht aufgegangen. Ich lag da, versuchte mich zu erinnern, wo ich soviel Gewicht verloren hatte und was in der ganzen Woche geschehen war. Ich erinnerte mich an die Gitterstäbe des Eingangs zur U-Bahn. Es war wie in einem Käfig gewesen. Und dann diese Tür, die nur nach innen aufging und sich nur drehte, wenn man einen Vierteldollar einwarf.

Ich erinnerte mich daran, daß Larry mir keinen Vierteldollar hatte geben wollen. „Unser Eid gilt nicht mehr, George. Deine Zeit ist abgelaufen. Du bist jetzt kein Mitglied unserer Bande mehr. Du bist nur ein fremder Bulle, den wir festgesetzt haben. Solange du nicht mitmachst, bist du keiner von uns."

Ich hatte tagelang weder etwas gegessen noch getrunken. Auf der anderen Seite der Gitterstäbe betrat Nicholi ihren an meinem Tunnelende liegenden Schlafraum und zog sich aus, um in den Schlafsack zu steigen. Sie war zierlich und niedlich und hatte welliges, schwarzes Haar. Bevor sie von zu Hause weggelaufen war, hatte sie sich einen Spaß daraus gemacht, ihre Eltern gegeneinander aufzuhetzen, damit sie sich anschrien und einander prügelten. Sie liebte Aufregungen. Sie zog sich ganz langsam aus und tanzte dann geil vor mir herum. Sie hatte eine hübsche, wohlgeformte Figur.

„Brüll' doch, George, brüll'! Du bist ein Tiger in einem Käfig."

„Hör' auf damit", sagte ich.

In meinen Ohren klingelte laut das Telefon. Ich lag in einem Krankenhausbett, und Nicholi war vermutlich längst verhaftet worden.

Auch Weeny war verhaftet worden. Man hatte ihn vor ein Computer-gericht gebracht, Beweise vorgelegt und ihn einem Lügendetektor ausgesetzt. Die Sonne war immer noch nicht am Himmel zu sehen, aber die Nacht wurde bereits blasser und zu einem verwaschenen Grau. Das Telefon klingelte immer noch. Es war ein Kissenlautspre-cher; das Klingeln war unter meinem Ohr. Ich langte nach dem Bett-pfosten, nahm das blinkende rote Licht und hielt den Empfänger an mein Ohr. „Hallo?"

Ahmeds Stimme bellte: „Was soll das, daß du ans Telefon gehst? Ich hab' dir doch gesagt, du sollst mit niemandem reden! Wo steckt Larry? Heraus damit!"

„Ich ..." Ich machte die Augen zu, drückte eine Hand gegen meine Schläfe und versuchte mich an die Stimme und die Augen des Jungen zu erinnern.

„Warte einen Moment. Ich versuch' mich auf ihn einzustimmen. Sekunde. Er ist in einem geschlossenen Raum. Er ist sicher und bringt seiner Mutter das Sprechen bei. Ich krieg' seine Gefühle rein. Ist das irre. Ich komm' aber nicht richtig an ihn ran."

„Versuch's noch mal, George. Es ist wichtig. Er könnte die ganze Stadt in die Luft jagen."

„Er ist sehr nett und verrückt, Ahmed. Ich verstehe ihn nicht. Er denkt in fremdartigen, schnellen Bildern. Seine Eltern waren beide Computer-Ingenieure. Sie haben versucht ihn zu programmieren, statt mit ihm zu reden. Und damit haben sie ihn kaputtgemacht."

„Stimm' dich auf ihn ein, George. Erzähl' mir was von seiner Le-bensphilosophie. Er hat dir doch allerhand beigebracht."

Ich machte die Augen auf und setzte mich im Bett aufrecht hin. Wenn Ahmed Larrys Gedankengänge wirklich dienlich waren, waren die zwei Wochen, die ich bei der Bande verbracht hatte, doch nicht für die Katz gewesen. Ich bemühte mich, die Sache zusammenzukriegen.

„Larry glaubt, daß die meisten Techniker, Computerfachleute und Researcher Autisten sind. Was sie erfinden und produzieren, hat keinen Nutzen. Sie basteln sich nur eine Welt für sich und ihresglei-chen zurecht – was mit uns geschieht, ist ihnen schnuppe. Autismus ist eine Kinderkrankheit. Autistische Kinder haben das Gefühl, allein in einer Welt seltsamer Tiere zu leben. Sie fürchten sich vor Menschen, die sich schnell bewegen, lachen oder in ihrer Umgebung zu laut reden. Sie sitzen ganz still auf einem Fleck, spielen mit Bauklötzen, zeichnen symbolhafte Bilder, erfinden Kodes und unterhalten sich mit imaginären Gefährten. Diejenigen, die nicht so krank sind, als daß man sie von den anderen trennen müßte, wachsen als Einzelgänger auf, ziehen sich in die Einsamkeit zurück – etwa in Klöster –, reden mit eingebildeten Gefährten – wie Heiligen, Geistern, Dämonen oder Gottheiten –, murmeln Gesänge, rezitieren Zauberformeln und werden von den Gesunden, die sie verfolgen, ausgelacht, weil sie glauben, daß es Zauberei gibt und Geister existieren. Die Wissenschaft hat den Autisten zu einem Beruf verholfen, der sich auszahlt: Hier gibt es Formeln und Sprüche, die wirken. Sie benutzen die Technologie für sich selbst. Da gibt es keinen Streß, keine schnellen Handlungen, kein Gelächter. Sie haben das ganze Bildungssystem in der Hand, bringen den Kindern bei, daß sie stillzusitzen haben, mit Symbolen arbeiten sollen und nicht miteinander reden dürfen – wie Autisten. Für gesunde Menschen gibt es heutzutage keinen Job mehr. Man muß mit Maschinen arbeiten, still an einem Schreibtisch sitzen und darf mit niemandem reden, außer per Telefon. Man redet mit Maschinen und geht allein nach Hause, wie ein Autist, wie sie alle. Man sitzt allein oder mit anderen herum, redet nicht, schaltet eine Maschine ein und sieht sich imaginäre Menschen an. Werde Mitglied in der Anachron-Kommune – lebe in einer imaginären Welt! Irre!"

„Aber so sieht die Zivilisation nun mal aus", sagte Ahmed. „Ich muß sie doch nicht etwa bekämpfen, oder? Niemand da, der gerettet werden muß?"

„Niemand", murmelte ich. „Alle."

„Er hat doch wohl nicht gesagt, daß die Technokraten-Partei einen Spezialplan hat, um uns Untermenschen noch alle in dieser Woche auszulöschen, oder?"

„Nein."

„Dann gibt es auch keine gewaltsame, ungesetzliche Verschwörung, die seinen gewaltsamen Sabotageakt rechtfertigen würde. Wenn die Autisten uns dadurch hinters Licht führen, indem sie uns faul gemacht haben, sind wir selbst daran schuld, wenn wir uns wie Einfaltspinsel vorkommen."

Sein Tonfall wurde schärfer. „Wie sahen Larrys Pläne aus?"

Langsam nahm ich Larrys Stimmung auf. Er versuchte einer gefühllosen, geknebelten Person etwas beizubringen. Das Fühlen. Das Verstehen von Gefühlen. „Er hat nicht gesagt, was er tun will, Ahmed. Er sagte, daß Katastrophen gut sind, weil sie die Leute aus ihrem Dämmerschlaf wecken. Die Leute sterben nur dann, wenn sie bereits tot und zu steif zum Wegrennen sind. Er bringt jemandem was über Dichtung bei. Ich weiß nicht, wo."

„Ich glaube, ich verstehe ihn besser als du, George. Ich wette, er hat einen Anschlag auf den Zentralcomputer vor. Ich habe der Kriminalpolizei gerade von meiner Vermutung erzählt. Ich habe es getan, als hätte ich einen Tip von jemandem bekommen, der es wissen muß. Könnte er noch einmal in das Gebäude reinkommen?"

„Ja." Ich hatte plötzlich eine klare Erinnerung. Ich sah mich, wie ich für Larry und seine Bande einen Plan zeichnete. Und die Alarmanlagen. „Ja. Er kann da rein."

„Was hat er vor?"

Diesmal war es leicht, mich auf Larry einzustimmen. Ich fing dieses warme, zufriedene Gefühl auf. „Er ist schon drin. Du hast recht. Er glaubt, die Anlage wüßte alles und könnte ihm helfen – als wäre sie ein Mensch. Die gleichen Gefühle hat er in bezug auf mich. Er glaubt, daß die Techniker vorsätzlich dafür gesorgt haben, daß die Anlage nicht sprechen kann wie ein Mensch, damit sie weiter in ihrer verrückten und abstrakten Sprache reden können, die keine Gefühle hat. Er schafft eine Kreuzverbindung zwischen den literarischen und übersetzerischen Dienstleistungssystemen und der sozial-wissenschaftlichen Datenbank und bittet den Computer, ihm in verständlicher Sprache zu erklären, warum er die Gesellschaft haßt und was er in Wirklichkeit will. Und er soll in Gedichtform antworten!"

„Ich rechne mit einer Explosion! Ist Larry bewaffnet? Hat er ein Schießeisen?"

„Er hat eins. Und er kann das Gebäude dazu bewegen, auf seiner Seite zu kämpfen, Ahmed." Ich stimmte mich kurz auf den Geistesinhalt der Konstrukteure ein, die das Sicherheitssystem des Gebäudes entworfen hatten, um meine Erinnerung an das, was ich Larry erzählt hatte, aufzufrischen. Dann erklärte ich Ahmed, daß das Gebäude Sicherheitstüren hatte und mit Eisenrolläden ausgerüstet war, um gegen Aufruhr, Bomben und Großbrände gefeit zu sein. Es hatte auch zahlreiche Innentüren und eine Schaumsprühanlage, falls mal ein Feuer ausbrach. Ahmed fragte mich aus, und ich erzählte ihm, wie man an den Verteidigunsanlagen vorbeikam.

„Warte mal." Ahmed sprach mit jemandem und kam wieder ans Telefon zurück. „Man hat versucht in das Gebäude reinzukommen, um nachzusehen, ob Larry drin ist. Er hat überall die Rolläden runtergelassen – auch die vor den Türen. Die Männer wären beinahe im

Löschschaum ertrunken. Sie sitzen jetzt zwischen zwei Türen fest und atmen durch eine Leitung, die die Rettungsbrigade ihnen durch ein Wasserrohr zugeschoben hat."

„Ich wünsche ihnen alles Gute." Ich gähnte. Die Sonne ging auf, und statt zu schlafen war ich die ganze Nacht mit einem Messer im Rücken herumgelaufen. Ahmeds Stimme am Telefon sagte: „Jetzt wollen sie, daß ich einen Versuch unternehme. Ich glaube, ich weiß auch schon, was ich mache."

„Versuch' es mal." Ich gähnte schon wieder. „Am besten machst du dich klatschnaß. Dann werden die Sensoren auch nicht auf die Idee kommen, dich mit Schaum zu besprühen oder dich hinter irgendwelchen Feuertüren zu isolieren. Larry hat nur den Thermostaten des Feuersystems umgestellt."

„Na, dann geh' ich mal." Ahmed hängte ein.

Ich schaltete den Fernseher ein und machte ein Nickerchen. Im Halbschlaf hörte ich einen aufgeregten Sprecher, der enthusiastisch die Anstrengungen der Polizei schilderte, in die Hauptabschnitte des Computergebäudes einzudringen. Eine gewaltige Menschenmenge schaute ihnen zu, und jeder Versuch wurde mit Beifall quittiert. Ich schlief ein, hörte nichts mehr, wachte gegen acht Uhr auf und schaute mir eine Wiederholung der Frühnachrichten an: Ahmed verließ das Gebäude; Larry ging an seiner Seite. Der Junge kam mir noch kleiner vor als sonst, und er schien auf achtzig zu sein. In jedem Fall schimpfte er Ahmed mit schriller Stimme aus und versuchte ihn mit logischen Argumenten festzunageln.

Ahmed packte einen von Larrys wirbelnden Armen und befestigte ihn mit einer Handschelle an seinem eigenen. Vor der Kamera, die sie beide voll im Bild hatte, blieben sie stehen und schrien sich an wie ein streitendes Bruderpaar. Das enthusiastische Gebrüll der Menschenmenge überlagerte ihre Worte ebenso wie die aufgeregten Erklärungen des Fernsehsprechers. Dann wurden die beiden von Polizisten umringt und von meinen Blicken abgeschnitten.

Ich schaltete den Fernseher ab und schlief noch eine Runde.

Die Vibrationen der vier Millionen New Yorker Fernsehzuschauer waren dermaßen glücklich und unterhaltend, daß ich zu den Neun- und Zehn-Uhr-Nachrichten halb erwachte, eine Nachrichtenstation einschaltete und den Fernseher laufen ließ.

Der für die Sozialwissenschaften zuständige Computer, nach dessen Entscheidungen sich die Regierung und die Wirtschaft richtete, hatte aufgehört, Anfragen in den bisher üblichen, rein sachbezogenen und Telegrammen ähnlichen Großbuchstaben zu beantworten. Statt dessen druckte er seine Antworten in Normalschrift, benutzte ein feinsinniges, hintergründiges Englisch und verdeutlichte seine Ansichten mit Witzen und Sprichwörtern, wobei er manche Fragen in einer Weise erörterte, die die ganze menschliche Entwicklungsgeschichte miteinbezog und manchmal dichterisch und im Stil Larry Rubaschows vorging. Der Sprecher las ein paar der Sprichwörter vor.

Die Computerexperten erklärten, daß man diesen Eingriff nicht rückgängig machen könne, da die momentane Programmierung aus einer Verzahnung unterschiedlicher Wissensgebiete bestehe und im Begriff sei, ein bestimmtes Problem des menschlichen Überlebens zu lösen. Larry Rubaschow hatte die Maschine vor diese Aufgabe gestellt, und jetzt arbeitete sie mit sämtlichen Unterabteilungen an der Lösung dieser Aufgabe, die auch den menschlichen Instinkt und Kommunikationsfragen mit einbezog. Nach der Beendigung dieser Erklärung war der TV-Sprecher wieder im Bild und las ein paar nicht unwitzige Bemerkungen des Computers über Programmierer vor, denen der sichere Job am liebsten sei und die das Verlangen hätten, in den Augen der Außenwelt mysteriös zu erscheinen.

Die Vibrationen der New Yorker Zuhörer drückten zwar Furcht aus, aber auch den Impuls, bestens unterhalten zu werden.

Der Sprecher sagte irgend etwas Langweiliges. „Die computerisierte Schnellgerichtsbarkeit ..." Ich drehte mich um und hörte weg. „Larry Rubaschow wurde einer extrem anormalen Verhaltensweise und einer soziopathologischen Orientierung für schuldig befunden und ist zu einer elektroneuralen Feedback-Behandlung – im Volksmund ‚Gehirnwäsche‘ genannt – verurteilt worden, die seine Persönlichkit korrigieren wird. Sein Anwalt hat keinen Antrag auf eine Wiederaufnahme des Verfahrens gestellt. Der brillante, aber verdrehte junge Mann ..." Ich streckte den Arm aus und schaltete ab; dabei dachte ich an Larry. Ein Teil der letzten Woche kam mir ins Gedächtnis zurück.

Halb im Schlaf träumte ich, wieder in diesem U-Bahn-Käfig zu sein. Ich hatte Hunger und Durst und versuchte das Gefühl des Gefangenseins dadurch zu verdrängen, daß ich an den eisernen Gitterstäben, die mich festhielten, ein paar gymnastische Übungen machte.

Larry kam in Nicholis Zimmer und schaute sich um. Er nahm einen Schluck aus der Colaflasche, die er in der Hand hielt, und sah mich an. „Wie kommst du zurecht, George?"

„Gut. Aber mir ist langweilig." Ich machte einen Klimmzug. Das war jetzt leichter, da ich abgenommen hatte. Meine Hände zitterten in der gleichen Weise wie damals, als ich arbeitslos, pleite, fett und hungrig gewesen war. Aber meine Schlotterei war nicht schlimm gewesen. Ich war gesund darüber hinweggekommen.

Larry wollte mich natürlich irgendwie zum Aufgeben bewegen. Mit einer theatralischen Geste nahm er einen Schluck aus der Pulle. „Denkst du eigentlich oft an Wasser? Und Coke? Oder an Orangensaft? Hast du nicht plötzlich den Geschmack von irgendeinem Saft im Mund, wenn du versuchst, an was anderes zu denken?"

„Das hast du wohl auch schon mal mitgemacht", sagte ich, die Genauigkeit seiner Beschreibung erkennend. Larry starrte mich an; irgendeine ultimate Angst schien ihn gepackt zu haben. In einem kurzen Aufblitzen sah ich ein kleines Kind vor mir, das ohne etwas zu trinken in einen Raum eingeschlossen war. Das Kind war von Entsetzen gepackt, und es glaubte, daß man ihm erst dann Wasser brachte, wenn es gehorchte. Und das kindliche Entsetzen schloß mit ein, daß Gehorsamkeit nur eine andere Form des Todes war. Nur Maschinen gehorchten. Wähle zwischen zwei Arten des Sterbens.

„Deine Alten scheinen ja ganz schön verdreht zu sein", sagte ich.

Der panische Schrei verstummte, als Larry die Augen ein Stück zusammenkniff. „Ich werd' schon mit ihnen fertig", sagte er. „Und ich werd' auch mit dir fertig. Alle versuchen mich aufzuhalten. Du versuchst mich dadurch aufzuhalten, indem du ein guter Kerl bist. Aber mich hält niemand vom Nachdenken ab. Niemand hat es geschafft, mich vom Nachdenken abzuhalten. Und du wirst es auch nicht schaffen."

Ich träumte eine Erinnerung, aber plötzlich war da ein weißer Blitz. Ein Blitzstrahl, der den Jungen traf. Seine Silhouette wurde weiß und leer wie die einer Glühbirne. Eine flüsternde Stimme sagte: *„Ich kann nicht gehorchen. Wenn ich genau das täte, was ihr wollt, Mammipappi, würde ich nicht mehr ich sein. Ihr werdet nie herauskriegen, wer ich bin."* Es war ein Flüstern, das noch schlimmer war als ein Hilfeschrei. Ich hatte einen weißen Blitz im Kopf. Larry löste sich auf. Es hatte ihn nie gegeben.

Ich erwachte, bewegte mich nicht – und war ebenfalls in Gefahr. Der Blitz wartete nur darauf, auch mich zu treffen.

Ich tastete in meinem Geist herum, um zu erfahren, was geschehen war, fand aber keinerlei Unstimmigkeiten – nur eine fremdartige, friedliche Leere, die sich an der Stelle befand, wo es eben noch geblitzt hatte. Irgend etwas, das ich über das Leben wissen wollte, war in dieser Woche beinahe beantwortet worden, aber jetzt konnte ich mich nicht mehr an die Frage erinnern. Der Blitz hatte mich irgendwie getroffen. Ich konnte die Frage, nach der ich in Larrys Bande gesucht hatte, nicht mehr formulieren.

Man hatte Larry eine Gehirnwäsche verpaßt, und damit waren auch all die Fragen verschwunden, die ich ihm gestellt hatte, damit er sie beantwortete.

Ich tastete nach Larry, griff mit meinen ESP-Kräften in die Stadt hinein, berührte aber lediglich eine desorientierte, friedliche Leere. Im allgemeinen wandte man eine Gehirnwäsche an, um jegliche Erinnerung an Angst und Haß in bezug auf die Autoritäten auszulöschen sowie Erinnerungen an Bestrafungen und Rachegelüste zu vernichten. Seit er ein Säugling gewesen war, hatten Larrys Eltern versucht, ihren Sohn zu konditionieren. Jede freie Minute seines Lebens hatte er in Angst verbracht – in der Angst vor Bestrafung und der Angst vor einer imaginären Autorität. Jetzt war alles ausgebrannt. Die Behandlung hatte seine gesamte Erinnerung ausgelöscht. Der Mensch, der einst der Dichter, Historiker und jugendliche Radikale Larry Rubaschow gewesen war, hatte zu existieren aufgehört und war nur noch ein leerer, lebendiger, fünfzehn Jahre alter Körper, der sich nicht mehr an sich selbst erinnern konnte.

Ich stand auf. Ich hatte noch immer ein zielgerichtetes Gefühl in bezug auf den Blitz. Obwohl ich geschlafen hatte, schienen die schwächer werdenden Echos in meinem Kopf aus der Nähe zu kommen. In welchem Krankenhaus war ich überhaupt?

Mein Zimmer war leer. Der Bettaufzeichner hörte auf, meinen Pulsschlag, meine Temperatur, die Herz- und Gehirnwellenfunktion aufzuzeichnen. Die wellenförmigen Linien wurden zu geraden Strichen. Da der unter dem Bett befestigte Gewichtsmesser registrierte, daß ich aufgestanden war, konnte die Zentraleinheit davon ausgehen, daß ich keinesfalls tot war. Schließlich mußte jeder mal ins Bad.

Aber wie fanden sie heraus, daß man auch wirklich auf die Toilette ging? Maß die Klobrille etwa das Gewicht eines auf ihr Sitzenden? Ich nahm ein Nachtschränkchen, das neben meinem Bett stand und stellte es auf die Klobrille, damit es aussah, als hätte jemand darauf Platz genommen.

Meine Kleider fand ich in einem schmalen Schrank. Sie hingen an einem Haken. Sie waren feucht vom Blut gewesen, aber jetzt waren sie wieder trocken und sauber. Ich zog mich an und beeilte mich, denn ich wollte zur Quelle des tödlichen weißen Blitzes vorstoßen und die Bürokraten dazu bewegen, ihn zurückzunehmen, es irgendwie ungeschehen zu machen, Larry seine Erinnerungen wiederzugeben und ihn zu fragen, was er wollte, denn er wollte irgendwas vom Leben haben, etwas, das wir uns alle von ihm wünschen sollten; etwas, das das Leben ausmacht.

Meinem Riecher folgend pirschte ich durch die Korridore, klaute mir aus einem Schrank einen weißen Kittel, brabbelte etwas vor mich hin, damit man mich für einen Arzt hielt, und verschwand aus dem Flügel, in dem ich untergebracht war, in den achtzehnten Stock, wo die psychiatrische Abteilung der Polizei lag. Der Aufzug wurde langsamer und ließ rote Buchstaben aufleuchten: PSYCHIATRISCHE ABTEILUNG DER POLIZEI FÜR KRIMINELLE GEWALTTÄTER.

Ich stieg aus. In der Halle hielten sich eine Menge Leute auf. Ich streckte meine geistigen Fühler aus, suchte die Gegend nach Larrys Ausstrahlung ab, war auf jede Gefahr vorbereitet und registrierte eine Person nach der anderen. Ich wußte von jedem, wer er war und was er tat, aber dann schob ich sie alle beiseite, denn Larry war nicht unter ihnen.

Ich blieb stehen und überprüfte meine Eindrücke noch einmal. *Hatte ich sie wirklich alle verstanden?* Welche Art von Wissen hatte ich mir angeeignet, als ich unter der Einwirkung der Pillen stand? Hatte ich unter Hypnose nicht versucht, Larrys Befehlen zu gehorchen und die unmöglichsten Dinge zu tun? Außersinnliche Wahrnehmungen sind größtenteils etwas Tierisches, und ich war nur ein Empath gewesen, der die Gefühle der Leute aufnehmen konnte; wie ein Tier, das herausfinden will, ob man ihm freundlich oder feindlich gesinnt ist.

Während der Hypnose hatte Larry mich gesteuert und dazu gedrängt, mich auf das Wissen bestimmter Experten einzustimmen. Ich hatte ihren Berufsstolz kennengelernt und wußte, daß sie Freude empfanden, wenn sie gute Arbeit geleistet hatten. Wenn etwas danebengegangen war, sorgten sie sich. Als ich darüber nachdachte, kam das ganze Expertenwissen zu mir zurück, als sei es mein eigenes. Ich konnte mir die Bildung dieser Leute aneignen und ein Allround-Experte sein.

Anwesend waren zwei Detektive und ein uniformierter Polizist. *Befriedigt; sie hatten eine Arbeit beendet und einen Kriminellen seiner*

Bestrafung zugeführt. Nun fragten sie sich, wie ihr nächster Auftrag aussah. Und als trügen sie ein offenes Buch mit sich herum, wußten sie alles über die Fälle, auf die man sie angesetzt hatte. Da war auch ein Neurologe – und ein Techniker, der die Anlage eingestellt und die Schaltungen vorgenommen hatte. *Zu schnell zum Höhepunkt. Keine Zeit mehr, das Gas wegzunehmen.* Sie hatten sich alle in einer Halle versammelt und sahen hinter einer Bahre her, die gerade in den Aufzug nach unten geschoben wurde. Die Türen schlossen sich zischend, dann war der Junge auf der Bahre weg.

Neben mir sagte ein Rechtsanwalt: „Er hatte den Daumen im Mund!" *Habe ich gute Arbeit geleistet? Habe ich seine Rechte geschützt?* In seiner Erinnerung lief der Fall noch einmal im Zeitraffertempo ab. Ich bekam einen Schnellkursus in Rechtswissenschaften. Man hatte ihm eine Totalwäsche verpaßt. Das war außergewöhnlich. Der Junge auf der Bahre war einmal Larry gewesen, aber jetzt war er es nicht mehr. Sie würden ihm eine neue Bildung verpassen und einen anderen Namen geben. War Larry Rubaschow damit gesetzlich für tot erklärt? *Ist Identitätsverlust gleichzusetzen mit der Todesstrafe?* fragte sich der Rechtsanwalt. *Wenn ja, habe ich dann alles getan, um meinen Klienten vor einer möglichen Exekution zu bewahren?*

Der Wächter starrte immer noch gedankenverloren auf die geschlossene Aufzugtür und streckte eine Hand nach mir aus. „Ihren Paß, bitte."

Ich durchwühlte meine Taschen und holte den Ausweis hervor, mit dessen Hilfe ich diese Abteilung schon vor einem Monat besichtigt hatte. Er war zerknickt und sah alt aus.

Der Wächter musterte ihn verwundert. „Der ist ja schon einen Monat alt. Wo ist der von heute, Herr Doktor?" Er warf noch einen Blick auf den Paß. „Äh, Mr. Sanford."

„Sanford?" Einer der Detektive drehte sich herum und musterte mich mit einer Wachsamkeit, als hätte er meinen Steckbrief vor seinem inneren Auge. „George Sanford?"

Ahmed hatte gesagt, ich sollte im Bett bleiben, bis sie mich von der Liste der Gesuchten gestrichen hatten. Ich war zu schnell aufgestanden. Ich war immer noch ein gesuchter Verbrecher.

Sie waren ungeheuer clever und routiniert. Man nahm mich mit ein paar freundlichen Worten fest, sie präsentierten mir einen Computer-Printout mit allen Beweisen, die man gegen Larrys Überfallkommando hatte, zeigte mir die gesammelten Fingerabdrücke und fragte mich, ob ich etwas dagegen hätte, mich an einen Lügendetektor anschließen zu lassen und meine Version der Ereignisse zu erzählen.

Schließlich saß ich in einem Sessel vor einem Lügendetektor und erzählte meine Version. Der Rechtsanwalt fragte mich, ob er mich vertreten solle, und gegen Ende der Geschichte bat er mich, etwas tiefer in die Einzelheiten zu gehen und genau zu berichten, warum ich Weeny gefolgt war und ihn davon abgehalten hatte, mit seinen Bomben die Wasserleitungen in die Luft zu jagen. Aber ich mußte erklären, daß ich unter Drogeneinwirkung gestanden hatte und deswegen nicht mehr viel wußte, was ich getan hatte und warum. Der Anwalt sah daraufhin enttäuscht aus. Ich erklärte ihm auch nicht, daß ich Selbstmord begangen hatte. Das war eine persönliche Sache.

Die Detektive hatten sich Notizen gemacht. Sie nahmen noch einmal jeden kleinen Bruch durch, an dem ich als Gegenleistung für Larrys Streitgespräch beteiligt gewesen war, und fragten mich, was ich dabei getan hatte. Und dann wollten sie alles darüber wissen, was man mich gefragt und was ich den anderen an Informationen gegeben hatte. Meine Antworten wurden aufgezeichnet, und die Detektive nickten mir zu und lächelten ununterbrochen.

Der Neurologe kam schließlich herein und sagte: „Empfehle mildernde Umstände aufgrund eines heilbaren, neuropathischen Leidens, falls es zu einer Behandlung kommt." Er ging wieder.

„Knast oder Rehabilitation?" fragte mein Anwalt. „Treffen Sie eine Wahl. Sie haben genug auf dem Kerbholz, um ein Jahr hinter Gittern zu verschwinden. Wenn Sie die Rehabilitation wählen, besteht die Möglichkeit, daß man Ihnen eine mehr oder weniger große Gedächtnislücke verpaßt, damit Sie vergessen, wen Sie auf dem Kieker haben. Aber wenn Sie die Sache hinter sich haben, können Sie gleich wieder raus."

„Rehabilitation", sagte ich. „Ich habe überhaupt keinen auf dem Kieker." Warum wollen die Menschen einen immer in einen Käfig sperren?

„Dann trennen sich jetzt unsere Wege. Beim nächsten Mal kriegen Sie einen Verteidiger, einen gesetzlichen Berater von der psychiatrischen Fraktion," sagte mein Anwalt, und damit war die Sache für ihn gelaufen. „Viel Glück." *Den meisten tut es nicht weh. Es ist besser, frei zu sein,* dachte er. Die Welle seines Gedankens erreichte mich und war voll des berufsmäßigen Stolzes wegen seines Bemühens um einen Klienten. Es war ein starkes Gefühl mit guten Vibrationen.

Wärter in weißen Kitteln führten mich in einen Raum. Ich nahm auf einem alten Eichenstuhl vor einem Eichenschreibtisch Platz. Hinter dem Schreibtisch saß ein väterlich aussehender Mann mit weißem Haar und einem gestutzten weißen Bart. Er legte die Handflächen gegeneinander, bewegte die Fingerspitzen und strahlte insgeheim Machtgefühle aus, die zu einem Hitler gepaßt hätten.

„George Sanford", sagte er, „Ihre Akte enthält noch ein paar zusätzliche Punkte, die darauf hindeuten, daß Sie sich von einem gesunden Durchschnittsbürger Ihrer Altersstufe unterscheiden. Die neuesten Berichte über die zweifelhaften Handlungen, deren Verantwortung möglicherweise ebenso wie die verbrecherischen Aktionen selbst anderen anzulasten ist – ohne daß Sie sie an ihrem Tun hinderten –, hat Ihrer Akte ein paar Negativpunkte eingetragen und dazu geführt, daß die Gesamtsumme Ihrer an der Grenze zur antisozialen Tätigkeit liegenden Aktivitäten zwanzig Punkte überschritten hat. Aufgrund dieser Tatsache sind Sie für eine Persönlichkeitskorrektur fällig. Haben Sie angesichts dieser Lage den Wunsch, in irgendeiner Weise Ihre gerade gemachten Zeugenaussagen und Geständnisse zu relativieren?" Er sah mich traurig über seine gefalteten, betenden Hände hinweg an und lachte sich insgeheim eins.

Der Bursche erinnerte mich an einen jener Sadisten, die laut Ahmed früher in den Nervenkliniken gearbeitet hatten. Wie kommen Menschen wie dieser bloß in solche Positionen, ohne daß man sie erkennt?

„Meinen Sie damit, ob ich das, was ich Ihnen über meine Zusammenarbeit mit Larry erzählt habe, widerrufen will?"

„Ja, so ungefähr." Er gab seine betende Haltung auf, faltete die Hände richtig und legte sie auf die Tischplatte.

„Nein. Ich glaube nicht, daß ich etwas anderes sagen will. Kann ich noch mal hören, was ich gesagt habe?"

Er spielte das Band noch mal ab. Es waren nur die Fragen, die die Einbrüche betrafen, bei denen ich geholfen hatte.

„Okay", sagte ich. „Das habe ich getan. Ich versuchte Larry klarzumachen, daß es falsch war, aber er hatte immer gute Gegenargumente auf Lager. Das Band ist in Ordnung."

„Wollen Sie dann bitte diese Bandabschrift unterschreiben?"

„Was steht denn drin?"

„Es gibt nichts anderes wieder als das, was Sie auf Band gesprochen haben. Würden Sie bitte hier unterschreiben?"

„Okay." Ich unterschrieb.

Er ließ eine Glocke läuten. Weißgekleidete Männer kamen herein, steckten mich in eine weiße Jacke mit unheimlich langen Ärmeln, wickelten sie mir zweimal um den Bauch, so daß meine Arme eng an meinem Körper lagen, und schnürten sie mir hinter dem Rücken zu.

„Was ist das?"

„Eine Zwangsjacke."

Sechs Männer eskortierten mich in einen kleinen, weißen, mit gepolsterten Wänden ausgestatteten Raum und setzten mich auf ein Ding, das wie ein elektrischer Stuhl aussah. Zwecklos, gegen sechs Mann kann man nichts machen.

Ich bin im allgemeinen ein glücklicher Mensch, weil ich meine Nase nicht in anderer Leute Angelegenheiten stecke und nicht gegen das System kämpfe. Aber jetzt suchte ich nach einem Ausweg. Ich stimmte mich auf die Männer ein und suchte in ihrem Gedächtnis nach Fällen, in denen Gefangene entkommen oder Behandlungen abgesagt worden waren. Wie?

Sie hatten keine Antworten. Sie konnten sich nicht daran erinnern, daß je ein Gefangener ausgebrochen oder eine Behandlung abgesagt worden war. Sie waren davon überzeugt, daß das, was sie taten, in Ordnung war. Sie glaubten, daß ein Gefangener, nachdem man ihm eine Gehirnwäsche verpaßt und rehabilitiert hatte, in der Freiheit ein besseres und glücklicheres Leben führen würde.

Sie befestigten ein paar Kabel an meinem Halsrücken. Ich fing an wütend zu werden, da sie mich wie einen Gegenstand behandelten. Aber dann fiel mir ein, daß der Grund für diese rauhe Behandlung darin lag, daß man die Autorität haßte. Auf was man auch immer stinksauer war, auf was man sich auch immer mit all seinen Gefühlen konzentrierte – die Kabel würden es mit einem riesigen, weißen Blitz, der einem Orgasmus, einem starken Schmerz oder Schlag ähnelte, auslöschen. Wenn ich mich von ihnen auf die Palme bringen ließ, würden sie mich der Fähigkeit berauben, dem System gegenüber wütend zu sein. Und dann würde ich lächeln, wenn andere Leute von irgendwelchen Vorschriften herumgestoßen wurden.

Die Zwangsjacke und die Lederriemen beengten mich kaum, dennoch konnte ich mich nicht rühren. Ein Arzt maß an meiner Halsarterie meinen Pulsschlag. „Gewicht zweihundert?" Er setzte eine Spritze an eine markierte Stelle meines Halses und jagte mir die ganze Ladung hinein. Die Auswirkung der Injektion bestand aus einem Zusammenziehen meiner Muskulatur. Ich hatte ein beengendes

Gefühl in der Brust und bekam Angst. Aber das lag an den Chemikalien und hatte keine Ähnlichkeit mit meinen bisherigen Gefühlen.

Der Arzt trat zurück. Unsere Blicke trafen aufeinander, und ich versuchte ihn zu packen, damit er das gleiche fühlte wie ich. Ich arbeitete meistens unter Notfallbedingungen. Während meiner gesamten Kindheit hatten die Lehrer für mich die Formulare ausgefüllt. Der Azteken-Priester hatte die Opferungszeremonie unterbrochen. Wenn der Arzt erkannte, daß er das gleiche fühlte wie ich, würde er Angst kriegen, daß die Gehirnwäsche auch ihn in Mitleidenschaft zog – dann mußte er die Behandlung sabotieren. Aber ich konnte mich nicht auf ihn einstimmen. Er war nicht richtig da. Er verfolgte einen Gedanken und hatte ein Gefühl, daß ich weder lokalisieren noch verstehen konnte.

Der Arzt starrte in mein Gesicht und versuchte darin zu lesen, so wie ich in seinem. Wir versagten beide. Möglicherweise fragte er sich, warum ich nichts sagte.

Aber was ich auch sagen würde – nichts würde mich hier herausbringen.

Der Arzt und seine Helfer gingen hinaus. Die Tür schloß sich mit einem sanften Geräusch hinter ihnen. Alles war hier schalldicht. Es war sehr still in diesem Zimmer, und die Wände waren gepolstert. Ich saß da, nicht beengt, aber unfähig zu einer Bewegung, und hatte Kabel an der Stirn und an meinem Halsrücken.

Hatte eigentlich jeder das Verlangen, andere Menschen einzusperren, um sich daran zu weiden? Ich erinnerte mich an das Macht- und Überlegenheitsgefühl, das Weeny verspürt hatte, als ich in dem Käfig lag und er frei war. Weeny war eine armselige Persönlichkeit, aber auf seine jämmerliche Art war er doch eben ein Mensch. Er war kein Außenseiter, nur ein gemeiner, schmutziger Mensch. (Man muß die Macht und das Gefühl, das sie einem gibt, schmecken. Wer andere kontrolliert hat Freude an der MACHT und freut sich, frei zu sein. Ein Kitzel auf meiner Stirn und ein weißer Blitz in meinen Gedanken, der ELEKTRIZITÄT erzeugt.)

Strom. Verteidige dich, George. Geh' das Böse an, indem du es verstehen lernst. Der Guru hatte mir diesen Rat gegeben. Ich muß die Schweine verstehen lernen und ihnen vergeben – oder ich werde auf die gleiche Weise sterben wie Larry. Der Arzt! Ich hatte mich über den Arzt geärgert! (Schock.) Ich muß ihn schnellstens VERSTEHEN. Ich tastete nach ihm und fand ihn in einem Raum mit dem Techniker, der seine Instrumente beobachtete. Ich wurde zu ihm und schaute durch seine Augen.

Der Techniker wandte ihm den Rücken zu. Die Skalen befanden sich auf einer abgeschrägten Armatur, und die Kleinbildschirme zeigten mit flatternden Linien meine Pulstätigkeit an. Unter jeder Funktionstaste befand sich ein rotes Schild, das dem Benutzer Warnungen und Instruktionen entgegenschrie. Die Anlage war idiotensicher. Durch die Augen des Arztes versuchte ich die Texte zu lesen.

Dem Arzt fiel plötzlich auf, daß er die Anlage mit einem Blick maß, als hätte er sie nie zuvor gesehen. Er versuchte sich zusammenzureißen. (Schock.) Er versuchte er selbst zu sein. Seine Anstrengungen kamen zu den meinen hinzu. (Schock.) Arzt.

Ohne sich umzudrehen sagte der Techniker: „Er ist noch nicht im Feedback drin. Der Input geht ins Leere. Puls gleichbleibend fünfundachtzig. Seine Neurose wird nicht berührt. Vielleicht haben wir ihn nicht wütend genug gemacht, Doc. Als wir rausgingen, lächelte er. Vielleicht sollten Sie noch mal zu ihm reingehen und ein paar Grimassen schneiden."

„Mehr Saft", sagte der Arzt, der wütend auf den Techniker wurde. Der Strom floß in mein Gehirn, lief durch die Kanäle meiner Empfindsamkeit und traf seltsamerweise auf die Irritation des Arztes, der sich über den Techniker aufregte und so noch wütender wurde. Die Innenwelt des Mediziners stand jetzt in Flammen. „Ich sage Ihnen, wann Sie aufhören sollen. Machen Sie langsam weiter."

Der Techniker drehte langsam einen Knopf, bis er in ein rotgestricheltes Gebiet wies. Dahinter lag der rotmarkierte Gefahrenbereich. „Puls neunzig und gleichbleibend. Keine Rückkopplung auf den Input hin; ich krieg' immer nur ein verwaschenes Echo."

„Aber ich gehe jede Wette ein, daß er jetzt nicht mehr grinst", sagte der Arzt und hielt mit stoischem Gleichmut den Stromfluß aus, der von mir kam und seinen Genuß zu einer schmerzhaften Lohe der MACHT STÄRKE und KONTROLLIERTEN FREUDIGEN RACHE verstärkte. Er war daran gewöhnt, seine Wut verbergen zu müssen. Die Stimme des Technikers brachte ihn wieder zur Besinnung.

„Er ist gut in Form; der kann eine Menge aushalten", sagte der Techniker. „Atmung regelmäßig, Puls verlangsamt sich wieder; neunundachtzig, fünfundachtzig, und dabei bleibt's."

„Geben Sie soviel Saft, bis sein Puls über hundert drauf hat." Daß das zuviel war, wußte er.

„Warum eine Überdosis?" ließ ich meine Frage in seinem Kopf laut werden. Der Stromschub übertrug meine Neugier auf seinen Geist. Er hatte keine andere Wahl; er mußte seine „eigene" Frage beantworten.

Und so sagte er: „Eine geringe Erhöhung der elektrischen Kapazität hat keine Auswirkungen, es sei denn, die Persönlichkeit reagiert mit einem obsessiven Feedback. Die ruhigen, lächelnden Typen wie der große Bursche mit dem gleichbleibenden Pulsschlag, den wir jetzt haben ... Sie sind nie mit der nach allen Richtungen drängenden Feindseligkeit der üblichen Kriminellen ausgestattet. Er würde mit dem gleichen Lächeln herausmarschieren, mit dem er hereingekommen ist, wenn ich ihm nicht ... wenn ..." Er hielt nervös inne und fragte sich, ob er eine Frage beantwortete, die der Techniker wirklich gestellt hatte.

Die Stromzunahme zwang ihn dazu, interessiert zu sein, aber er spürte die Schocks, und das verwirrte ihn. Es war eine fremdartige Doppelsensation für ihn, gleichzeitig ich und er selbst zu sein.

Der Techniker sagte: „Sie glauben, daß der Bursche weder krank noch einer der üblichen Verbrecher ist? Ist es das, was Sie meinen?" Er wandte kurz den Kopf und musterte den Gesichtsausdruck des Arztes mit einem ernsten Blick. „Und deswegen geben Sie ihm eine Überdosis, stimmt's? Damit Sie gut dastehen, damit jeder Patient irgendwas von Ihren Bemühungen hat. Wer krank eingeliefert wird, wird als geheilt entlassen; wer gesund eingeliefert wird, geht krank! Was sind Sie doch für ein großartiger Arzt." Er fuhr fort damit, den Schalter in den Rotbereich hinaufzuschieben.

„Ich werde dafür sorgen, daß Sie rausgeschmissen werden", sagte der Arzt mit erstickter Stimme und bekämpfte das Verlangen, dem Mann seine eigenen Kabel um den Hals zu wickeln und ihn an einem elektrischen Schlag sterben zu lassen.

„Ich befolge Ihre Anweisungen ja, Doc", sagte der Techniker. „Ich erhöhe die Spannung ja. Sie haben überhaupt keinen Grund, sich über meine Arbeit zu beschweren. Und was Sie gegen das Recht auf freie Meinungsäußerung haben, tragen Sie am besten meiner Gewerkschaft vor."

Der Arzt entschloß sich, die Vorschriften gegen diesen Techniker auszuspielen. Vielleicht konnte er ihm sogar eine Gehirnwäsche verpassen lassen.

Mann, welche Schlechtigkeit. Stimm' dich auf das Böse ein, George. Wie viele von denen, die Leute einsperren und dirigieren, gehören zu jener Sorte Mensch, die insgeheim Spaß daran haben, es für die anderen noch schlimmer zu machen? Ich erinnerte mich an den „gesetzlichen Verteidiger", erinnerte mich an heimliches Gelächter. Ich erinnerte mich gut daran. Ich erinnerte mich auch an diese väterliche Stimme. Ich stimmte mich auf ihn ein und er fing an zu brennen. (Schock.) GELÄCHTER. Brennen. Ich ließ meinen Geist herumschweifen und stimmte mich auf ihre Gedanken ein. „Macht über andere ist Rache." Je mehr, desto besser. Der Strom brachte meine Muskeln zum Zittern und zum Zucken. Gib es weiter, gib es durch. Schick's zu den anderen. Sie sollen nicht mir die Schocks verpassen, sondern den anderen.

Die meisten von denen, die ich berührte und auf die ich mich einstimmte, fingen an, sich in zunehmendem Maße in Feuerlohen aus schmerzerfüllter Freude und Haß, Stärke und Pein zu entwickeln. Viele dieser Geister waren neurotisch entflammbar; wie viele es waren, zählte ich nicht. Da waren viele flammende und kreisende Gedanken, die irgendwelchen Leuten gehörten. Die nächste kurze Ewigkeit war sehr übel – als würde man in Gesellschaft einer Dämonenhorde in die Sonne stürzen.

Ich ließ mich treiben, war nicht ich. Erfasse das Böse, George. Wenn viele Menschen sich an den Händen halten und einer von ihnen einem Schock ausgesetzt wird, wird der Schlag nicht kleiner; alle fühlen das gleiche, und die mit den schwachen Herzen sterben.

Das Netz aus den Kettengliedern einander ähnlicher Geister und Schuldgefühle flammte hell auf und erlosch – wie stromgespeiste Weihnachtskerzen nach einem Kurzschluß.

Stille. Ich saß mit geschlossenen Augen ruhig in einem stillen Raum.

Auf irgendeiner Bergspitze war es kühl und etwas neblig. Die Sonne stand noch im Osten. Das Meer im Westen war dunkelblau und machte einen kühlen Eindruck. Eine Reihe von Leuten waren damit beschäftigt, einen Garten zu pflegen, und bauten zwischen einigen kleinen Hütten ein Haus. Plötzlich hörten sie auf zu arbeiten. Jemand mit einer Hacke sagte sehr deutlich: „Was war das?"

„Eine Art Blitz. Fühlte sich wie eine Überladung an."

„Aber er war gesteuert, kontrolliert. Jemand setzt Energie ein."

„Gedankentätigkeit einstellen, die Spur verfolgen."

„Es fühlt sich an wie dieser Mann mit der Kontrollfähigkeit."

„Gedankentätigkeit einstellen."

Sie nahmen in Meditationsstellung auf dem Boden Platz und schlossen die Augen.

Sie verschwanden aus meinem Blickfeld. Die Augen, durch die ich sie gesehen hatte, waren geschlossen. Die Augen eines anderen!

Ich machte meine Augen auf und versuchte aufzustehen. Ich war in einem kleinen Raum, in einem kleinen, weißen Raum. Ich war an einen Stuhl gefesselt. An meiner Stirn baumelten Kabel herab, und eine Leitung in meinem Nacken versetzte mir einen leichten Schlag, der aber nicht besonders weh tat. Nichts, auf das er ansprechen konnte. Keine Gedanken.

Ich ließ meinen Geist herumtasten. Alle, auf die ich mich einge-stimmt hatte, waren verschwunden. Es war still in dem großen Saal, wo der Techniker mit leerem Blick auf die Schalter starrte. Er hatte seinen Teil abbekommen; eine kleine Stelle in seinem Kopf war ausgebrannt; langsam fing er an, seinen Beruf zu vergessen. Hinter ihm lag der Arzt mit dem Gesicht nach unten auf dem Boden. Auf dieser Etage war niemand mehr bei Bewußtsein.

Ich (Schock) wollte, daß der Techniker den Strom abschaltete.

Ich saß in diesem Sessel fest. Der Strom war zu weit aufgedreht. Ich verrenkte meinen Kopf und versuchte die Elektroden abzureißen, die mich von hinten gepackt hielten.

Die Stimmen kamen wieder. Lauter. Sie kamen mir bekannt vor. Es waren die Stimmen, die ich immer hörte, wenn ich halluzinierte. „Ich hab's. Es ist George, der die Gehirne kontrollieren kann. Er hat gerade einer Bande von kleingeistigen Bürokraten eine Gehirnwäsche verpaßt, indem er sich auf ihren Sadismus eingestimmt und ihnen ihre ganze Erbärmlichkeit gezeigt hat."

„Sprech' ihn noch mal an, wenn er anfängt, sich darüber zu freuen. Vielleicht können wir ihn diesmal zu einem *Ja* bewegen."

(Schock.) Ein warnendes Kitzeln an Nacken und Stirn, ein kleiner, weißer Blitz, der meine Gedanken durchkreuzt. Niemand da, der jetzt noch weitermachen könnte. Verschwende keine Zeit damit, auf Traumstimmen zu hören. (Schock.) Raus hier, bevor der Strom sich auf dich stürzt und dich löscht. In dem Raum, der jenseits des Korri-dors lag, saß der diensthabende Techniker auf seinem Stuhl, starrte die Schaltkonsole an und versuchte sich daran zu erinnern, wozu sie diente. Ich verdrehte noch einmal den Kopf und versuchte die Elektro-den loszuwerden, die von meinem Nacken herabbaumelten.

Plötzlich langte ich durch das Bewußtsein des Technikers und bewegte seine Hand auf den rechten Schalter zu. Die Handlung, die ich vornahm, kam mir komisch vor. Ich hatte dabei das kindische Gefühl, etwas zu tun, das verboten war und das ich seit langer Zeit nicht mehr getan hatte.

„Er tut es. Er ist es, und er ist hellwach."

„George Sanford", sagte eine Stimme in meinem Kopf. „Der Kontrolleur. Wir haben dich gefunden. Sieh mal, es ist gut, die Leute zu kontrollieren. (Schock.) Du kontrollierst jemanden und verfolgst dabei doch ein ehrenwertes Ziel."

Die Stimme (Schock) fuhr fort: „Ich empfange einen unklaren Eindruck von Elektrizität und Gefahr. Wo bist du?" (Schock.)

Ich hatte die Hand des Technikers jetzt am richtigen Schalter und gab ihr den Befehl, den Stromfluß zu unterbrechen. Die Hand machte eine zuckende Bewegung, aber sie wußte nicht mehr, wie mit der Schaltung umzugehen war. An der Stelle, wo sich einst das dementsprechende Wissen befunden hatte, war nur noch eine weiße, ausgebrannte Leere. Der Zeiger stand im Rot. Der Techniker wußte, daß dies Gefahr bedeutete und er vorsichtig sein mußte, aber das rote Feld hatte sich als eine böse Waffe in sein Gedächtnis eingeprägt, die auf hilflose Menschen angesetzt wurde. Irgendwie waren seine Besorgnis und seine Schuldgefühle – ein kleiner, unwichtiger Teil seins Ichs, den sein Berufsstolz bisher überlagert hatte – durch den Strahl, der das geheime Entzücken des Arztes beendet hatte, geweckt worden. Er starrte den Schalter an und versuchte sein zerfließendes Wissen zu fachmännischem Verständnis zusammenzuraffen.

Die Traumstimmen hatten mit ihrem üblichen Streitgespräch angefangen. Die Schocks führten dazu, daß es zu einem hellen Geschnatter wurde, in dem ich meine eigene Stimme, die in meinem Kopf sprach, mitreden hörte. (Schock.) Die Schocks fingen an, mich auf kindische Gedanken zu bringen. Menschen zu kontrollieren ist SCHLECHT. (Schock.) Wer gesteuert wird, läßt die Milch fallen. Die Schocks erreichten einen Höhepunkt. Etwas fing Feuer. (Schock.) ES WAR NUR EIN SPIEL. ICH WOLLTE NIEMANDEN UMBRINGEN. DAS SILBERNE FLUGZEUG STÜRZT AB. (SCHOCK.) ICH HAB' ES GESTEUERT ICH HAB' ES GESTEUERT.

Ein fünfjähriger Junge spielte Flugzeug und lief summend und in Schlangenlinien mit ausgestreckten Armen über einen Hof. Seine Eltern waren im Inneren des fremden Hauses. Sie hatten das silberne Flugzeugmodell, mit dem er sonst spielte, nicht mitgenommen.

Das Kind hörte auf zu summen und beobachtete eine silberne Maschine, die am Himmel kreiste. Seine Mutter hatte ihn gebeten und angefleht, damit aufzuhören, den Leuten zu sagen, was sie tun sollten. Aber sie wünschte sich, daß er spielte und glücklich war, solange sie sich in diesem Haus aufhielt. Wenn er ein silbernes Flugzeug zum Anfassen gehabt hätte, wäre er glücklich gewesen.

„Fluchßeuch", sagte seine piepsige, kindliche Stimme. „Fluchßeuch, komm' runter." Dann rannte er weiter umher und summte und stellte sich vor, daß er die Kontrollen der Maschine mit Händen und Füßen bearbeitete. Es war alles sehr echt und er kam sich vor wie ein richtiger Pilot. „Der Hof da ist *zu klein,* um auf ihm zu landen", sagte der wirkliche Pilot oben am Himmel, und so machte der Junge ihn glauben, daß es hier unten einen großen Landeplatz gab – wie in einem Film; ein Platz, auf dem Flugzeuge landen konnten. „Komm' runter, Fluchßeuch. Lande hier … hier …"

Es wurde größer. Es wurde sehr groß, größer, zu groß. Und es wuchs immer noch. Ich streckte die Arme aus, um es wegzustoßen. Große, silberne Tragflächen jagten brüllend über mir dahin, und dann hörte ich ein donnerndes Kreischen und wie etwas zerriß – wie bei einem Autounfall. Ich spürte, wie meine Eltern in dem Haus aufschreckten. Dann verstummten ihre besorgten Gedanken – für immer.

Ich rannte auf das Haus zu und sah, wie eine der Seitenwände langsam nach außen kippte und es Ziegelsteine regnete. Eine Badewanne kam mit zerknicktem Abflußrohr wie in Zeitlupe durch die Luft geflogen und krachte zu Boden. Es gab einen lauten Knall.

Ich hörte auf zu rennen und stand still. Rennen nützte jetzt nichts mehr. Ich konnte auch nichts mehr tun. Ich hatte es getan. Ich konnte noch Schlimmeres tun.

Sirenen. Menschen. Schreie.

Erwachsene, die sich herunterbeugen, bis ihre Gesichter ganz nahe sind. „Wie heißt du, Kleiner?"

„Hast du in dem Haus gewohnt?"

„Wo sind deine Eltern?"

„Meine Eltern waren zu Besuch hier. Ich wohne nicht hier. Ich habe keinen Namen. Laßt mich in Ruhe. Ich habe es nicht getan. Ich bin nicht ich."

„Natürlich hast du es nicht getan. Wie heißt du denn?"

Ich bin nicht ich.

„Wie heißt du denn?"

Sag' ich nicht. Ich hab' keinen Namen.

Vollständiger Name bitte. Familienname zuerst, dann erster und zweiter Vorname. Jahrelanges Ausfüllen von Formularen.

Warum fragen sie nur immer? Warum kann ich nicht antworten?

(Schock.) SILBERHELLE TRAGFLÄCHEN FLUGZEUG KOMM' RUNTER HELLGLÄNZEND HELLGLÄNZEND WEG KEIN GLANZ MEHR NICHTS! Weg, aufgelöst. Ich kann antworten. Wer bist du?

Mein Name ist Ralph George Ericson. Mein Vater heißt Ralphie, und meine Mutter nennt mich Klein-George. Ich wohne Altona Boulevard Nummer 1257. Das war bevor ich fünf wurde. Danach wohnte ich in Waisenhäusern und bei Pflegeeltern in New York City. Man gab mir den Namen George Sanford, weil ich niemandem meinen richtigen Namen sagen wollte. Ich hab' sie dazu gebracht, alle Formulare für mich auszufüllen und für mich zu schreiben. Aber sonst habe ich niemanden um irgend etwas gebeten. Ich tat, was sie wollten.

Als ich fünf war, konnte ich die Leute kommandieren. Ich hab' ihnen heimlich Befehle gegeben. Ich glaube, ich kann es noch immer.

Warum ich es nicht immer gemacht habe? Aus irgendeinem Grund, den ich beinahe vergessen habe. Ein silbernes Flugzeug.

Ich versuchte das silberne Flugzeug noch einmal durch meine Erinnerung fliegen zu lassen, aber nichts geschah. Die Erinnerung war weg. Ich saß in einem kleinen Raum in der Kriminellenabteilung des Hospitals und hatte eine Zwangsjacke an, die meine Arme unbeweglich machte. Man unterzog mich einer Gehirnwäsche und hatte aus Versehen den Strom nicht wieder abgeschaltet.

Meine geistigen Fühler tasteten durch den Korridor. Niemand war bei Bewußtsein.

In dem Raum jenseits des Korridors kniete der Techniker neben dem Arzt auf dem Fußboden und fühlte dessen Puls. Ich gab ihm einen Befehl, und er kam rüber, löste die Elektroden von meinem Kopf und befreite mich von der Zwangsjacke.

Ich stand auf und reckte mich.

„Das vergessen Sie", sagte ich zu ihm.

Er nickte.

Ahmed fand mich eine Stunde später. Ich lag schlafend in meinem Krankenbett und hatte das Anstaltsnachthemd wieder an. Meine Kleider hingen an einem Haken im Schrank.

Ahmed rüttelte meine Schulter und redete auf mich ein.

„Die rätselhafte Epilepsiewelle in der Gehirnwäscheabteilung hat ganz schöne Kreise gezogen. Es ging los, als sie dich in Behandlung hatten, und traf genau die Bürokratentypen, die dir schon immer ein Dorn im Auge waren – jene, die du am meisten für deine Schwierigkeiten verantwortlich machen würdest. Du hast ja noch nie diese Tintenkleckser ausstehen können, die ewig irgendwelche Formulare ausgefüllt haben wollten. Ihre Symptome ähneln Überdosis-Löschungen und erinnern an die Elektroschocktherapien alten Stils. Ich habe dich zwar ein paarmal wütend werden sehen, George, aber noch nie gewalttätig. Was hast du dazu zu sagen?"

„Zu sagen?" fragte ich. „Wozu?"

„Du glaubst doch wohl nicht etwa, du könntest all diesen Leuten eins verpassen, ohne daß man dir auf die Schliche kommt?"

Ich drehte mich um und machte die Augen auf. Sie waren geschwollen. Ich hatte einen schlechten Geschmack im Mund. Es war sehr schön gewesen, einen tiefen Schlaf zu haben und nicht von diesen schmeichelnden Stimmen aus Kalifornien oder irgendwelchen Alpträumen aus der Vergangenheit gequält zu werden. Alles, was ich wollte, waren gute und angenehme Träume von Mädchen, Liebe und Glück. Nur zögernd kehrte ich in die Wirklichkeit zurück. „Wer weiß denn schon, was ich angestellt habe?"

„Der Statistik-Computer. Er hat ein paar Vergleichsrechnungen angestellt und dabei eine hübsche kleine Korrelation zwischen der mysteriösen Epilepsiewelle und deiner Behandlung entdeckt."

Einen Augenblick lang schloß ich die Augen. Der Computer war eine Petze. „Dann frag' diesen Hundesohn doch mal, wie er Larry Rubaschows Gehirnwäsche entschuldigt."

Ahmed brabbelte etwas in seinen Armbandsender und schob sich einen Stöpsel ins Ohr. „Er sagt, er würde in solchen Fällen niemals eine Gehirnwäsche empfehlen, es sei denn, es handele sich um eine medizinisch nachweisbare Funktionsstörung", berichtete er. „Und er sagt noch eine Menge mehr."

Ich rollte mich auf den Bauch und vergrub das Gesicht im Kissen.

„Seit Larry an dem Computer herumgefummelt und ihm gutes Englisch beigebracht hat, redet die Kiste zuviel. Sie sucht sogar in der Literatur nach passenden Metaphern. Kein Wunder, daß die Leute sich beschweren! Im Moment zitiert er gerade das Gedicht vom Patrioten von Robert Browning. In voller Länge! Soll ich es für dich wiederholen?"

„Nein, danke. Frag' ihn, was er darüber denkt, daß ich der Gehirn-wäsche entkommen bin."

Ahmed murmelte etwas in den Sender hinein, dann berührte er meine Schulter und sagte leise: „Der Computer sagt, du seist der Gehirnwäsche nicht entkommen. Man hat dich einer freiwilligen Persönlichkeitskorrektur unterworfen, und nach dem Gesetz bist du frei. Man hat dir etwas gelöscht." Er hatte wohl Angst, daß sein alter Kumpel George nicht mehr derselbe war.

Das machte ihm zwar Sorgen, aber nicht mir. Ich weiß, wo ich mich verändert habe, und ich weiß auch, wie. Ich öffnete die Augen und starrte auf das Bettlaken, das nur zwei Zentimeter von meiner Nase entfernt war. Es bestand aus einer Filzfaser, wie diese großen Papier-handtücher. „Weder ich noch die anderen sind tot. Frag den Compu-ter, ob es Sinn hat, der Polizei zu melden, daß ich all diesen Leuten eine Gehirnwäsche verpaßt habe."

Ahmed atmete tief ein. Er stand immer noch über mir. „Willst du ihn das wirklich fragen?"

„Ja."

Er murmelte etwas in den Armbandsender und wartete. „Er sagt, daß es kein Gesetz gibt, das dich für etwas verantwortlich machen kann, was bekanntermaßen unmöglich ist."

„Ich bin froh, daß er das gesagt hat", sagte ich. „Man hat mich soweit gebracht, daß ich nicht mehr anders konnte. Wenn jetzt ein Polizeiregi-ment hier hereinkäme, um mich festzunehmen … Ich glaube, ich bräuchte ihnen nur zu sagen, sie sollen aus dem Fenster springen, und sie würden es tun. Möglicherweise werde ich noch eine Menge anderer unmöglicher Dinge tun."

„Welchen Teil deines Ichs haben sie ausradiert, George? Dein Gewissen? Wen willst du als nächsten zur Schnecke machen?"

Ich nahm mit gekreuzten Beinen auf dem Bett Platz und fühlte, wie sich das Nachthemd auf meinem Rücken spannte. „Das solltest du nicht sagen. Daß ich es diesen Leuten gegeben habe, war ein Verse-hen, ein Unfall, eine Nebenwirkung. Aber dies hier ist etwas Besseres. Hör zu, Ahmed, es ist großartig. Ich habe vor kurzem entdeckt, daß ich Menschen steuern kann. Es ist eine Gabe."

Ahmed sah mich wieder an und fauchte angewidert: „Eine Gabe, klar, für einen kleinen Hitler! Fröhliche Weihnachten, George, das Christkind hat dir gerade eine hübsche, glänzende Maschinenpistole gebracht!"

Das tat weh. Es war ein Schlag in den Unterleib. Als wäre Weihnachten ausgefallen. Und Ahmed hatte Schuld daran. Es tat weh. Plötzlich schrie ich: „Aber das ist doch ganz etwas anderes! Ganz was anderes! Ach, halt doch die Schnauze!" Ich sah die Traumfragmente, die ich ablehnte, schob sie beiseite, versuchte mir einzureden, daß ich sie nie hatte haben wollen und keine Pläne in dieser Hinsicht hatte. Es waren die Träume, in denen ich selbst vorkam, mit einem Harem der begehrenswertesten Mädchen der Welt, denen ich befohlen hatte, unsterblich in mich verliebt zu sein. Ich sah das Gesicht Anns, ich sah ihre großen, liebevollen Augen und ihren nackten Leib – und ich schob alles beiseite. Ich sah mich in einem Traum als den Oberkommandierenden einer Armee; ich gab dem Präsidenten der Vereinten Nationen meine Anweisungen und sprach vor gewaltigen, gehorsamen Menschenmengen. Macht! Ich hatte die gleichen Machtphantasien wie die Hundesöhne, denen ich eine Gehirnwäsche verpaßt hatte!

Ahmed hatte all meine Träume von Macht und Ruhm zerstört. Er war ein Alpha, ein geborener Befehlsgeber. Er wußte, was die Macht war. Macht es etwa einen Unterschied, ob man den Leuten per Hypnose oder mit der Maschinenpistole in der Hand sagt, was sie tun sollen? Ich sah das Bild eines großen Schlägers, der den Leuten die Arme auf den Rücken drehte und sie so zum Gehorsam zwang. Ich? Ja, ich.

Ahmed hatte immer noch mehr drauf als ich. Das Blitzlicht seines Geistes zeigt Käfer in dunklen Ecken.

Ahmed grinste in einer sympathischen Art und übermittelte mir schweigend Botschaften in einer indianischen Zeichensprache.

Mir fiel ein, daß ich ihn angeschrien hatte. *„Halt die Schnauze!"* hatte ich geschrien. Er konnte nicht sprechen. Er war nicht fähig, auch nur einen Laut von sich zu geben. Es war beängstigend, als hätte ich meinem eigenen Gehirn befohlen, das Denken einzustellen.

„Mach' weiter, Ahmed, rede. Und mach' mich zur Schnecke", sagte ich. Ich war frustriert bis auf die Knochen. Das Ego hat manchmal ein absonderliches Verlangen. Ahmed stellte die unheimliche Gestikuliererei ein und grinste.

Ich erwiderte sein Grinsen.

„Laut meiner Definition ist derjenige ein vernünftiger Mensch, der mit mir einer Meinung ist", sagte er. „Hast du eigentlich in letzter Zeit irgendwas gegessen?"

Wir bestellten was, setzten uns im Schneidersitz an die Enden meines Bettes und teilten uns einen Riesentruthahn und einen großen Teller mit Beilagen. Truthahn, Preiselbeeren und Kartoffelbrei. Ein Festessen.

„Warum steht eigentlich das Nachtschränkchen auf der Toilette?" fragte Ahmed. Ich warf einen Blick ins Badezimmer. Es stand immer noch da. Wir gaben uns beide Mühe, nicht zu lachen.

Ahmed fing an, einen Witz zu erzählen. Es war nett und ruhig in meinem Krankenzimmer. Die Wände waren rotbraun gestrichen. Aber mir fiel ein, daß ich vergessen hatte, mit dieser Telepathengruppe in den kalifornischen Bergen fertig zu werden. Irgendwas hatte mich an sie erinnert. Irgendwas Unerklärliches.

Ahmed redete immer noch, aber es kam kein Ton. Irgendwas ging hier vor. In meinem Kopf erklang ein hochgradig schrilles Heulen. Ahmed fing an, sich hinter durchsichtigen Flecken aufzulösen. Er redete weiter und machte dabei stumme Gesten. Die durchsichtigen Flecken erschienen jetzt auch auf dem Fenster und auf den Wänden. Sie wurden größer und verschwammen zu einer leeren Welt aus herumwirbelndem Grau.

Langsam machte sich innerhalb des Graus ein wirbelndes Blau bemerkbar, das immer größer wurde. Ein bewölkter, blauer Himmel, helles Licht. Bruchstücke von Menschen begannen zu materialisieren. Sie saßen in einem Kreis um mich herum, Männer und Frauen in langen, pastellfarbenen Roben, die im Gras saßen. Weit in der Ferne senkte sich die Sonne in einem goldenen Schein dem Meer entgegen.

Ein hübsches, rothaariges Mädchen stand auf, kam auf mich zu und umarmte mich.

„Willkommen in Kalifornien, George." Die Umarmung fühlte sich echt an. Auch der Wind: Er war kühl, feucht und real. Ich schaute mir die Leute, die um mich herum saßen, an. Sie hatten Zeit meines Lebens versucht, mit mir in Kontakt zu treten, und waren so oft in meiner Einbildung aufgetaucht, daß ich ihre Gesichter kannte. Sie waren stets meine Freunde gewesen.

Aber ich wußte, was sie wollten. Sie wollten meine Befehlsgabe einsetzen. Sie wollten, daß ich mit meiner hübschen neuen Maschinenpistole zielte und den Abzug betätigte.

Sie brauchten den gleichen Tritt in den Hintern, den Ahmed mir versetzt hatte. Ich setzte mich bequem hin, nahm eine kampflustige Pose ein und machte ein finsteres Gesicht. „Was zum Teufel, wollt ihr von mir?"

Sie starrten mich an. Der sanfteste von ihnen sagte: „Du könntest uns dabei helfen, den Krieg zu beenden. Du brauchst nichts anderes zu tun, als die Führer zu beeinflussen. Wir richten ihre Erziehungssysteme zum Positiven hin aus, sorgen dafür, daß jedermann die Gesetze befolgen möchte, statten alle mit einem Instinkt aus, der automatisch zum Richtigen hinführt, und eliminieren die unterschiedlichen Wertvorstellungen, über die sie sich regelmäßig in die Haare kriegen."

„Frieden ist die Ursache von Kriegen", sagte ich, bloß um etwas Konträres zu sagen. „Die Menschen mögen den Frieden gar nicht." Ich versuchte mir auszudenken, wie ich ihnen am besten etwas über Machtverhältnisse erklären konnte.

Es schmerzt, wenn man die Macht aufgeben muß. Mir wurde schon wieder die Welt auf einem Tablett angeboten, die ich kurz vorher schon einmal abgelehnt hatte. Macht zur freien Verfügung; jedermann wird dich lieben, George, und außerdem hast du die besten Planer überhaupt im Rücken. Meine Erinnerung flüsterte mir zu: *Hinfort mit dir, Scheitan.* Ja, hinfort mit dir, damit du mich nicht versuchen kannst. Ich schrie: „Was, zum Teufel, gibt euch das Recht, für die Welt Entscheidungen zu fällen?"

Ich mag Leute, die Gutes tun. Sie sind im allgemeinen nett und haben gute Vibrationen. Aber – *ha! Macht über andere!* Das wollten die hier auch. Sie fingen an wütend zu werden. Ihre Vibrationen machten auch mich wütender, gleichzeitig aber glücklicher. Meine Angst vor der Versuchung wurde von guter, ehrlicher Wut hinweggespült. Die anderen kapierten nicht, worüber ich wütend war, aber natürlich blieb ihnen mein Gefühl nicht verborgen.

Das rothaarige Mädchen berührte meinen Arm. „Was ist los mit dir? Was ist geschehen? Ich kenne doch deine Seele. Du bist doch immer gutmütig, gehorsam, nett und freundlich gewesen."

Der Seewind blies durch mein Krankenhausnachthemd gegen meinen nackten Rücken. Was war mit mir geschehen? Noch nie zuvor hatte ich den Mumm aufgebracht, in Gegenwart einer friedlich meditierenden Kommune zu fluchen. Ich hatte mich verändert. Es machte mir Spaß, in ihrer Gegenwart zu fluchen. Es machte mir Spaß, sie auf die Palme zu bringen.

Larry fiel mir ein. Wie gut, daß er mir gezeigt hatte, daß jemand recht haben kann, auch wenn er auf dem falschen Dampfer ist. Es war gut, daß ich ihn getroffen hatte. Vielleicht hätte ich die Welt sonst für eine reife Frucht gehalten und sie mit dem Gedanken gepflückt, sie stünde mir zu. Es war auch gut, daß ich Weeny, diesen armseligen kleinen Schuft kennengelernt und mitangesehen hatte, wie sehr er seine jämmerliche Rolle genoß. Jetzt war er weg, aber seine Chance hatte er gehabt. Weeny hatte auf seine eigene Weise gelebt und einen fairen Preis dafür entrichtet. Der Blitz, der mein Gehirn getroffen hatte, hatte mich einer Schutzschicht beraubt, und nun kam alles das nach oben, was ich vor einer Woche nur halb wahrgenommen hatte. Du mußt das Böse *erfahren*, George. Ich hatte es erfahren. Es war ein Spiel. Schwarze Schachfiguren gegen weiße.

„Ich hatte heute eine Gehirnwäsche verpaßt bekommen", sagte ich. „Sie haben Dr. Jekyll ausradiert. Ich bin Mr. Hyde. Was wollt ihr von mir? Sagt es noch mal."

Die anderen standen auf. Mein Verhalten verstörte und alarmierte sie. Der älteste und respekteinflößendste sagte: „Du kennst die Antwort natürlich selbst. Wir möchten, daß du uns hilfst." Er hatte welliges Haar und stand stolz wie ein König da; wie Akbar Hisham, ein König der Hölle.

„Dann sag' ,bitte'", sagte ich und lachte.

Sie flatterten in ihren pastellfarbenen Roben herum wie eine Schar mißgestimmter Engel oder Leute im Bademantel nach dem Duschen. Sie brachten es nicht über die Lippen. Obwohl sie sich als niedrige Geschöpfe ansahen, obwohl sie sich selbst für die aufopferungsbereiten Diener des Guten in der Welt hielten, wollten sie sich nicht erniedrigen. Jeder einzelne von ihnen war ein Alpha, arrogant und herrschsüchtig, und hielt es geheim. Auch sie wollten die Welt beherrschen. Sie wollten den gleichen Harem, den auch ich hatte haben wollen. Sie hatten George um seiner Kräfte willen haben wollen; sie brauchten einen George, den sie insgeheim für ihre Ziele einspannen, vor Schaden bewahren und ab und zu mal loben konnten. Sie brauchten einen netten und gutmütigen Burschen, der für sie die Welt aus den Angeln hob und sie ihnen auf einem silbernen Tablett servierte. Ich lachte sie aus.

„Ihr wollt die Welt, damit ihr nach eigenem Gutdünken mit ihr verfahren könnt. Ihr wollt sie vor euch auf den Knien liegen sehen. Sagt ,bitte', aber kniet dabei nieder, ihr Schöpfer des Utopia, ihr Erleuchteten und unbestrittenen Herren des Geheimnisses der grenzenlosen Güte! Wenn ihr auf die Knie fallt, überlege ich es mir vielleicht noch einmal." Ich wartete.

Sie hüpften aufgeregt hin und her, schoben sich gegenseitig in den

Vordergrund und murmelten miteinander. Niemand kniete hin. Ich lachte.

„Ihr wollt den Menschen vorschreiben, was sie zu tun und zu lassen haben. Wenn ihr vorhabt, euch dermaßen herabzulassen, warum habt ihr dann etwas dagegen, selbst Befehle entgegenzunehmen?"

Ein Gemäßigter in blaßgrüner Robe schob sich aus der Menge hervor. Sein Gesicht verzog sich bei dem Versuch, sich mir zu erklären. „Aber wir wollen doch niemandem Befehle erteilen. Wir wollen die Menschen lediglich so kontrollieren, daß sie danach *verlangen*. Sie werden dann glauben, es sei ihre *eigene* Idee."

„Dann würde jeder das gleiche Rechtsempfinden haben", warf ein anderer nickend ein.

„Harmonie", sagte der Anführer. „Dann wird man in Brüderlichkeit und Harmonie leben."

„Zwillingsbrüder", sagte ich. „Menschen, am Fließband produziert. Was sie voneinander unterscheidet, wird verdeckt und verkleistert. Wo es keine Schöpfung gibt, findet auch keine Evolution statt. Evolution spielt sich dort ab, wo man unterschiedliche Auffassungen diskutiert, sich verwirklichen kann und man es entweder schafft oder nicht. Auf die Unterschiede kommt es an, aber Unterschiede, über die man streiten kann, wollt ihr ja abschaffen, nicht wahr? Was ihr wollt, sind Massenmenschen, die alle die gleiche Persönlichkeit haben und der gleichen Lebensauffassung anhängen. Nämlich *eurer.*"

„Unsere Lebensauffassung ist eine gute." Das rothaarige Mädchen hatte sich in die Reihe seiner Freunde zurückgezogen, aber jetzt machte sie einen trotzigen Schritt vorwärts. „Meine Freunde haben darüber meditiert. Wir haben Forschungsarbeit betrieben. Wir haben mit dem größten Geistern der Welt Kontakt aufgenommen. Wir haben Jahre damit verbracht. Wie viele Jahre hast du damit zugebracht, unsere Theorie zu analysieren, damit du sie zerlegen kannst?"

„Ich bin durch die Hölle gegangen, um das herauszufinden. Ich habe dabei festgestellt, daß man auch in der Hölle Spaß haben kann. Ihr wollt Heilige aus den Menschen machen. Damit nehmt ihr jedem Menschen die Chance, er selbst zu sein. Das ist Mord. Das ist Raub. Die ehrwürdigen und niederen Heiligen wollen den anderen ihr Leben nehmen."

Ich lachte. Ich wollte, daß sie wütend waren. Hätte ich ihnen befohlen, sich umzubringen, sie hätten es getan. Aber ich hatte nicht vor, sie zu irgend etwas zu zwingen. Die Sonne ging unter und machte den

Himmel über ihnen rot. „Ich bin nicht der Gehilfe, den ihr euch wünscht. Der, den ihr braucht, nennt sich Mr. Kracken. Er lebt in der Kommune 1949 in New York City. Ihr findet ihn im Telefonbuch. Er hat mindestens ein Jahrhundert auf dem Rücken und kennt sich ausgezeichnet in schmutziger Politik aus. Er wird euch zwar zum Teufel wünschen, aber er kann euch sicher erzählen, wie man mit Hilfe irgendeines tollen, schmutzigen Tricks einen Krieg zwischen der Erde und dem Asteroidengürtel verhindern kann. Kracken. Vergeßt den Namen nicht. Er schreibt sich mit K am Anfang. Wo bin ich hier? Wie heißt diese Gegend?"

Der größte Teil der anderen machte den Mund zu und glotzte. Irgendein Fettsack erwiderte gelangweilt: „Monterey, Kalifornien."

„Schickt mich zurück", sagte ich. „Auf der Stelle."

Sie nahmen nicht gern Befehle an. Einer von ihnen hob den Arm, wie ein Magier, um mich von einem Blitz erschlagen zu lassen. Ich zwang ihn mit einem Blick, den Arm wieder zu senken.

„Ich bin noch freundlich", sagte ich. „Ich setze nicht mal meine vollen Kräfte ein. Und ich habe noch mehr Tricks in der Hinterhand als ihr." Dann sagte ich: „Ihr habt mich unterbrochen, als ich gerade einem Witz zuhörte, den mir ein Freund erzählte. Leider kam ich nicht mehr dazu, die Pointe zu hören. Schickt mich also zurück."

Sie sahen einander an. Sie fühlten sich beleidigt und mußten die Luft anhalten, so sauer waren sie. Aber sie sahen nun ein, daß ich, solange ich dort saß und sie in der Umgebung ihrer eigenen Berge verspottete, von keinem Nutzen für sie war. Ich war nicht für ihre Zwecke geeignet. Keiner von ihnen hatte einen triftigen Grund auf Lager, mich dazubehalten.

Die Älteren umkreisten die Gruppe der Jüngeren. Kommentare wurden ausgetauscht. Sie zuckten die Achseln. Dann nickten sie. Die Gruppe formierte sich zu einem Kreis. Sie schlossen die Augen und schickten mich zurück.

Es war eine interessante Prozedur. Sie bestand aus einer Mischung aus Raum, Zeit, der vierten Dimension und schierer Vorstellungskraft.

Ich erschien wieder in New York und stand auf meinem Krankenbett.

Ahmed stand da und hatte eine Hand auf dem Telefon. Ich spürte seinen Schock. Er ließ die Luft vibrieren. Die Wände waren rotbraun und fest. Alles fühlte sich fest und gut an. New York. Ich war wieder in meiner Stadt.

Nachwort

Katherine Anne MacLean wurde am 22. Januar 1925 in Glen Ridge, New Jersey, geboren. Sie besuchte das Barnard College in New York und erwarb 1950 einen B.A., graduierte später in Psychologie und arbeitete zeitweise als Labortechnikerin in der Qualitätskontrolle eines Werkes der Lebensmittelindustrie. In erster Ehe war sie mit dem SF-Autor Charles Dye verheiratet – unter seinem Namen verfaßte sie übrigens drei Kurzgeschichten –, in zweiter Ehe mit dem Fantasyautor David Mason, und mit ihrem dritten Mann, Carl West, hat sie kürzlich ein Gemeinschaftswerk unter dem Titel *Dark Wing* veröffentlicht. Auch mit ihrem Sohn Chris Mason war eine Zusammenarbeit projektiert, aber diese Arbeit ist offenbar bisher noch nicht veröffentlicht worden. Ihre Karriere begann Katherine MacLean mit einer 1949 unter dem Titel „Defense Mechanism" in *Astounding* veröffentlichten Kurzgeschichte. Sie war eine der ersten weiblichen SF-Autoren und erwarb sich mit einer Reihe von Kurzgeschichten bald den Ruhm, naturwissenschaftliche Thematik mit psychologischen und soziologischen Komponenten zu verbinden. In den fünfziger Jahren schrieb sie einige vorzügliche Erzählungen, die zum Teil auch in einer Reihe von Anthologien immer wieder nachgedruckt wurden und werden. Zu diesen herausragenden Stories gehören zum Beispiel „Incommunicado", „Unhuman Sacrifice", „Pictures Don't Lie" und „The Snowball Effect" (letztere erschien übrigens in dem Moewig-Taschenbuch *Kopernikus 4*). Ihr erster Roman kam 1958 in *Astounding* heraus und erlebte 1962 eine Buchveröffentlichung. Er entstand in Gemeinschaftsarbeit mit Charles V. de Vet und ist formal eine spannende Space Opera, die allerdings einen interessanten soziologischen Hintergrund aufweist. Eine Kurzgeschichtensammlung erschien 1962 unter dem Titel *The Diploids*. Ihren größten Erfolg errang die Autorin jedoch mit der 1971 veröffentlichten Kurzfassung des vorliegenden Romans. Diese Novelle, in *Analog* (dem früheren *Astounding)* erschienen, gewann den begehrten *Nebula-Award,* jenen von der SFWA, dem Verband der amerikanischen SF-Autoren, verliehenen Preis für die beste SF des

Jahres. „The Missing Man" waren weitere in *Analog* veröffentlichte Episoden zum gleichen Thema vorausgegangen, und 1975 entstand aus diesen überarbeiteten Erzählungen der Roman *The Missing Man (Der Esper und die Stadt),* alles in allem Katherine MacLeans bestes Buch. Das Werk nimmt allerdings nicht nur innerhalb des relativ schmalen Werks von Katherine MacLean eine herausragende Position ein, sondern darf wohl auch zu den besten Werken dieses Themenkreises überhaupt gezählt werden. Ähnlich wie James Blish (mit *Jack of Eagles),* Theodore Sturgeon (mit *The Dreaming Jewels)* oder John Bruner (mit *The Whole Man)* – um nur einige wichtige Titel zu nennen – gelang es ihr dabei nicht nur, die psychischen Probleme eines derartigen Mutanten einfühlsam und überzeugend darzustellen, sondern auch, dem Thema neue Nuancen abzugewinnen. Auffällig und bestechend ist auch, daß Katherine MacLean ihren Roman in einer sehr realistisch ausgestalteten Umgebung angesiedelt hat, dabei das Thema Großstadt thematisiert und ohne Klischees und erhobenen Zeigefinger die Bandenkriminalität zum einen sowie ganz allgemein die Situation von Minderheiten im „Dschungel" der Großstadt behandelt. Gewiß, dem Roman ist anzumerken, daß er nicht aus einem Guß ist, und dramaturgisch gibt es kleine Mängel. Dieser fehlende bzw. zerfasernde Spannungsbogen in der inneren Dramatik wird jedoch durch eine kriminalistische Spannung ersetzt, die in den einzelnen Episoden angelegt ist, und gewinnt durch die ausgeprägte realistische Komponente neue Dimensionen (und auch neue Spannung). Und letztlich strebt die Handlung doch noch einem überzeugenden Höhepunkt zu, als George sich als stärker erweist als alle Behörden. Ein Höhepunkt, der auch unter SF-Gesichtspunkten einiges zu bieten hat.

Hans Joachim Alpers